OTTO SCHNEIDEREIT / LEHÁR

OTTO SCHNEIDEREIT

Lehár

ZENEMŰKIADÓ · BUDAPEST

A fordítás alapja:
Otto Schneidereit
Franz Lehár. Eine Biographie in Zitaten
Lied der Zeit, Musikverlag, Berlin

Fordította
MELLER V. ÁGNES

ISBN 963 330 674 4

Az archív képek közlésének lehetővé tételéért köszönetet mondunk
a Magyar Színházi Intézetnek

Felelős kiadó a Zeneműkiadó Vállalat igazgatója
Szedte a Nyomdaipari Fényszedő Üzem (887778/10)
Alföldi Nyomda (526. 66-14-1), Debrecen 1988
Felelős vezető Benkő István vezérigazgató
Felelős szerkesztő Czigány Gyula
Műszaki szerkesztő Tihanyi Éva
Műszaki vezető Tóth Béláné
A védőborítót Kiss Illés Róbert tervezte
Megjelent 17 (A/5) ív terjedelemben
(Z. 60 319) 1988

A szerző előszava

Számtalan újságcikkben, levélben, beszédben és más közleményben nyilatkozott Lehár Ferenc az életéről; leírta szakmai fejlődését és véleményét saját munkáiról, s szívesen fejtette ki elveit az operett-műfaj lényegéről is. Ráadásul alig akad operettszerző, akiről annyit írtak volna, mint éppen Lehárról. Ezek a tényezők tették lehetővé ennek az idézetekkel átszőtt életrajznak a megírását, mely Lehár saját és kortársai írásaira épül. Nem vitás: Lehár elidegeníthetetlen része a XX. század kultúrtörténetének, ám életművének és életének ellentmondásai már annak idején tápot adtak sokféle vitának: az életrajz ezeket sem mellőzi.

Olyan személyiséget mutatunk be az olvasónak, aki tetőtől talpig muzsikus volt, s muzsikusként tetőtől talpig ember, minden erényével és gyengéjével egyetemben, s akinek erényei és gyengéi egyaránt lecsapódnak színpadi műveiben. Mivel ezek példa nélküli visszhangra találtak, úgy érezte: joggal tekinti a sikert műfaja érvényes értékmérőjének – olyan művekét, amelyek nem általa, de bizonyos mértékig mégis az ő révén kommercializálódtak. Abban a korban, amikor az operett teljességgel áruvá silányult, ő, a művész volt az, aki a színháztörténelem legsikeresebb operettjeit alkotta. S ami Lehárt, az embert illeti, a következő szavakat tekintette élete jelszavának: „mindig ki kell tartani az igazság mellett, az életben csakúgy, mint a művészetben!" Vajon életének minden szakaszában felismerte-e az őt körülvevő valóság igazságát...?

I. fejezet

1870–1903

A ma embere sokkal több zenét fogyaszt, mint elődei. Annak idején bizonyos alkalmakkor muzsikáltak, mi azonban magunkra csurgatjuk a zenét éjjel-nappal, rádióból, hangszalagról vagy lemezjátszóról, ha esik, ha fúj. Olyan zene jött létre, amely a szórakozást szolgálja, s nem is akar többet, mint minden hangulatnak, minden élethelyzetnek megfelelően szórakoztatni. Lehár Ferenc az ilyenfajta zene apja, az ő neve fémjelzi a leginkább ezt a fajta zenét. Ő persze elsősorban a színpad számára komponált; mások használták fel más célra az ő muzsikáját.

Igaz-e, hogy Lehár volt az operett utolsó mestere? Vagy ő volt-e az, aki „meggyilkolta", mégpedig azáltal, hogy próbálta „megnemesíteni"? Mindkét véleménynek akadnak szószólói. Választ a kérdésre csak akkor kapunk, ha megvizsgáljuk Lehár életét és műveit.

Lehár zenéjét nem ritkán egyszerűen giccsnek minősítik. A Meyer-féle új Lexikon (Lipcse, 1973) a következőképpen határozza meg a fogalmat: „Művészet-pótlék, melynek jellemző vonásai a simaság, az olcsó utánzat, a hamis pátosz, az eredetiség és gondolati tartalom hiánya, társadalmi illúziók gerjesztése, látszólagos népiesség, valamint az esztétikai igények pervertálódása." Állítható-e ez Lehárral kapcsolatban is?

Mivel Lehár dallamainak értékelése, nagyobb összefüggésekbe állítása roppant nehéz; egyesek megpróbáltak az operettek tartalma és szövegei alapján ítéletet alkotni, ami persze meddő kísérlet: ezen az úton nem juthatunk el érvényes válaszokhoz.

Lehár neve a hatások egész komplexumát fémjelzi. Ezért így tesszük fel a kérdést: kicsoda – vagy micsoda – volt Lehár?

Eltérőek a vélemények már akkor is, ha megkérdezzük, milyen nemzetiségű volt. Rövidel a második világháború befejezése után, 1946/1947 fordulóján felröppent a sajtóban a hír: „Lehár Ferenc magyar állampolgárságért folyamodott." (1)* Avagy: „Lehár Fe-

---

* Az idézetek után zárójelben álló számok az idézet forrásának sorszámára utalnak (→ *Az idézetek forrásai*, 260–271. l.).

renc úgy döntött, hogy nem tér vissza Ausztriába, hanem Svájcban marad." (2) Akadt ilyen tömör megfogalmazás is: „Lehár ki akar vándorolni." (3) A hírek azonban nem feleltek meg a valóságnak. Először is: Lehár Ausztriában maradt, ahol élete legnagyobb részét töltötte, másodszor pedig soha nem volt osztrák: teljes életében magyar állampolgár volt. Komáromban született, Magyarországon. Anyanyelve is a magyar volt, tizenkettedik életéve előtt más nyelven nem is beszélt. Egyesek úgy vélik, a Lehár név francia eredetű; ezt azonban nem lehet igazolni. Lehetséges, hogy a középkori német „Leonhard" név rövidített formája. Osztráknak tekintették Lehárt, mert állandó lakhelye volt Bécsben és Bad Ischlben. Ausztriában érezte magát képesnek arra, hogy zenét szerezzen. Apai ágon észak-morva származású a család. A Lehar család – akkoriban még nem volt vessző az a-n – ősei, ameddig követhetők, üvegesek voltak, akik mellesleg némi földműveléssel is foglalkoztak. Mesterségük gyakorlása közben messze földeket bejártak – lehet, hogy Ferenc tőlük örökölte utazási szenvedélyét. Josef, az apai nagyapa – mi egyéb is lehetett volna – szintén üveges és zsellér volt, az Olomouctól nyugatra fekvő Šumvaldba (annak idején Schönwaldnak hívták) nősült, ahol három fia született: Johann, Anton és Franz. Josef nagyapó 71 éves volt, amikor 1881-ben elhunyt; Johann, aki asztalos – és persze üveges is – volt, akkorra rég átvette a schönwaldi üvegesműhelyt. Anton és Franz – a legfiatalabb s később a zeneszerző apja – a muzsikus pályát választották.

1908-ban Lehár Ferenc így nyilatkozott: „Apám, akinek eredetileg parasztnak kellett volna lennie, ám beleszeretett egy kicsi hegedűbe, már tíz esztendős surmó korában felkerekedett" a közeli „Sternbergbe (ma: Sternberk, ČSSR – a szerző megj.), hogy Heydenreich városi karmester mellett beavattassék a hangászat titkaiba. A zenei képzés harangkongatással és gyerekringatással kezdődött, később azonban Heydenreich jó tanítónak bizonyult." (4) Anton nagybácsi, aki a seregnél zenekari őrmesteri rangot ért el, egy napon visszatért Sternbergbe, s ott városi zeneigazgatóként működött. Az idősebb Franz ifjúkorában a sternbergi zenekar persze alig volt több holmi malacbandánál, ahol azonban rengeteget lehetett tanulni. Számos hangszeren játszott: hegedűn, gordonkán és nagybőgőn, továbbá kürtön, klarinéton és trombitán, s persze ütőhangszereken is. Őelőtte a Leharok nem lépték át szűkebb hazájuk, Morvaország határait; őt azonban hajtotta valami, hogy egyre csak muzsikálva és a talpalávalót húzva, végigjárja Csehországot és Alsó-Ausztriát, egészen Bécsig; ott azután, alig 17 évesen, állást kapott a Theater an der Wienben. A színházban éppen fuvolásra volt szükség, s az idősebb Lehár Ferenc ottmaradt, 1855 őszétől 1857 nyaráig.

Franz von Suppé volt akkoriban a Theater an der Wien karmestere és házi komponistája, ám még nem érkezett el az ő nagy korszaka. Lehár apja mindazonáltal élénken részt vett különféle Suppé-művek bemutatásában.

Az idősebbik Lehár Ferencnek 1857-ben el kellett hagynia a színházat: behívták katonának. Ezrede – az 5. gyalogezred – Bécsben állomásozott. Így hát egyelőre ott maradt a fejlődésben ugyancsak nekilódult városban.

Apjának Lehár Ferenc ifjúkoráig terjedő szakaszát a zeneszerző csak elbeszélések alapján ismerte, s apja nem bizonyult túlságosan bőbeszédűnek. Amint lehetett, beállt egy katonazenekarba, s tizedesi rangig vitte. 1863-ban megpályázta az 50. gyalogezrednél megüresedett katonakarmesteri állást, s szerencsével járt: amikor 1863. augusztus 1-én kinevezik, 25 éves fejjel ő a sereg legfiatalabb katonakarmestere.

Annak idején a katonakarmesterek fontos szerepet játszottak, különösen az Osztrák–Magyar Monarchia területén. Mesterségüknek is, játékuknak is régi hagyományai voltak, hiszen ennek a zenének a népdal és a katonanóta volt a gyökere. A cs. és kir. hadsereg ezredkarmestereinek és katonazenészeinek 80%-a Cseh- és Morvaországból származott. Nem utolsósorban ezeknek a muzsikusoknak köszönhető az osztrák katonazene világhíre, különösen a XIX. század második felében. Ami pedig az osztrák katonaindulókat illeti, ezek inkább táncra, mint menetelésre valók.

Nagyjából a század közepe óta vonósok is játszottak a katonazenekarokban. Így minden műfajt előadhattak, a vonósnégyestől a tánczenén és ünnepi indulón át Mozart és Beethoven szimfóniáig. Igen sok hosszan szolgáló katonazenész az évek során hangszere mesterévé vált. A kis helységekben állomásozó zenekarok voltak a helybeli kulturális élet oszlopai. A legtöbb katonakarmester kom-

9

ponált is. Indulóikat, tánczenéjüket az a táj ihlette, ahol éltek, s ugyanakkor ők közvetítették a komoly zene műveit – persze megfelelő átdolgozásban – a környék lakóinak. Sokan közülük ily módon hallottak először nagyzenekari, értékes muzsikát. Rengeteg akkoriban keletkezett zenemű ma is elevenen él. (Áll ez mindenekelőtt az indulókra: gondoljunk csak Wilhelm August Jurek *Hoch- und Deutschmeister-induló*jára.) Hat éve szolgált már Lehár apja a seregnél, amikor k. u. k. katonakarmesterré lépett elő. Kivételes eset volt ez, hiszen „a legtöbb katonakarmester civil volt, akiket szerződtettek ugyan, de katonai rangjuk nem volt". (5) Híres kollégái között ott találjuk – akkoriban, de később is – Kéler Bélát és Alphons Czibulkát, akik mindketten Magyarországon születtek, továbbá a prágai születésű Karl Komczákot, s a legnevezetesebbeket: a bécsi Karl Michael Ziehrert és a prágai Julius Fučikot, annak az antifasiszta Julius Fučiknak a nagybátyját, akit 1943-ban gyilkoltak meg Berlin-Plötzenseeben. E nevek minősítik a számtalan többi katonakarmestert is.

A karmesterek eltérő származása, zenélésük különféle célja következtében sajátos színt kapott ez a muzsika, a sodró lendület, az ujjongó vidámság és dallamos bánat különös vegyülékét, vagyis azt, amit az akkori osztrák–magyar zene lényegének nevezhetünk.

Mivel az ezredeket egyre-másra áthelyezték, ez a zene eljutott a monarchia legkülönbözőbb tájaira. S ugyanígy „vándorolt" Lehár Ferenc apja is, zenészeivel együtt. Nem volt ez mindig kellemes, különösen 1859-ben nem, amikor kitört a háború (akkor még nem volt karmester).

A háború nem váratlanul tört ki. Ausztria hatalmas területeket tartott megszállva Olaszországban, s Franciaország Olaszországot támogatta. 1859 nyarára Ferenc József már el is vesztette a csupán az év tavaszán kitört háborút, s Lehár apja is kivette belőle a maga részét olyannyira, hogy ezredén belül zenész-őrmesterré léptették elő. 1859 után Venezia tartományban állomásozott: az egyetlenben, amely még osztrák kézen volt. 1866-ban hagyta el ezt a vidéket, amikor újból kitört a háború: ezúttal Ausztria és Poroszország, illetve Olaszország között.

Ezek a hadműveletek is osztrák vereséggel végződtek, annak ellenére, hogy kezdetben mások voltak a kilátások. Az osztrákok negyedmillió katonával és 740 ágyúval álltak Csehországban, amikor a poroszok 1866. június 22-én átlépték a cseh határt, s a Königgrätz (ma: Hradec Králové, ČSSR) mellett július 3-án vívott csatában a maguk javára döntötték el a háború kimenetelét, bár az osztrákok és poroszok még július 21-ig csatároztak egymással. Ezzel szinte egyidőben, 1866 júniusában, az 1860-ban újjáéledt Olasz Királyság is hadat üzent Ausztriának. Június 24-én a custozzai csatában, Veronától délkeletre az osztrákok súlyos vereséget mértek az olaszokra. Súlyosat, de nem döntőt. Ebben a csatában részt kellett vennie Lehár katonakarmesternek is. Az Oliosi nevű falucska elleni támadás során megsebesült. Még azon az éjszakán megkomponálta az *Oliosi-rohamindulót*, melyet később besoroltak az osztrák hadsereg történelmi indulói közé. Ez a mű tekinthető a legjobbnak a saját zenekara számára komponált számtalan polka, mazurka, galopp, keringő, zenedarab és persze induló közül.

Néhány nappal Königgrätz után az Itáliában állomásozó osztrák sereg parancsot kapott, hogy vonuljon észak felé. Július közepén érkeztek meg az első csapatok Bécsbe, ahonnan Csehországba küldték őket. Amikorra azonban az 50. sz. ezred odaérkezett, már véget ért a háború. Znaim (ma: Znojmo, ČSSR) mellett porosz fogságba esett az ezredzenekar is. Lehár katonakarmester úr egy Brünn (ma: Brno, ČSSR) melletti fogolytáborba került; a békekötés után viszszatért Bécsbe.

Az 1866-os háború befejeztével sok minden megváltozott az Osztrák–Magyar Monarchiában. Az Ausztria és Magyarország közötti 1867-es kiegyezés után számos törvény lépett életbe, melyek viszonylagos függetlenséget biztosítottak Magyarországnak.

Az osztrák hadseregben azonban alig változott valami is. Ugyanúgy helyezték ide meg oda az ezredeket, mint annak előtte. Az 50. sz. gyalogezred 1868 késő őszén elhagyta Bécset, mert áthelyezték abba a Duna menti kisvárosba, ahol majd megszületik Lehár Ferenc: Komáromba. A komponista így nyilatkozik erről 1940-ben: „Amikor megszülettem, apám katonakarmester volt Komáromban, ebben a hajdan igen fontos vízivárosban, a Vág és a Duna összefolyásánál." (6)

Pontosabban: a városmag a Csallóközben, Közép-Európa legnagyobb folyami szigetén fekszik, mely tulajdonképpen nem is sziget, hanem a Duna főfolyása és mellékága által közrefogott, Pozsonytól Komáromig terjedő hatalmas terület. 1870-ben, amikor Lehár Ferenc megszületett, a katonaságot leszámítva kereken 13 000 lakosa volt a városnak. Komárom nemcsak garnizon volt, hanem szabályszerű erődítmény, amely magában foglalta a várost is. A tulajdonképpeni védművek a keleti oldalon álltak, ott, ahol a Duna mellékága felveszi és a főágba vezeti a Vág és a Nyitra vizét. A várost és a várat hatalmas védvonal, az ún. Palatinus-vonal tette legyőzhetetlenné. Sok látnivaló a városkában nem akadt, de azért kellemes volt a maga néhány templomával, a hatalmas kaszárnyákkal, a megyeházzal, promenádokkal, parkokkal, a törvényszék épületével és a sok iskolával. Gyermekéveit Lehár a templom és a laktanya között töltötte. (Egyébként Jókai Mór is Komáromban született, 1825-ben.)

Az a legenda, hogy Lehár anyja, Neubrandt Krisztina, egy cigánytáborban látta meg a napvilágot 1849. március 15-én, onnan ered, hogy egy Cigányrét nevű külvárosban született. A Neubrandt név kapcsán többször felmerült, hogy ősei német telepesek lehettek, ám ez nem bizonyítható. Krisztina szüleit – Lehár Ferenc nagyszüleit – Neubrandt Ferencnek és Krisztinának hívták. Ferenc Igmándról, egy Komáromtól délre fekvő falucskából hozott magának feleséget, s visszaköltözött vele a Duna bal partjára, szülővárosába, Komáromba, ahol már Lehár nagyapja is lakott. Lehár anyjának ősei tehát Komáromban és környékén keresendők, olyan tájon, ahol javarészt magyarok és – nevük tanúsága szerint – elmagyarosodott németek laktak. A Neubrandtok, akárcsak rokonaik és őseik, falusi és városi iparosok voltak: fazekasok, kádárok, kőművesek. Lehár anyjának apja a szappanfőző- és gyertyaöntő-mesterséget folytatta. Hol jobban ment a sora, hol meglehetősen rosszul; Krisztina, az Igmándról hozott feleség azonban jó „vételnek" bizonyult. Az asszonynak volt ereje, hogy egyre magasabbra emelje a családot az adott lehetőségek keretei között.

Ausztria és Magyarország torzsalkodása persze fokozottan volt érezhető a vegyes lakosságú határváros életében. 1849. március 19-én, négy nappal Krisztina születése után, ágyúzták a várost: az osztrák csapatok a Duna túlpartjáról lőttek rá. Ősszel mind a város, mind a vár az osztrákok tulajdonába került. Magyarország csak az 1867-es kiegyezéssel lett félig-meddig önálló állam.

A komáromi polgárok magyarnak érezték magukat, s ez a Neubrandtokra is érvényes volt; Ausztria nemigen érdekelte őket. S a magyarok nem is használták Komárom német nevét – Komorn –, Komárom maradt az nekik mindig is. Ide helyezték át 1868 késő őszén az 50. gyalogezredet.

Franz Lehar karmesternek nemcsak katonai kötelességeit kellett teljesítenie: nyilvános hangversenyeket dirigált a városban, kerti hangversenyeket adott az Erzsébet-szigeten, sétakoncerteket a tiszti pavilonban meg a tiszti kaszinóban, bálokon csakúgy, mint temetéseken. S a magyarok nem lettek volna magyarok, ha nem nyerte volna el tetszésüket az új katonakarmester muzsikája – aki most már ékezetet rakott neve *a* betűjére, és jó magyarosan Lehárnak nevezte magát. Tetszett az 1869 tavaszán meginduló hangversenysorozat a fiatal Neubrandt Krisztinának is. Apja, Neubrandt Ferenc, 1866 őszén meghalt; a lány anyjával élt együtt, aki akkorra már bizonyos jólétre tett szert. A magyar gyertyaöntő lánya és az osztrák katonakarmester összeismerkedett, s mindketten szerelemre lobbantak. 1869. május 4-én kötöttek házasságot, s Krisztina átköltözött a Rei utcából férjéhez, a Rác utcába. A legénylakás persze szűknek bizonyult, s a fiatal pár átköltözött a Nádor utcába. Nagyon is szokatlan volt, hogy egy k. u. k. katonakarmester magyar lányt vegyen feleségül. Az ifjú házasok csak nehezen értették meg egymást. Franz keveset tudott magyarul, Krisztina egy szót sem németül. De akadt más nehézség is bőven. Anton Freiherr von Lehár, a zeneszerző öccse így számol be erről később: „Az asszonynak határtalan odaadással kellett viseltetnie férje iránt, hogy boldoggá tegye a házasság kötelékét. Előttünk, gyermekek előtt anyánk szívesen hivatkozott arra, hogy apánk lénye, mozdulatai, megjelenése, de még a jelleme és jósága is igen hasonló volt az ő apjáéhoz. Rajongó szeretettel és gyakran beszélt róla, aki pajtása és barátja is volt, s ezeket az érzéseket átvitte az atyjáról a férjére. Bár csak kilenc évvel volt fiatalabb nála, mindig valami csendes tisztelettel nézett fel atyánkra, s ebben az érzésben mindig volt valami gyermeki tisztelet. Soha nem hallottam, hogy apánkat másképp szólította volna, mint Apának." (7)

Lehár, a zeneszerző, a már említett Nádor utcában született, 1870. április 30-án, két órával éjfél előtt. Május 4-én megkapta a keresztségben a Ferenc Kristóf nevet, méghozzá az 50. sz. gyalogezred tábori lelkészétől. Amire kétéves lett, megszületett Eduárd nevű öccse, aki alig egy esztendő múltán meghalt – ám akkorra a család már Pozsonyban lakott; szülővárosáról Lehár Ferencnek aligha maradhattak világos emlékei. Mire ötesztendős lett, apját zenekarostul áthelyezték Sopronba, a Fertő tótól nyugatra fekvő városba. 1875-ben megszületett Lehár Mária Anna, egy évre rá Lehár Antal.

Mivel az ezredet gyakran helyezték ide-oda, a Lehár családnak is elég sokat kellett hurcolkodnia – egészen 1880-ig, amikor is Budapestre kerültek. Az apa áthelyeztette magát a 102. gyalogezredhez, hogy legalább addig maradhasson megfelelő művelődési lehetőségeket biztosító helyen, amíg fia gimnáziumba jár.

Addig leginkább zenei területre korlátozódott a kisfiú művelődése. Karmester fia lévén, hamar megismerkedett a muzsikával. Erről így ír majd később: „A szülői házban éjjel-nappal muzsikáltak, vagy legalább beszélgettek a zenéről. Apámnak nem volt más szenvedélye a zenén kívül, nem is érdeklődött semmi más iránt. Életem első napjától fogva mindenki természetesnek tartotta, hogy apám nyomdokaiba lépek. Holmi csodagyereket csak akkor emlegettek volna a családban, ha *nem* lett volna belőlem muzsikus. Igaz, apám csupán arra gondolt, hogy jó hangszeres zenészt és karmestert faragjon belőlem. Ilyen irányú oktatásom alighanem már akkor elkezdődött, amikor első lépéseimet próbálgattam. Az oktatás igen szigorú és módszeres volt. Apám már első zongora-kísérleteimkor is megkövetelte a tempók gondos betartását. Elborzadt, ha a nehéz részeket lassabban, a könnyűeket gyorsabban játszottam – ezt 'hadarásnak' nevezte –, s igen szigorúan rendreutasított; s akkor sem bánt velem másképp, amikor még alig ötéves voltam. Ám apám éppen így tett eleget minden művészi teljesítmény legelső feltételének: kemény és szigorú kritikus volt, s ez éppen ott elengedhetetlen, ahol a tehetség könnyen hajlana a lazább fegyelemre... Minden siker második feltételét, a biztatást és a dicséretet, első gyermekéveimben angyali jóságú anyám biztosította. Képes volt órákon át meghallgatni, amikor gyermekdalokat zongoráztam. A német nyelvet csak házasságkötése után tanulta meg. Valaki alighanem azt tanácsolta neki, hogy sokat és hangosan olvasson németül, sőt, szavaljon is. Így hát nemcsak gyermekmeséket hallottam tőle, hanem – mondhatni: legfőképp – verseket. Az egyiket kissé szentimentális anyám nyilván különösen szerette. Úgy kezdődött, hogy „Ott mélyen legbelül – érzem – beteg vagyok, s mélységes bánat száll kedélyemre..." A sokszor hallott költemény megmaradt emlékezetemben. Ma már nem tudom, hogy hat esztendős gyerek létemre mire gondoltam, ha hallottam. Tény, hogy betegnek lenni már akkori fogalmaim szerint is igen szomorú dolog volt. Kitaláltam a szavakhoz egy dallamot, G-dúrban kezdődött, aztán három taktus után értelemszerűen átváltott mollba. Ez volt a legelső kompozícióm! Anyám énekelte, én meg zongorán kísértem. Röviddel később, karácsonykor, apám három zongora-kivonattal ajándékozott meg; ezek voltak a *Lohengrin*, a *Faust* és a *Carmen*. Úgy alakult, hogy ezek többet jelentettek nekem, mint hogy zenetáram alapjai legyenek. Rajtuk keresztül szereztem első s ezért legmélyebbre ható benyomásaimat arról, mi a zenei alkotás, a drámai forma. Azt mondhatnám, ezek voltak gyermekéveim zenei világának alfája és ómegája. Újra meg újra elővettem őket, s ahogy egyre érettebb lettem, úgy értettem meg őket egyre jobban, úgy értékeltem őket egyre magasabbra. Nyilván atyámnak ez a – kisgyermek számára bizonyára szokatlan – karácsonyi ajándéka ébresztette fel bennem a vágyat, hogy magam is komponáljak majdan színházi muzsikát, magam is írjak zongora-kivonatot, s talán láthassam is egykor kinyomtatva." (8)

Nyilvánvaló tehát, hogy Lehár Ferencben már igen korán feltámadt a vágy, hogy valaha színházak számára dolgozhassék. Ez volt „ifjúságom álma. Megvalósítását szerencsés módon indította el a komolyságnak és biztatásnak az a ritka keveréke, amellyel első zenei próbálkozásaim a szülői házban találkoztak." (8)

A hatvanadik születésnapja alkalmából készített interjúban pedig így írta le szülei magatartását a gyermek tehetségével kapcsolatban: „Anyám gyakran mesélte, hogy úgynevezett csodagyerek voltam. Már négy esztendős koromban el tudtam zongorázni minden dallamhoz a megfelelő kíséretet, még a nehéz hangnemekben is. Akkor is tudtam játszani, ha letakarták a billentyűket, vagy ha sötét volt a szobában. Művészi variációkat találtam ki megadott témákra, aminek szüleim nagyon örültek. Olykor megengedték, hogy látogatók előtt produkáljam magamat, de apám a leghatározottabban elutasított minden olyan ajánlatot, hogy a nyilvánosság előtt játsszszak. Szerencsére idegen volt tőle némely szülő hamis nagyravá-

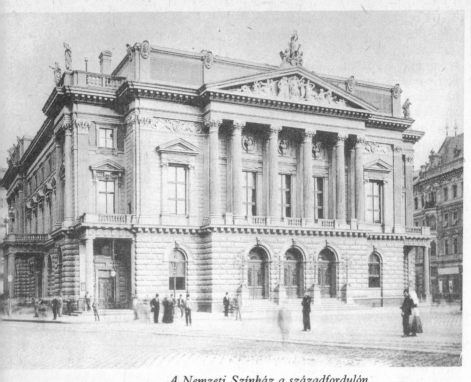

A Nemzeti Színház a századfordulón

gyása, hogy kiaknázzák gyermekük tehetségét. Így hát neki köszönhetem, hogy a sors megóvott számos csodagyerek sorsától." (9)

A kisfiú persze más benyomásokat is szerzett a szülői házban, nemcsak zeneieket: „Gyermekkoromra esik egy kis epizód, melyet soha el nem felejtettem. Kolozsvárott történt, apám ezrede éppen ott állomásozott." Az akkori Erdélyben fekvő városban van egy roppant tekintélyes épület, a Szent Mihály katedrális; Liszt Ferenc egyszer ott vezényelt. „Apám azzal fejezte ki a nagy mester iránti hódolatát, hogy ingyen hegedült a zenekarban. Megengedte, hogy egy sarokban, csendben meghúzódva, végighallgassam a koncertet. Amikor aztán Liszt a hangverseny végén elbúcsúzott apámtól, ő a mester keze fölé hajolt, és megcsókolta." (10)

1880-ban, amikor a család Budapestre költözött, a városnak

16

370 000 lakosa volt, s kezdett ahhoz a feladathoz felnőni, hogy – Bécs mellett – az Osztrák–Magyar Monarchia második fővárosa legyen. Az apa a piaristák gimnáziumába íratta be Lehár Ferencet. A jámborság iskoláinak atyái (patres scholarum piarum) már a megelőző évszázadban is nagy érdemeket szereztek az osztrák és a magyar iskolaügy terén. Annak, hogy az apa éppen ezt a gimnáziumot választotta, kettős oka volt. Először is az, hogy a szülők őszintén vallásosak voltak: valamennyi felmenőjüket római katolikus hitben keresztelték meg. Ennél is fontosabb volt persze, hogy ezekben az iskolákban ingyenes volt az oktatás, ami súlyosan esett a latba a katonakarmester szűkös családi költségvetésében. Lehetséges, hogy még valami más oka is volt annak, hogy a család Budapestre költözött. Lehár Ferenc anyai nagyanyja özvegy Neűbrandtné, Budapestre költözött, s bámulatos energiával házat is szerzett a Rákóczi téren.

Akárcsak megannyi más gyerek, Ferenc is szívesebben tanyázott a nagymamánál, mint odahaza: otthon számot kellett volna adnia iskolai teljesítményeiről, márpedig azok nem voltak valami fényesek. Idős korában ő maga mondotta el. „Roppant kevéssé érdekelt engem az iskolai tudomány. Legfőképp azért tartottak benn a gimnáziumban, mert az énekórákat én kísértem harmóniumon." (6) Így hát a Rákóczi térre, a nagymama pompás biedermeier-bútorokkal berendezett lakásába menekült, amikor csak lehetett. A zeneszerző kései visszaemlékezéseiben bőven esik szó a nagyanyai házról: „Az udvarán volt egy kis kert, leért egészen a zöldre festett kútig. Kicsiny ágyásokban termett ott a rozmaring és a kakukkfű, a szegfű és a rezeda. Az apró kaviccsal kirakott kerti utakat keserű-víz-flaskák szegélyezték, melyeknek nyakát a földbe fúrták. A magas rózsatöveket apám vásárolta a Margit-sziget kertészetéből, s sajátkezűleg ültette el; rudak támasztották, tetejükön piros, fehér meg zöld üveggömbökkel. Lugas támaszkodott a kertfalhoz, bükköny és vadszőlő kúszott rá; kis pad is volt benne, s ott találkoztam legelső szerelmemmel: egy helyes kislánnyal, aki a ház egyik udvari lakásában lakott, parasztruhát viselt s piros selyem fejkendőt... Megszorítottam a kicsike kezét. Néztünk egymás szemébe. Mértéktelenül boldog voltam – míg oda nem jött a nagymama. Erélyes asszony volt, immár hetvenes éveiben. Kemény szavakkal kergetett

17

szét bennünket, én meg keservesen sírtam. Mivel sehogysem szakadt vége bömbölésemnek, jó anyám bevitt a hálószobába, a komód elé, melyen zenélő óra állt. Megengedte, hogy meghúzzam a selyemzsinórt, hátha Boccherini menüettje majd megnyugtat. Ám igyekezete kárba veszett. Anyám végül meglelte a megoldást: tekintélyes pénzösszeget nyomott a kezembe, hogy dús ajándékot vegyek rajta magyar babámnak. A tekintélyes pénzösszeg egy négykrajcáros volt, a szerelmemnek szánt dús ajándék egy zacskó cukor. A csalfa nőszemély megfelezte a tartalmát a szomszéd kőfaragó fiával; vetélytársam elrontotta vele a gyomrát! Érdekes, mennyire

←*A pesti Vigadó*

*A Magyar
Színház*

bevésődött emlékezetembe ez az első szerelem minden kísérőjelenségével együtt..." (11)

Az idősebbik Lehárnak persze arra is volt gondja, hogy fia a gimnázium mellett még mihamarabb szabályos zeneoktatást is kapjon. Annak idején két olyan intézmény is volt, ahol zenét oktattak: a (két régebbi zeneiskola összevonásából keletkezett) Nemzeti Zenede, meg a jóval nagyobb tekintélynek örvendő, 1875-ben alapított Zeneakadémia, melynek Liszt Ferenc volt az elnöke: tiszteletre méltó főiskola, ahol kisfiúnak nem volt semmi keresnivalója. A másik intézményben sem foglalkoztak gyerekekkel. Ám Lehárt a Nemzeti Zenede egyik tanára kezdte el tanítani.

Nem sokáig. Éppen a magyar fővárosban, ahol szinte mindenki két nyelven – magyarul és németül – beszélt, kínos feltűnést keltett, hogy Ferenc csak magyarul tudott. Aki vinni akarta valamire a

Monarchiában, annak mindenképp tudnia kellett németül. Ám Budapesten nem lehetett csak valamennyire is tisztességes németséget tanulni. Idősb Lehár erre olyan elhatározásra jutott, mely – egyfelől – fájdalmasan érintette őt (feleségét még inkább!), másfelől azonban tálcán kínálkozott.

Arra nem vitte rá a lelke, hogy egy bécsi internátusba adja be a fiút, ahol tisztességesen megtanult volna németül; szerencsére azonban éltek még rokonok az apa morvaországi hazájában: azokhoz küldte a gyermeket. Igaz, hogy Schönwaldban, az apa szülőhelyén, a századforduló után 1622 cseh és csak 8 német ajkú ember lakott, viszont a szomszédos Deutsch-Liebenaunák (ma: Libiwy Nemecki, ČSSR) ugyanakkor 4675 német és csupán két cseh ajkú lakosa volt, vagyis a cseh falvak között számos németek lakta falu helyezkedett el. Lehar József, az apai nagyapa, 71 esztendős korában, 1881-ben hunyt el Schönwaldban, életben volt azonban az apa két testvére: János bácsi, az asztalos- és üvegesmester Liebenauban, s Antal bácsi Sternbergben, aki időközben abban a városban lett karmester, ahol ő is, s az apa is megtanulta a muzsikus-mesterséget. A zenekar, amelynek élén állt, persze nem hasonlítható holmi nagy, nagyvárosi zenekarhoz. A múlt század 80-as éveinek elején, amikor Lehár Ferenc a nagybátyjához került, Sternberg városkának nagyjából 12 000 lakosa lehetett. Mindazonáltal jelentős kereskedőváros volt, s akadt néhány gyár is, hisz ezek voltak a gyarapodó iparosítás évei. Ilyen virágzásnak indult városka pedig igazán megengedhette magának, hogy saját zenekara legyen. Vagyontalan szülők gyermekei úgy juthattak hozzá némi zenei oktatáshoz, hogy beléptek a zenekarba. Hány, de hány, később nevezetes muzsikus és zeneszerző járta végig ezt az utat!

Lehár Ferencnek azonban az volt az elsődleges feladata, hogy megtanuljon németül. A budapesti gimnáziumi évek után most megint el kellett végeznie az elemit, hiszen a magyar nyelvvel föl se vették volna a sternbergi főreáliskolába. A német környezetben azonban hamarosan elsajátította az új nyelvet. Ugyanilyen rohamléptekkel haladtak előre zenei tanulmányai Antal bácsi oldalán.

Így hát – a szülőkkel egyetértésben – megszületett a döntés, hogy Ferencet beadják egy igazi zenei főiskolába. Kérdés persze, hogy melyikbe. A legjobb nyilván a bécsi konzervatórium lett volna; ám oda csak 14 éves kortól vettek fel növendékeket, márpedig Ferenc

1882 áprilisában még csak a 12. születésnapját ünnepelte. Bécs tehát nem jöhetett számításba. Miközben Ferencnek szabad volt a bácsi zenekarában hegedülnie, s így részt vehetett annak előadásain, az apa tovább kutatott, s megtalálta a megoldást: a prágai konzervatórium már 12 éves kortól vett fel növendékeket, s – ez sem utolsó szempont – aki megállta az igen szigorú felvételi vizsgát, ingyen tanulhatott! Prága ez idő tájt korántsem volt rózsakert: már kiütköztek az Osztrák–Magyar Monarchia belső ellentmondásai. Nem lehetett jó vége annak, hogy egyhatodnyi, németül beszélő osztrák uralkodjék az öthatodnyi cseh lakosság fölött.

Ám a 12 esztendős Lehár Ferenc számára Prága nem volt se cseh, se német – nem jelentett számára mást, mint mindenekelőtt a konzervatóriumot. Új épületén, a Rudolfinumon (ma: Dum umelcu – művészek háza –, 1876 és 1884 között Josef Zitek és Josef Schulz építette; 1954 óta itt működnek a csehszlovák filharmonikusok) még 1884-ig folyt az építkezés. Amikor Ferenc 1882-ben megkezdte tanulmányait, ismét – akárcsak Sternbergben – még egyszer végig kellett járnia az elemi iskolát, hogy újabb nyelvet tanuljon.

„A prágai konzervatóriumnak akkoriban igen jó híre volt. Főtanszakként a hegedűt választottam, tanárom Bennewitz volt, a konzervatórium igazgatója, zeneelméletet Förster professzornál tanultam" – írja majd később a zeneszerző (12). Eleinte teljesen egyedül élt Prágában, teljesen önmagára utalva. „Nem voltak azok arany idők. Szobám a jegespince fölött volt: télen szinte odafagyott a cipőm talpa a padlóhoz. Ha gyakorolni akartam a hegedülést, nappal bebújtam az ágyba." (6) A szülők csak napi tíz krajcárt tudtak fiuknak rendelkezésére bocsátani – többre nem tellett. Hogy ez mit jelentett a serdülő fiú számára, azt az az eset világítja meg, melyről Lehár 1930-ban beszélt egy interjúban: „A kosztpénz, melyet szüleim küldtek, csak részben fedezte szükségleteimet. Megtörtént, hogy egyszer az éhségtől összeestem az utcán. Mégis, amikor anyám meglátogatott Prágában, volt annyi erőm, hogy ne panaszkodjak. Csak amikor elutazott, amikor már elindult a vonat, akkor tört fel nagy erővel a dacosan leküzdött fájdalom. Mama! Mama! – kiabáltam, jó darabon futottam a vonat mellett. Az útitársak csak nagy nehezen bírták megakadályozni, hogy szegény asszony kiugorjék a fülkéből. Elájult, s nagy fáradsággal lehetett csak feléleszteni." (9)

1884-ben újabb fordulat következett be. Az apa ezredét áthelyezték Prágába. Ettől fogva a fiú a szüleivel élt: vége szakadt a nyomorúságnak. Erre az időre esnek Lehár első komoly zeneszerzői kísérletei. „Dalok voltak, ha jól emlékszem, igen silány szövegekre, meg egy szonatina. Aligha lehettek remekművek." (12) 1885-ben azonban már talált kiadót a G-dúrban komponált *Sonate à l'Antique*-jára: a bécsi Hofbauer céget. A vágyról, hogy komponáljon, s az alkotás öröméről így nyilatkozott később: „A zeneszerzés most már fontosabb volt nekem, mint tulajdonképpeni szakom, a hegedülés. Antonín Dvořák, a híres cseh zeneszerző, megerősített ebben az igyekezetemben. Ahányszor csak befejezett egy új vonósnégyest, meghívott néhány konzervatóriumi növendéket, játsszák el őnála. Így ismerkedtem meg vele, s egyszer eljátszottam neki egyik magam komponálta szonátámat. Dvořák akkor azt mondta, akasszam szögre a hegedűt, szenteljem magam csakis a zeneszerzésnek. Ezt azonban a legszigorúbban tiltották a konzervatóriumban, nehogy a növendékek elhanyagolják tulajdonképpeni szakukat. Nem sokat törődtem a tilalommal, s titokban magánleckéket vettem Fibich prágai zeneszerzőnél. Az igazgató végül mégis rájött a dologra, s kijelentette: vagy elhagyom a konzervatóriumot, vagy abbahagyom a magántanulást Fibichnél, amit, nehéz szívvel bár, de el kellett fogadnom. Mikor egyszer apámnál voltam látogatóban Bécsben, elpanaszoltam neki bánatomat. Rábeszélt, hogy gyűrjem le még azt az egy esztendőt, tegyem le a vizsgáimat, szerezzem meg a diplomát, mely nélkül nem tudok magamnak hegedűsként egzisztenciát teremteni. 17 éves voltam, amikor apám elvitt Johannes Brahmshoz; neki is eljátszottam a szonátámat. Brahms igen jóakaratúan nyilatkozott felőlem, s ajánlólevelet adott Mandyczewski professzorhoz. Nem vehettem hasznát, mert vissza kellett térnem Prágába. Így hangzottak az ajánló sorok: Figyelmébe ajánlom Lehár zen. ig. urat, s kérem, szíveskedjék fia ügyében intézkedni – a mellékletek magukért beszélnek s magukat ajánlják!" (12)

Ez a beszámoló arról is tudósít, hány jelentős muzsikussal került Lehár akkoriban kapcsolatba. Nem volt túlzás tehát, ha Prágát egykor Európa konzervatóriumának nevezték. Igen érdekesek voltak Prága akkori színházi viszonyai is. Németül játszottak a régi Városi Színházban, ahol Mozart *Don Giovanni*jának ősbemutatója volt, meg a Neustädter Theaterben, bár azt 1885-ben bezárták. Ugyanabban az esztendőben Angelo Neumann, a nagyszerű formátumú igazgató vette át a városi színház vezetését. Ő volt az, aki a később oly híres Gustav Mahlert meghívta Prágába, a színházához. Mahler azonban csak egy esztendeig maradt, s ezalatt huszonhétszer kellett elvezényelnie *A säckingeni trombitás*t. Decemberben kihozta Wagner *A Rajna kincse* és *A walkür* c. operáit; mindkét mű csupán igen kevés előadást ért meg. Májusban betanította Mozart *Don Giovanni*ját és Beethoven *Fidelió*ját; utódja Karl Muck volt.

Lehár Ferenc s konzervatóriumbeli barátai igyekeztek persze minél többször bejutni a városi színházba: tiszteletjegyekkel – vagy anélkül. Ferenc tehát látta-hallotta mind Mahlert, mind Muckot dirigálni, s bizonyos, hogy ennek is meghatározó jelentősége volt.

Volt ezenkívül egy cseh opera is, 1862-ben nyitották meg a Moldva-parti ideiglenes színházat, ahol főképp Smetana és Dvořák operáit mutatták be. 1883-ban, amikor Lehár éppen egy bő esztendeje volt Prágában, megnyílt a Nemzeti Színház, s az ifjú Ferenc ott élte át Smetana *Eladott menyasszony*ának egy előadását. Mindezek az operák, a nagy hangversenyek, a kamarazene-estek, a nagy viták a konzervatóriumi kollégákkal, s mindezen felül a rengeteg partitúra tanulmányozása, a cseh muzsikusok és apja nyári hangversenyei saját zenekara élén a Grabenen lévő Német házban nyilván befolyásolták az ifjú muzsikust, vagy legalább hatással voltak rá. Mindent felszippantott magába, s mindent feldolgozott magában.

Amikor eljött az idő, hogy Lehár Antal számára is pályát kellett választani, az apa őt is a Rudolfinumba íratta be; azt remélte, hogy belőle is zenész lesz. Most már két muzsikus-tanuló volt a szülői házban: Ferenc a hálószobában gyakorolt, Antal a konyhában. Heteken keresztül nem hallott mást, mint Wieniawski *Polonaise brillante*-jának nehéz futamait és kettősfogásait.

Mennél türelmesebb, mennél kitartóbb volt Ferenc, annál inkább irtózott Antal attól, hogy álló hat esztendeig naponta hatnyolc órát álljon a kottapult előtt. Az apa hamar észrevette fia ellenérzéseit, s amikor Antal arra kérte, hadd kapjon ő is egy flóbert-puskát, mint a szomszédék fia, akkor az apa választás elé állította fiát: Vagy a hegedű – vagy a puska! Antalnak nem esett nehezére a döntés, s másnap megkapta a flóbertet. 1887-ben, amikor az ezredet Bécsbe helyezték, Antal beiratkozott a reáliskolába, 1889-ben pedig a gyalogoskadét-iskolába. Ferenc hát ismét magára maradt. Most azonban már 17 esztendős volt, és könnyebben megbirkózott a nehézségekkel, mint 14 esztendősen.

Nem volt előtte persze titok, mekkora a feszültség a német és a cseh ajkú prágaiak között, ám a zene birodalmában mindez nem mutatkozott olyan élesen: többet vitatkoztak ott Richard Wagnerról, mint a nyelvi problémákról.

Arról, hogy apját is belevonták ebbe a zenei csatározásba, Lehár 1925-ben adott hírt. Apja „nem hagyta magát eltántorítani maga alkotta ítéletétől. Akkor sem, ha például a jókedvű tisztek adott jelre egyszerre fogták be a fülüket, amint Wagnert játszott a zenekar. Mindez persze a múlt század 80-as éveinek elején történt, amikor az ilyen Wagner elleni vétekkel még olyan emberek sem tették magukat nevetségessé, akik többet értettek zenéhez, mint a k. u. k. katonatisztek." (13)

Lehár apja híve volt a jó zenének, akár Wagner, akár Johann Strauss szerezte. S minden lehető módon harcolt a maga igazáért, amit a következő anekdota is bizonyít:

Az idősebb Lehár ezredparancsnoka, bizonyos báró Sztankovics ezredes, bőkezű nagyúr és a művészek mecénása, tiltakozott az ellen, hogy az egyik hangverseny műsorán Johann Strauss egy keringője is szerepelt. A karmester állhatatos maradt, s követelte, hogy ezredraportra mehessen: ott döntsenek arról, vajon Mozart vagy Weber elviseli-e Johann Strauss szomszédságát, vagy sem, s sikerült is keresztülvinnie szándékát. Mivel a hangverseny műsorát ezredparancsban is ismertették, Lehár karmester úr általában ezzel fejezte be e kis eset történetének elmondását: „Így esett, hogy Johann Strausst még életében avatták klasszikussá, még hozzá ezredparanccsal!" (13)

Ez az eset az akkori katonazenekarok gyakorlatába enged érdekes bepillantást. Lehár, az apa, „a katonakarmesterek ama régi gárdájához tartozott, akik még tudatos zenei kultúrmunkát végeztek, s tették ezt olyan korban, amikor a jó civil zenekarok még ritkaságszámba mentek, az osztrák katonazenészek viszont világhírben sütkéreztek. Mindig meghatódtam, mindig megrendültem, ha láttam, milyen odaadással vesz részt apám kamarazene-esteken vagy templomi hangversenyeken, csodáltam szent buzgalmát, ahogyan számtalan próba után igyekezett például egy Schubert-szimfóniát előadni, s azt, ahogyan szinte felolvad a muzsikálásban." (13) Végre valahára méltónak találtatott Lehár Ferenc arra, hogy muzsikusnak nevezhesse magát. 1888. július 12-én került sor a vizsgahangversenyre a Rudolfinum termében; Max Bruch 2. hegedűversenyét adta elő zenekari kísérettel. Eljöttek a szülei is Bécsből. Az előadás sikere és a diploma igazolta, hogy fiuk nem tékozolta el az idejét a hat prágai esztendő alatt. Magának a zeneszerzőnek később más volt a véleménye. Úgy vélte, aligha lett volna belőle valaha is híres hegedűművész, s ezért fölösleges áldozatnak érezte a megszámlálhatatlan éjszakai órát, amit gyakorlással töltött.

A fiatal hegedűsnek persze mindenekelőtt állást kellett keresnie. Zenekari muzsikusokkal Dunát lehetett rekeszteni, ám Lehárnak szerencséje volt. Akadt egy színházigazgató, aki éppen akkor nyitotta meg színházát: Ernst Gettke, 47 éves, korábban főrendező és igazgató-helyettes Lipcsében. Őt bízták meg azzal, hogy megnyissa és igazgassa Elberfeld éppen hogy felépült városi színházát.

Lehár Ferenc tehát 1888 szeptembere óta a Barmennel lassankint egy várossá összeforró Elberfeldben volt található (1930-ban aztán Barment is, Elberfeldet is egyesítették Wuppertal városával). Tekintélyes városka volt: Barmen nélkül is 100 000 lakossal dicsekedhetett, már akkoriban is figyelemre méltó iparral, s igen szép volt a környéke is. Ez utóbbit azonban aligha csodálhatta meg az ifjú muzsikus. Első hegedűsként nem volt éppen fényes fizetése: havi 150 márka! Első állásáról így tudósít Lehár: „Bár vonakodva s csakis anyagi meggondolásból fogadtam el az állást, igencsak hasznomra volt ez az első év, melynek során koncertmesterré léptem elő. Megismerkedtem a zenekarral, s világosabb fogalmat alkothattam magamnak a színházról, legfőképpen az operáról. Apám távirata azonban hirtelen Bécsbe szólított: sürgősen kellett a zenekarába egy szólista. Gettke, az igazgatóm, csak azzal a feltétellel volt hajlandó elengedni, ha megfelelő helyettest állítok. Mivel ez nem ment olyan gyorsan, egyszerűen megszöktem, szerződésszegő lettem. Üldöztetésemet azonban abba kellett hagynia, mivel közben a katonasághoz asszentáltak." (12) „Asszentálni" azt jelentette Ausztriában, hogy „katonai sorozásra behívni".

Lehár apja Bécsben visszatért régi ezredéhez, az 50-esekhez: ő intézte el, hogy fiát behívják, csakhogy maga mellett tarthassa.

Némely életrajzíró szerint más oka is volt annak, hogy Ferenc megszökött Elberfeldből, nevezetesen a színház 36 éves, szőke énekesnője, akinek szerelme lassanként teljesen befonta Lehárt. Még dalt is komponált a hölgy számára: „In stiller Nacht hörst du mich flüstern", hallod-e, mit suttogok csöndes éjszakán. A hölgy Lehár után utazott Bécsbe, ám az apa feltárta előtte, mennyire kilátástalanul epekedik. Az énekesnő tehát visszatért Elberfeldbe, Lehár Ferenc pedig Bécsben maradt. Igen nagy sikerrel játszotta a hegedűszólókat mindazokon a hangversenyeken – elsősorban a „Kurszalonban" –, melyeket apja vezényelt. A zeneművek, melyeket a katonakarmester dirigált, persze szerényebbek voltak, mint azok, melyekben Elberfeldben közreműködött, hiszen ott *A Rajna kincse* meg *A walkür* hegedűszólóit játszotta. Egyszerű katonazenészként nem volt találkozása jelentősebb komponistákkal, minden csak szűk, személyes körben játszódott le. Így például „egy nap eljött hozzánk Leo Fall apja, szintén katonakarmester, a fiával. Tanulónak vették fel a zenekarba, s közös pultnál ültünk. Ez volt első találkozásunk. Később magam is katonakarmester lettem, s elhagytam Bécset. 1903-ban Leo hirtelen ismét felbukkant. Arra kért, adjak neki ajánlólevelet Girardihoz, s én ezt megtettem." (14) Leo Fall „állhatatlan szellem volt, tulajdonképpen szinte soha nem lehetett elkapni. Máig sem tudom, mikor és hogyan szakított időt arra, hogy megalkossa nagy műveit. Kedves ember volt, és nagy művész." (14)

Személyes kapcsolatát Leo Fallhoz így jellemzi: „Fiatal korban könnyebb összebarátkozni, mint érettebben, s így ő az elkövetkezendő években mindvégig jó pajtásom volt, aki a maga útját járta ugyan, de valahányszor életútjaink keresztezték egymást, mindig újra meg újra és szívesen folytatta a régi kapcsolatot." Fall „a világ legszerényebb kollégája, megbízható barát és minden ízében jó ember volt... olyan, aki az élet teljéből merített, s mindenek teljéből adakozott". (5) Fall révén ismerkedett és barátkozott össze Lehár Edmund Eyslerrel, akinek házában sokat muzsikáltak és érdeklődtek minden új iránt, ami felbukkant a zenében.

Ferenc a szüleinél lakott. Apja az összespórolt pénzén – meg a budapesti nagymama segítségével – házat vásárolt a budapesti III.

kerületben, a Schützengasse 18 sz. alatt. Kellett a nagyobb lakás: Antal már 14 éves volt s kadétiskolába járt, Mária – akit mindenki csak Mariskának hívott – nála egy évvel idősebb, s látszott: gyönyörű lánnyá serdül majd. 1889. januárjában még egy kis Emiliával – Emmynek szólítják majdan – gyarapodott a család. Akkoriban Lehár még nem érdeklődött az operett iránt, hisz *a* zeneszerző olyan ember, aki operát, kamarazenét, dalokat komponál. 1890-ben Strauss, Suppé és Millöcker is életben volt még, bár sokat már nem lehetett elvárni tőlük, hiszen idősebb, ha ugyan nem idős urak voltak. Ráadásul az operett berkeiben rengeteg befolyásos dilettáns nyüzsgött: nagy csábereje aligha lehetett Lehár számára.

Csak kilenc hónapot töltött Bécsben. Napirenden voltak a súrlódások az apjával. „Lehet, hogy apám potenciális vetélytársat látott bennem. Mindenesetre ezt mondta egy szép napon: 'Lássad, hogyan boldogulsz, keress magadnak saját állást!' Nekiindultam keresgélni, s negyven vagy ötven folyamodó közül én kaptam meg a karmesteri állást a 25. gyalogezrednél, az Ipoly menti Losoncon: havi fizetésem 60 forint, meg 17 forint szálláspénz! Húsz esztendős lévén, négy évvel megdöntöttem apám rekordját, aki 24 éves fejjel lett a hadsereg legfiatalabb karmestere." (16) Losonc a hajdani Habsburg-monarchiához tartozó magyar királyság északi részén feküdt, kereken 8000 lakosának javarésze szlovák volt.

Lehárnak első gondja az volt, hogy megismerkedjék új zenekarával és az ezred tisztjeivel. Ezredesének, Fries bárónak nyilván imponált, hogy az éppen bemutatkozó Lehár a prágai konzervatóriumban tanult. „Bőbeszédűen azonnal kinevezett lánya énektanárává. Bevallhattam volna-e, hogy a konzervatóriumban valójában hegedülni tanultam? Nem is kissé jöttem zavarba, amikor szemtől szemben álltam Fries Vilma baronesszel, egy csinos, 17 esztendős lánnyal. Némi skálázással és dalocskákkal kezdtük. Az ifjú hölgy igen hamar észrevette, hogy nem értek az énektanításhoz. Legszívesebben visszarohantam volna az ezredes papához, de nem volt mit tenni: parancs, az parancs. Fries Vilma ugyan nem tanult meg tőlem énekelni, de már a második órán elénekelt egy dalocskát, amit neki komponáltam. Ó, de sokszor próbáltuk a *Vége már!* című dalt... Mindig találtam kivetni valót az előadásában, ő pedig énekelt, míg be nem rekedt. Némi döbbenettel ébredtem rá, hogy

27

énekmesteri módszerem korántsem az igazi, s hogy még teljesen tönkre is tehetem szerény hangocskáját. Így hát megegyeztünk abban, hogy betegnek tetteti magát mindaddig, míg elfelejtődik énekmesteri funkcióm." (17) Az Emanuel Geibel szövegére komponált *Vége már!* korántsem volt Lehár első szerzeménye.

Elberfeldben komponálta azt a dalt, melyről már szó esett, s a Bécsben töltött háromnegyed év alatt ehhez két induló, egy keringő és egy, a Volksgartenben felállított Grillparzer-emlékmű leleplezése tiszteletére írott himnusz társult: csupa olyan darab, amit aligha fognak valaha is még egyszer előadni. Ahhoz, hogy Lehár zeneszerzővé és zenekarvezetővé fejlődjék, tulajdonképpen a „losonci remeteség" adott igazán alkalmat. „A zenekarnak nem volt túl nagy repertoárja, s próbákkal sem terhelték agyon. Így hát teljességgel a rendelkezésemre állt, s segítségével annyit kísérletezhettem rajta, amennyit akartam." (12) A négy losonci esztendő alatt többek között dalok születtek Fries baronessz és egy bizonyos Crebian komtessz szövegeire, meg olyan indulók, amilyeneket egy katonakarmestertől elvártak: a *Báró Fries ezredes induló,* a *Pacor ezredes induló* s más ehhez hasonlók; továbbá kisebb kompozíciók, táncok stb. S egyre gyakrabban sikerült egyet s mást valamelyik zenemű kiadónál elhelyezni, például a bécsi Hofbauer vagy a lipcsei Rüder cégnél.

Béccsel állandó volt a kapcsolat, már csak a szülőkre való tekintettel is. Ráadásul Bécs volt a monarchia középpontja: Lehár odautazott, valahányszor elszabadulhatott Losoncról.

1890-ben törvény született, melynek értelmében Bécshez csatolták a korábbi elővárosokat, s ezzel megszületett Nagy-Bécs. Ez volt a címe annak a keringőnek is, melyet Johann Strauss komponált s vezényelt 1891-ben, a Práter rotundájában: az ősbemutatón ötszáz katonazenész játszott sok ezernyi hallgató előtt. Lehár Ferencet és Komczák nevű barátját bízták meg azzal, hogy átnyújtsák a hatalmas babérkoszorút Straussnak. Ez volt az egyetlen alkalom, amikor Strauss és Lehár szemtől szembe látták egymást; nyolc évre rá elhunyt a valcerkirály. Lehár számára felejthetetlen élmény volt a találkozás: „Szinte látom még magam előtt, a koromfekete festett hajával és bajuszával. Látszott, hogy öreg és gyenge. Ám amint fellépett a magas karmesteri dobogóra, azon nyomban mintha ki-

cserélték volna. Már a keringő első hangjai után elkezdett a zene ritmusára hajladozni: mintha csak táncolna. Hatalmas taps töltötte be a túlméretezett hangversenycsarnokot, szinte elnyomta a zenekart. Így hát megadatott, hogy halála előtt valóságos valcerkirályként láthassam még Johann Strausst, bécsi népe elismerése és ünneplése közepette." (16)

Végre eljött az idő, hogy Lehár megalkossa első színpadi művét: „A Coburg-Gotha-i herceg díjat tűzött ki egy egyfelvonásos operára. Az ezred egyik főhadnagya írt nekem szövegkönyvet: ez volt a *Rodrigo*, egy roppant romantikus rablótörténet. A zene is romantikus stílusú volt, s különösen ügyeltem a hangszerelésre, ám nem mi kaptuk meg a díjat. Egy némileg kínos konfliktus révén ráadásul

29

elvesztettem losonci állásomat is. Zenekarommal koncertet adtam a tiszti kaszinóban, s éjfél tájban vissza akartam vonulni. Ekkor egy őrnagy felkért, játsszak neki egy hegedűszólót, amit a kései időpontra való tekintettel visszautasítottam. Az őrnagy azonban kitartott óhaja mellett, végül erős kifejezéseket is használt, amire sarkon fordultam és átmentem a szomszédos biliárdszobába. Másnap ezredraportra rendeltek; az ezredes felszólított, hogy kövessem meg az őrnagyot. Tiltakoztam, és azt mondtam, hogy nem vagyok cigány, aki parancsra bazsevál. Az ezredes felmondással fenyegetett, én azonban már magammal is hoztam a felmondásomat. Ez az eset döntő hatással volt további életpályámra, mert kikerültem ebből a sárfészekből, s bele egy vadonatúj környezetbe." (12)

A fent leírt esemény – mely nem utolsó sorban a katonakarmesterek társadalmi helyzetére is fényt vet – arra indította Lehárt, hogy a gyalogságtól a tengerészethez menjen át. „1894-ben történt, hogy atyai barátom, Komczák, arról értesített, hogy megbíztak a katonakarmesteri állással a szép Pola városában. Igencsak csábosnak találtam 24 éves fejjel ezt az állást. Maga az, hogy száztíz ember állt a rendelkezésemre, köztük több mint harminc zenetanár, őrmesteri rangban – ó, mit jelentett ez egy magamfajta ifjú muzsikusnak!" (18) A polai volt a monarchia egyetlen tengerész-zenekara, s azért volt ilyen nagy, mert innen kerültek ki azok a kisebb együttesek is, amelyek a hadihajókon muzsikáltak. Pola nagyon csinos horvát város volt, az Isztriai félsziget déli csúcsán, akkoriban – a garnizonnal együtt – kereken 30 000 lakossal. 1850 óta volt a monarchia legfontosabb hadikikötője, hatalmas mólókkal, hajógyárakkal, dokkokkal. Ám Lehár Ferencet leginkább a zenekar érdekelte, hisz már sok jót hallott felőle. „A véletlen úgy hozta, hogy a császár meglátogatni óhajtotta a várost. Ezért azt sürgönyözték nekem, hogy foglaljam el mielőbb a posztomat." (18)

Lehár eleget tett a felszólításnak. 15 órát töltött gyorsvonaton, mire Bécsből Triesztbe érkezett. Ott éjszakázott, s másnap reggel hajón folytatta útját, bár vonaton hamarabb ért volna céljához. Ám ő a tenger felől akarta megközelíteni Polát, hogy kiélvezhesse a városka varázslatos látványát. Ekkor látta meg először leendő munkahelyét is, az 1870-ben épült Tengerész kaszinót. A kortárs híradás nyomán képet alkothatunk az épületről: „Az ember legelőbb a sűrű trópusi növényzettel és sima kavicsösvényekkel ékes előkertbe lép be; az ösvények megkerülik az épületet, s elvezetnek a park hátsó részébe, ahol a tekepálya és a zenepavilon kapott helyet. A kaszinó belső berendezése példásan igazodik ahhoz a követelményhez, hogy mindazt nyújtsa a kaszinó tagjainak, amit egyébként az olyan olasz típusú kisvárosokban, mint Pola, nélkülözniük kellene. Találni ott könyvtárat és olvasótermet, fogadót és tánctermet, ebédlőt, vendéglőt és egy kávéházat is, roppant ügyesen elhelyezve, úgyhogy minden tekintetben megfelel a kaszinótagok igényeinek." (19)

A császár jelenlétében zajlott le az első hangverseny, melyet Lehár ebben a kaszinóban vezényelt, s a felség megüzente a karmesternek, hogy igen nagyon meg volt elégedve.

Polában Lehár megismerkedett a sajnálatos módon igen fiatalon elhunyt Felix Falzarival. Az ő ötlete volt, hogy írjanak együtt operát. Falzarit fellelkesítette George Kennan nemrég megjelent, Szibériáról szóló könyve. Mivel Lehárt is megragadták a téma oroszos vonásai, létre is jött a *Kukuška*. „A bajtársak persze izgultak, miben is mesterkedünk mi ketten. Hogy csillapítsuk kíváncsiságukat, előadtuk nekik *Kukuškánkat*. A szöveg szerzője felolvasta a szöveget, azután a zenekar adta elő a zenei részt; igen élvezetes operaelőadás volt." (6)

Lehár bőven élt az alkalommal, hogy a nagy zenekarral kipróbálja saját szerzeményeit. „Nem is igaztalanul mondotta egyszer egyik barátom: amíg mások a zongora mellett komponálnak, Lehár a zenekar mellett komponál!"(10)

Tengerészkarmesterként Lehárnak az is kötelessége volt, hogy muzsikusokkal lássa el a hadihajókat, neki magának azonban Polában kellett maradnia. A visszatérők beszámolói felébresztették benne a vágyat, hogy maga is utazzék. „Egy napon megtudtuk, hogy a Monarchia hajókat küld Kielbe, az Északi- és Keleti-tenger közötti csatorna ünnepélyes megnyitására. (A hajóút lerövidítésére szolgáló csatornát 1895. június 6-án avatták fel. – O. Sch.) Az útiterv szerint odamenet Spanyolországot és Angliát érintettük volna, a visszaúton pedig Franciaországot és Gibraltárt. Lóhalálában rohantam Falzari barátomhoz, elmondtam, mennyire vágyom, hogy én is végigcsinálhassam ezt az utat. Falzari lehűtötte reményeimet, azt mondta, a tengerészkarmesternek sajnos Polában kell

31

maradnia, s verjem ki a fejemből ezt az illúziót. Erre levelet intéztem báró Sterneckhez, az admirálishoz, és egy hétre rá megjött a parancs, hogy a tengerészkarmester harminc válogatott muzsikussal egyetemben szálljon hajóra – a Mária Teréziára! A hajón legelőször is a parancsnoknál, Károly István főhercegnél jelentkeztem. Első szavai hozzám ezek voltak: 'Az a kívánságom, hogy minden műsorban szerepeljen legalább egy magyar zeneszám!' Így feleltem: 'Királyi fenség, ez nem fog nehezemre esni, hisz magyar vagyok, s így elég nagy repertoárom van magyar darabokból!' A főherceg hibátlan magyarsággal így válaszolt: ,Nagyszerű, ezek szerint jól megértjük majd egymást!' Akkoriban igen flottul hegedültem, összeállítottam magamnak számos sajátosan magyaros hegedűszólót, s ezeket most minden áldott nap el kellett játszanom, ha esett, ha fújt, még szélviharban is. Csak a Biscayai öbölben volt olyan hallatlan vihar, hogy minden hangszer elnémult, a fedélzeten csak a kifeszített kötelek mentén tudtunk közlekedni. Hogy mi egyebet láttam az út során? Csak címszavakban sorolhatom: Gibraltárból vonaton mentünk Rondába" – a dél-spanyolországi Malaga tartomány egyik városába –, „ebbe a nevezetes, borzongató szakadékokkal szabdalt magaslati üdülőhelyre, onnan Lineába" – Cadiz tartományban –, „hogy megnézzük a bikaviadalt, onnan át Tangerbe" – észak-marokkói tartományi székhely a Gibraltári szoros mentén –, „ahol a német konzul óva intett attól, hogy bemenjünk a városba. Hajóutunk alatt rengeteg repülőhalat láttunk, egyszer egy cápát is. Éjszaka gyakran haladtunk lángolónak tetsző hullámokon át – ez volt a tengeri fény. Megemlíteném még a délibábot is, amikor is valamennyi hajót fejen állva, vitorlával és kéménnyel lefelé láttuk a horizonton. Kielben nagy volt az ünnepség. Valamennyi náció hadihajói megjelentek, s parancsszóra üdvlövéseket adtak le, hogy az ember már attól tartott: elsüllyed az egész világ. Két hónapos út után visszatértem Polába, s úgy éreztem, mintha kicseréltek volna, mintha más ember lennék." (18)

A nagy útról visszatérve Lehár megkettőzött energiával dolgozott. A darabokon – indulókon, keringőkön, egy Felix Falzari verseire írt dalcikluson – túl leginkább operájának, a *Kukuškának* szentelte magát: azt remélte, hogy e mű segítségével áttörheti eddigi állásának korlátait. S úgy is tűnt, mintha sikerülne.

„Staegemann udvari tanácsos elfogadta a *Kukuškát* a lipcsei

Városi Színház számára. Ezért feladtam tengerészkarmesteri állásomat, s Falzarival együtt Lipcsébe utaztam." (12) Kockázatos volt persze egy ilyen kitűnő állást csak úgy feladni. Ám a fiatal zeneszerzőnek nyilván a fejébe szállt, hogy egy nagy operaház elfogadta a művét. Szülei sem értették meg ezt a lépést, annak ellenére sem, hogy Lehár levélben igyekezett magyarázatot adni: „Nem vagyok én katonakarmesternek való, túl kényes hozzá a becsületem!… Hát nem bocsátjátok meg fiatoknak, hogy végre valahára lerázza magáról a szolgaságot? Attól a perctől fogva, hogy valóra váltottam elhatározásomat, úgy érzem, mintha újjászülettem volna! Eljő majd a nap, amikor meg fogtok érteni!" (20)

Az apa, aki testestül-lelkestül katonakarmester volt, nyilván elfogadhatatlannak érezte fia érveit. Ám Ferenc önbizalmát semmi nem rendíthette meg. A Neues Wiener Journalnak így nyilatkozott 1903-ban: „Premier Lipcsében! Gondolják csak el: fiatalemberként érkezem a városba, látom, hogy mindenki a próbákkal foglalatoskodik, hallom a muzsikámat, látom, ahogyan életre kel a művem, amiről eleddig csak álmodoztam. Alighanem ez volt életem legboldogabb órája!" (21)

Mivel a művet manapság nem adják már elő, ismét Lehár saját szavaihoz folyamodunk: „Egy orosz katona beleszeret egy volgai halászleánykába. A lány kedvéért őrszolgálat közben elhagyja a posztját. Szibériába száműzik. A leány követi őt a kárai aranybányába, ám ott már nem találja kedvesét: az, a csalóka szibériai tavasz csábításának engedve, elmenekült. A szerelmesek a végtelen hómezőkön találnak egymásra, hogy a halálban egyesüljenek. Fiatalos lendülettel és lelkesedéssel, egyetlen nekifutásra írtam meg a művet, s ma sem kell szégyellnem a partitúrát. Ráadásul fiatal, teljesen ismeretlen zeneszerző létemre még szerencsém is volt. Találtam kiadót, aki kinyomatta az operát, azután meg rámtalált a lipcsei Városi Színház, ahol 1896. november 27-én sor került az ősbemutatóra. Már odautaztamban jó előjellel lepett meg a sors. Egy eladdig teljesen ismeretlen útitársam elmondotta, hogy ő tervezte és festette egy opera díszleteit, melynek roppant fiatal szerzője kétségtelenül nagy jövőnek néz elébe. Az illető nem volt más, mint Kautsky, a híres színpadtervező. S éppen ő tervezte operám díszleteit! A bemutató napján a – mostani ismereteim szerint nyilván felbiztatott – legidősebb díszletezőmunkás jóakaratúan vállon veregetett, és megjósolta, hogy hatalmas sikerem lesz. Tíz márkát adtam neki, jószerint minden vagyonomat. Amikor azután hadnagy öcsémet, akinek csak két nap szabadsága volt, s aki idesietett az erdélyi Brassóból, meghívtam vacsorára, hogy megünnepeljük a premiert, én magam nem ettem semmit. Meglévő készpénzemből nem futotta volna kettőnkre." (8)

A premier után megjelenő kritikák részben jók, részben visszafogottak voltak; az ifjú komponistának mindenesetre okot szolgáltattak az optimizmusra. „A bemutató estéjén a műnek valóban nagy sikere volt – legalábbis én úgy véltem, hisz akkor még nem volt elég jó 'hallásom' és kellő tapasztalatom sem." (12) A *Leipziger Neueste Nachrichten* például így írt: „A zeneszerző, Lehár, nyilván lelkes híve Mascagninak és Leoncavallónak; sok minden úgy hangzik, mint a *Parasztbecsület* meg a *Bajazzók* utánérzése ... sokkal kellemesebbnek találtam azokat a részeket, amelyekbe a zeneszerző orosz és lengyel népdalokat szőtt bele, vagy ezek jellegzetességeihez igazodott. Ami a színpadi-operai hatást illeti, ehhez Lehár már eme első művében is jobban ért, mint sokan mások, akiknek hosszabb gyakorlat áll a háta mögött; bizonyítja ezt számos jelenet felépítése. Nem csekély előnye a beható hangulatfestés; általa az ember szinte benne él a szituációkban s úgyszólván részese az izgalmas eseményeknek; a zenekar kezelése olykor ugyan túlzsúfolt, legtöbbször azonban, a legmodernebb technika módjára, dús színekben pompázik ... Az első felvonás első jelenetei hidegen hagyják a nézőt, ám a búcsúkettős hatalmas lendülettel ível fölfelé, olyannyira, hogy a szerelmespárt többször is kitapsolták. A legerőteljesebben az utolsó felvonás sikerült, a zeneszerzőt ötször is kitapsolták a függöny elé. Nem vitás: a siker figyelemre méltó." (22)

Mascagnit más kritikákban is emlegették, de nem mindenkor ilyen barátságos hangnemben. A *Leipziger Zeitung* kritikusa például így írt: „A szövegkönyv mindenesetre jobb, mint a hozzá írt zene. Lehár Ferenc egyelőre valami iszonyatos mascagnitiszben szenved, s ez megfosztja az önálló érzés és gondolkodás lehetőségétől; az egész operát át- meg átjárják a *Cavalleria* áthallásai; s az embert agyonnyomja a zenekar sok indokolatlan vulkáni dühkitörése, mellyel a modern veristák olyannyira megutáltatják magukat a finomabb érzésű zenehallgatóság előtt. Tegyük hozzá az üres, nagyzoló pátoszt, s másfelől a szentimentalizmust – felbontott hármashangzatokkal a kíséretben –; szinte mindvégig dominál a homofon elem, s a polifónia terén csak néhány óvatos kísérlet akad. Ráadásul az énekhang mindig vidám uniszónóban csendül a kísérettel. Egy szó mint száz: azzal az ártalmatlan, alig-művészi olasz irányzattal találkozunk, amelyet egy első osztályú dallamzseni megengedhet magának ugyan, ám Lehár úr egészen biztosan nem." (23)

Ám a kritikus azonnal enyhíti is a kemény szavakat: „Mégis, van a *Kukuška* zenéjének pozitív oldala is. Amint a zeneszerző orosz nemzeti hangulatra vált át – s ilyenkor nyilván eredeti témákat is felhasznál –, s felszabadul ama egészségtelen érzelmeskedő rajongás alól, művészi alkotása azonnal bizonyos frissességre tesz szert; helyenként sikerült igazi hangulatot is teremtenie, így a száműzöttek második felvonásbeli kórusában. Ez után a Lipcsének nyújtott első kóstoló után ne törjünk tehát kíméletlenül pálcát Lehár Ferenc fölött. (23)

A mű nem maradt meg a színház repertoárján. „Néhány szólista megbetegedett az ötödik előadás után, közbejött Bellincoli egy vendégjátéka, s a *Kukuška* hét előadás után nyomtalanul kimúlt. Ott álltam hát pénz nélkül, állás nélkül." (12)

Nemigen tehetett mást, mint hogy egyelőre a szüleihez költözzék. Akkor már Budapesten laktak, ott állították fel újonnan a 3. boszniai gyalogezredet, s az apa volt az ezredzenekar főnöke. A szülőket időközben sokféle bánat érte, így az, hogy Mariska lányuk két esztendeje meghalt Szarajevóban. Antal fiuk eleinte folytatta a maga útját. Bár még Brassóban hadnagyoskodott, de már a következő esztendőben a bécsi hadiakadémiára kellett mennie. Akkoriban ő volt édesanyja kedvence, neki öntötte ki az asszony a szívét. Számos levele maradt fenn, s az egyikben megírja, hogyan toppant be bátyja Budapestre: „Amikor éppen a legjobban aggódtunk miatta, egyszerre csak betoppant. Igazi művész módján: ferdén álló nyakkendővel, felleghajtó köpenyben, óralánc nélkül, gyűrűk nélkül, nyakkendőtű nélkül. Mondom: mint egy igazi művész. ,Mit szóltok ehhez a sikerhez?' – volt az első szava. Szerencsére idejekorán eszembe jutott a megfelelő szó: gratulálok; képtelen voltam elfordítani tekintetemet a gyűrött öltönyéről. Azután rákezdte: 'Ó, meglátjátok majd, korábban sosem akartátok elhinni!' – és más effélék. Azóta minden úgy van, mint régen.

Ferenc befejez egy balettbetétet, reménykedik és álmodozik. Nyolcadikán megjött a postás. Ötvenegy forint tantiemet hozott az első két előadás után. Most egy hónapot várhat a következő elszámolásra. Ferenc negyvenegy forintot megtartott, tíz forintot nekem adott. A pénzen azonnal fát vettem. Ferenc százhetven forintot adott ki Lipcsében, és mindenét elzálogosította. Most Prágában vannak kilátások. Egy hónapig akar ott maradni, s mindent maga akar betanítani. Mibe fog ez kerülni! Mindenütt úgy lesz-e, hogy háromszor annyit költ, mint amennyit keres?" (7)

Az apa talán jobban hitt a fia jövőjében, ám Antalhoz intézett leveléből kicsendül a szkepszis is: „Biztosra veszem a sikert. Más lapra tartozik, hogy Franci képes lesz-e, hogy sikerét kiaknázza. Azt hiszi, ha szép sikere lesz, csak úgy dől majd hozzá a pénz; ez persze nincs így, most mindenekelőtt a kereskedőembernek kell a dolgokhoz hozzálátnia, s ilyenként Ferenc a legügyetlenebb ember, akit valaha is láttam." (7)

Az apának okkal voltak fenntartásai, hisz neki is igen nagyon kellett takarékoskodnia. Nem bocsátotta meg, hogy Franci egyszerűen zálogba csapta kevéske ékszerét: nála mindennek katonás rendben kellett mennie. Mivel aligha vállalhatott már különmunkát, a családnak abból a pár forintból kellett megélnie, amit az ezred fizetett.

Nem volt más kiút: Ferencnek „anyagi alapot" kellett keresnie, s „ezt ismét a 87. gyalogezrednél találtam meg, Triesztben. S mily csodás véletlen: az ezredet áthelyezték, éspedig éppen Polába! Nem érintett éppen kellemesen, hogy kis gyalogos-karmesterként kell oda visszatérnem, ahonnan egykor oly nagy reményekkel vonultam el." (6)

„Hamarosan feladtam ezt az állást, ám azonnal találtam másikat: a Budapesten állomásozó bosznia-hercegovinai gyalogezrednél. Apámtól vettem át ezt a posztot: súlyosan megbetegedett, s Budapestre hívott. Hamarosan meghalt, anélkül, hogy valamit is megért volna a sikereimből." (12)

Idősebb Lehár Ferenc 1898. február 7-én hunyt el. „E férfiú halála váratlan, súlyos csapást mért az egész családra. Különösen engem érintett igen súlyosan ez a veszteség. Csak most tudtam meg: újra meg újra végigtanulmányozta a *Kukuška* partitúráját kottafejről kottafejre, nagyon is méltányolta a művet, s csak az

36

indította arra, hogy visszafogja a komponálásra irányuló biztatást, hogy félt: feladom biztos állásomat. Még halálos ágyán is arra kért – miután Polából hozzá siettem –, hogy játsszam el a _Kukuška_ nyitányát. Megható volt a pillanat: nehéz szívvel játszottam, s mégis igyekeztem, hogy még egyszer utoljára örömet szerezzek annak az embernek, aki érezte: közeledik a vég. A haldokló arcvonásaiból felém ragyogott az a belső bizalom, hogy gyermeke végül majd sikert arat. Soha életemben ennél nagyobb elismerés nem érhet." (25)

Lehár mindenekelőtt azon igyekezett, hogy a budapesti operánál helyezze el a _Kukuškát_. „Káldy igazgató roppant jóindulattal volt irántam, de semmire nem tartotta a művet, mákszemnyit sem hitt a tehetségemben, s üres szavakkal igyekezett megnyugtatni. Az Operaházban egyébként nagyon is érdeklődtek a darab előadása iránt. Az együttes egyik énekese, Várady Sándor lefordította a művet. Máder Raoul, az akkori első dirigens is bízott bennem valamennyire, s azt javasolta, intézzük el röviden az ügyet: másnapra írjuk ki a próbatáblára a _Kukuška_ próbáját, így kész tények elé állítjuk a direktort. Amikor később találkoztam Káldyval a kávéházban, gratulált nekem operám elfogadásához, és közölte, hogy a próbák már elkezdődtek. A budapesti előadáson jelentős sikert aratott a mű." (12)

A sikeres premierhez kapcsolódik Lehár emlékezetében a következő anekdota: „A bemutató után győzelmi tort ültünk, mely aránytalanul hosszúra nyúlt; nekem ez roppant kellemetlen volt, mert május 3-án reggel sor került a tavaszi parádéra, amelyen a császár szeme előtt kellett elvonulnunk. Próbáltam idejekorán búcsúzkodni, ám jóbarátaim úgy tartották, fölösleges törnöm magamat: katonakarmesteri tevékenységemnek vége, hisz most már művész vagyok: zeneszerző. Győzött a lustaság, engedtem barátaimnak, jó későn tértem nyugovóra, s a parádét nélkülem rendezték meg. Érthető, hogy a kaszárnyában nemigen beszéltem erről a fegyelemsértésről – ez nem állt volna érdekemben –, egyszerűen ‚nem éreztem jól magamat'. Egy héttel később közölte az ezredesem, mennyire kellemetlen volt neki, hogy nem jelentem meg a parádén: őfelsége beszélni óhajtott velem, gratulálni akart a _Kukuška_ sikeréhez! Egy évvel később Keglevich gróf, az intendáns, az audienciáról Bécsből hazatérve magához kéretett. Elképedtem, amikor a következőket közölte: 'Képzelje, a császár érdeklődött maga felől, s amikor beszéltem neki magáról, azt mondta: ahá, ez az a Lehár, aki nem vonult ki a tavalyi tavaszi parádéra!'" (21) Azt azonban akkor tudta meg, hogy abban az esztendőben valóban mi volt ő, amikor Antal fivére meglátogatta. „Tiszti mundérom gallérján csillagok helyett arany lantot hordtam. Ültünk a kávéházban, és hallgattuk a felülmúlhatatlan magyar nótákat Rácz Pali híres cigánybandája előadásában. Rácz kiváló hegedű-virtuóz volt, elsőrendű, fontoskodás nélküli technikája csak még jobban kiemelte átlelkesült előadásának mélységét. A kotta nélkül játszó cigányok lubickoltak a hangokban, ujjongtak és zokogtak, de semmi mesterkéltség, színpadiasság nem volt a játékukban. Egy ötkoronást készítettem elő, ám a cigány elment mellettünk. Amikor másodszorra sem vett észre, rászóltam. A fekete hajú legény félrehúzta a pénzgyűjtő tányért, meghajolt s így szólt: Köszönöm, kollégáktól nem fogadunk el semmit! Mosolyogva fordultam Antalhoz: Kollégák? Miért is ne. Ezek telivér muzsikusok, szívesen vagyok a kollégájuk!" (26) A cigány megértette Lehárral, micsoda ő tulajdonképpen: muzsikus.

A szükség persze úgy hozta, hogy ugyanakkor más is volt: kiadó! Mégpedig olyan, akinek csak egyetlen eladható műve volt: a *Kukuška*. Hofbauer, az opera kiadója ugyanis a csőd szélén állt. Lehár úgy vélte, az a legjobb, ha mindent visszavásárol tőle. Apja 1200 forintot hagyott rá; ez a pénz, és később további 300 forint Hofbauer úrhoz vándorolt, Lehár pedig megkapta a *Kukuškáját*. A budapesti siker volt kiadói működésének első gyümölcse, s érthető, ha úgy vélte: most már sínen van.

A *Kukuška* azonban álmatlan éjszakákat szerzett komponistájának. A kezdeti sikerek s annak ellenére, hogy az előadás jó volt, az opera Budapesten ugyanolyan kevéssé futott be, mint Lipcsében. Napok kérdése volt, hogy Káldy leveszi a műsorról.

Lehár benyújtotta művét a bécsi operánál. Immár 1897 ősze óta olyasvalaki volt az igazgatója, akit a zeneszerző még a prágai időkből ismert: Gustav Mahler. S Mahler sehogy sem, semmi módon nem tudott dönteni. Kétségbeesésében Lehár a következő sürgönyt küldte neki: „Alázatosan kérem nagyságod jelenlétét operám előadásán, melyet magam vezénylek. Nagyságod kezében van művem

sorsa, jövőjéről egyes egyedül nagyságod dönthet. Lehár Ferenc."
(16) Mindhiába: Mahler nem válaszolt.

Mivel a *Kukuškának* kezdetben sikere volt Budapesten, Lehár felmondta állását a 3. boszniai ezrednél. Úgy vélte, hamarosan befut operaszerzőként. Ám a *Kukuškával* szerzett tapasztalatok eléggé lehangolóak voltak. Elhatározta, hogy egy operettel próbálkozik, ám senki nem volt hajlandó szövegkönyvet rábízni. Sürgető kérelmeivel egy librettó iránt szinte komikus figura lett Budapest szakmai köreiben.

Végül mégis talált librettót: Gustav Schmitt, a bécsi Ronacherféle szórakoztató intézmény háziszerzője adta el neki, teljes ötven forintért. *Arabella, a műlovarnő* volt a történet címe; a szöveg nem sokat ért, s feltehetőleg a zene sem volt sokkal jobb. A művet soha nem adták elő, de két számot Lehár később átemelt belőle a *Bécsi nők* című operettjébe. S úgy vélte, Bécsben könnyebben találhat szövegkönyvet, mint Budapesten.

A sors úgy akarta, hogy éppen ekkor érkezzék Bécsbe a 26. gyalogezred, annak pedig karmesterre legyen szüksége. Lehár folyamodott az állásért, próbavezényelt, s felvették: 1899. november 1-től ismét Bécsben volt, s ismét katonakarmester.

Első próbálkozásai az operettel gyakorlatilag befejezetlenül maradtak. Ezen persze senki nem csodálkozhat, „aki közelebbről ismeri a bécsi katonakarmesterek tevékenységét. Egymást érte a sok kivonulás, várőrség, udvari ünnepség és temetés, hozzá még a sok privát előadás, hangverseny, korcsolya- és népzene. Mindez hihetetlenül megviseli az ember egészségét, testi és lelki rugalmasságát, s ráadásul a közönség korántsem csekély igényeket támasztott a katonazenekarok iránt: a bécsieknek csak az igazán jó zene kellett. S persze az éppen aktuális kedvenc melódiák teljes skálája, ráadásul minden hangversenyen valami újat is akartak hallani! Az amúgy is agyonhajszolt karmesternek rengeteget kellett próbálnia, ám engedményeket is kellett tennie a közönség ízlése irányában, ha nem akarta magát a legrövidebb időn belül lejáratni. Nem csekély követelmény mindennek napról napra megfelelni, anélkül, hogy az ember iparosmunkát végezzen." (26)

Ám Lehár mégsem vált meg teljesen az operától. Amikor csak a szolgálat módot adott rá, eljárt az operába, egy alkalommal például Antal öccsével a *Mesterdalnokok* előadására. „Ez volt akkoriban a kedvenc operám. A szünetekben nem hagytam el a helyemet, mozdulatlanul meredtem magam elé. Kérdéseire nem válaszoltam, vagy ha igen, csak szórakozottan. Öcsém szinte hátborzongatónak vélte nyugalmamat. Javaslatát, hogy az előadás vége után kávéházba menjünk, visszautasítottam. Mély rezignáció telepedett rám, s amikor búcsúzáskor kezet ráztunk, felsóhajtottam: S még én akartam operát írni..." (26)

Lehár még mindig nem temette el azt az álmát, hogy a bécsi opera bemutatja a *Kukuškát*. Bécsi katonakarmesterkedése idején egyszer a közeli Badenbe kellett utaznia. „Közvetlenül a vonat indulása előtt beléptem egy fülkébe, ahol egy úr ült, újságjába mélyedve. Alighogy helyet foglaltam vele szemben, alighogy a vonat kigördült a pályaudvarról, útitársam rosszkedvűen félredobta az újságot. Lehet, hogy éppen a színházi rovatot olvasta... Erős szemüveglencséken keresztül Gustav Mahler, az operaház igazgatójának szemei szegeződtek rám! Hónapok óta vártam a döntését a *Kukuška* dolgában. Sorra-rendre csődöt mondott minden próbálkozásom, hogy a színe elé kerüljek. Nem válaszolt távirati esedezésemre, hogy hallgassa meg az előadást Budapesten. S most egyszerre szemtől szemben ültem azzal az emberrel, aki kezében tartotta sorsomat. Micsoda lehetőség! Ilyen az emberéletben csak egyszer akad!

Persze, egyfelől... Másfelől a legvadabb történetek keringtek Mahlerről. Sündisznóállásba vonult számtalan ellenfelével szemben, egzaltáltnak, fanatikusnak mondták. Nemrég egy katonazenekar masírozott el az operaház előtt, s vidáman fújta a Nibelungok motívumaiból összeállított indulót. Azt mondják, Mahler e Wagner elleni istenkáromlás hallatán dührohamot kapott, s megesküdött, katonakarmester soha többé be nem teszi a lábát az operába. Én meg pont most egyenruhában voltam! A galléromon díszelgő arany lant nyilván elárulta, hogy muzsikus ül vele szemben. Pillantása szinte átfúrta lényemet, lenéző, ellenséges, kihívó volt – legalábbis én így éreztem. Azt fontolgattam, hogy bemutatkozzam-e, beszélgessek-e vele semleges dolgokról. Ismertem magamat. Mivel még forrón vágytam arra, hogy lássam operám bécsi előadását, már a harmadik mondattal erről beszéltem volna. Netán kérdezzem egyenesen a művem sorsa felől? S akkor mi lesz, ha közismert szarkasztikus válaszainak egyikét vágja hozzám? Akkoriban még nem voltam annyira ura önmagamnak, mint ma ... Ingadoztam hát a megszólítása és a lemondás között, s Mahler, aki jó emberismerő volt, talán észlelte, micsoda küzdelem dúl a szerény katonakarmesterben. Kemény, elutasításra kész szemei mintha kissé ellágyultak volna. Végre elhatároztam, hogy legalább bemutatkozom, s a többit rábízom muzsikus-csillagomra. Éppen hozzáfogtam volna, hogy ,engedje meg...', amikor megcsikordultak a fékek. Baden! Fel kellett pattannom, elköszöntem, mint az alvajáró, s keserű szívvel elhagytam a fülkét – anélkül, hogy Mahlerrel szót váltottam volna. Elvesztegetett lehetőség, gondoltam magamban szemrehányóan, operámat ugyanis nem fogadták el. Mahler alighanem csak futólag nézte át partitúrámat – egyet a sok száz közül.

Ma már örülök annak, hogy nem szólítottam meg. Mit is mondhatott volna nekem, az ismeretlen katonakarmesternek? Néhány közhelyet, amilyenek mindig kéznél vannak a kellemetlenkedő érdeklődők számára? Vagy legjobb esetben néhány zavart frázist, ha operámra terelem a szót? Mindkettő megfosztotta volna úti élményemet a maga bájától s szétrombolta volna azt a képet, melyet mindmáig megőriztem erről a zseniális, telivér muzsikusról." (27)

Mahler véleménye Lehárról az idők folyamán nyilván megváltozott. Julius Sterntől tudjuk, hogy egy alkalommal azt mondotta Josef Hassreiter balettmesternek: „fel szeretné kérni Lehár Ferenc operett-komponistát, hogy komponáljon balett-zenét az opera számára, hisz a mai opera és a tánc nagyon is közeli rokonai egymásnak. S hogy úgy véli, Lehár vonzó lehetne az operában is, főképp, ha finomabb muzsikát és sajátos ritmusokat nyújtana". (28) Hírlik, hogy Hassreiter kételkedett, vajon a bécsi opera bemutatna-e egy Lehár-balettet, mégpedig azért, „mert Lehár bolond volna, ha egy operai balettra pazarolná az olyan ötleteket, amilyeneket az operettfinálék számára talál ki. Hányszor adhatnák elő egy évadban? Legfeljebb háromszor-négyszer. Nevetségesen csekély tantiemet kapna, míg az operettek, melyeket sok százas szériákban adnak elő a világ minden elképzelhető színpadán, milliókat hoznak neki. Vajon lemondana-e a dicsőség kedvéért a pénzről?" (28)

A bécsi operában soha nem mutattak be Lehár-operettet. Nem tudjuk, miért. De biztosan nem azért, amire Hassreiter gondolt...

1899 novemberétől 1902 nyaráig volt Lehár a 26. gyalogezred

41

karmestere. Különösen az 1900 és 1902 közötti évek voltak fejlődése szempontjából döntő fontosságúak. Mindenekelőtt még mindig meg akart szabadulni a katonakarmesterségtől. Ezért minden irányban kinyújtotta a csápjait.

1901-ben alakult meg a Wiener Konzertverein, a bécsi hangversenyegyesület, s annak zenekara olykor olyan hangversenyeket is adott, melyeken népszerű zeneszámok szerepeltek. Ilyenkor nem Ferdinand Loewe vezényelt, hanem eleinte Adolf Müller (ő állította össze a *Bécsi vér* c. operettet Johann Strauss melódiáiból). Müller 1901 decemberében meghalt, s utódot kellett keresni; Lehár is megpályázta a posztot. „Sok más jelölt mellett nekem is alá kellett vetnem magam egy próbavezénylésnek. A zsűri kijelentette, hogy egyáltalán nem tudok könnyű zenét vezényelni, a legkevésbé keringőket, s hogy csak a komoly zenei, szimfonikus hangversenyek dirigálása való nekem." (29) A zsűri legjelentősebb tagja egyébként Richard Heuberger volt. Négy esztendővel korábban mutatták be *Operabál* című operettjét; igen fontos szerepet játszott Bécs zenei életében.

Lehár könnyedén túltette magát a kudarcon. „Nagy szerencse, hogy nem kaptam kegyelmet Heuberger színe előtt, mert a Konzertverein sokrétű karmesteri feladatai mellett aligha lett volna időm, hogy megkomponáljam azt, amitől később híres lettem." (30) Lehárnak egyébként igen sok dolga akadt ekkoriban.

Az 1901. év, akárcsak a többi, a báli szezonnal vette kezdetét. Február 4-én került sor többek között az egyéves önkéntesek báljára, s az erről szóló újsághírben Lehárt is megemlítették: „Lehár karmester a 25. gyalogezred zenekara élén a legfergetegesebb keringőket, legpezsgőbb polkákat vezényelte, s az első négyesben nem kevesebb mint 236 pár táncolt." (31) Hasonló híradás máskor is, többször is megjelent.

Metternich Paulina alighanem ezek nyomán figyelt fel Lehárra. A hercegnőt egészen a századforduló utánig úgy ismerték, mint akinek „külleme, jelleme, viselkedése, kedvtelései, különködései a legkülönfélébb anekdotáknak adtak tápot. Szikrázó szellemesség s bizonyos fajta merészség jellemezte, s soha nem riadt vissza holmi szabadszájú megjegyzéstől. Egyszerre volt jóindulatú és gőgös, elég magasan állt ahhoz, hogy senkitől se féljen, s eléggé dáma volt ahhoz, hogy úgy érezze: neki mindent szabad." (32) Bécs felső tízezre körében „a hercegnő foglalta el a legfelső helyet; nyári palotája, akárcsak a téli palota volt a színhelye a rengeteg bálnak, összejövetelnek, színházi előadásnak, amiket ő szervezett." (32) Így látta őt a kortárs. Mi már kissé távolabbról s kritikusabban látjuk őt. Három nemzedéknyi Metternich szolgálta a monarchiát miniszterként, nagykövetként s más hasonló posztokon. Egyikük, Klemens Lothar Wenzel von Metternich herceg, az európai reakció vezérlő politikusa, a bécsi kongresszus alkalmával dicstelenül írta be nevét a történelembe. Ám ez már régen történt: Metternich Paulina népszerű volt. Apja az a Sándor gróf volt, aki merész lovasmutatványaival szerzett hírt s nevet, s ő maga apjától örökölte azt a hajlamot, hogy váratlan cselekedeteivel megdöbbentse környezetét. A bécsiek mindent elnéztek neki, hiszen sok éven át gondoskodott a szórakoztatásukról, s aki erre képes... Minden esztendőben megrendezte közkedvelt farsangi vigasságait; az 1901. február 5-i bál jelszava piros és fehér volt. A Zsófia-teremben került rá sor, s a terem díszei és a kosztümök mind piros-fehér színben pompáztak. Két zenekar játszott – nagy vigasságoknál így volt szokás, hogy a közönség szünet nélkül táncolhasson –, az egyiket az ifjabb Johann Strauss vezényelte (Eduard Strauss fia): ő is fehér, piros kihajtókájú kosztümben volt. A másik zenekar pedig „a 25. gyalogezred kiváló együttese volt, Lehár ezredkarmester vezetése alatt", írta másnap az egyik lap, s hozzáfűzte: „Különösen nagy sikert aratott Lehár karmester az estély házigazdájának ajánlott Paulina-keringővel." (33)

Szokás volt akkoriban a kompozíciók ilyen ajánlása. Johann Strauss, a keringőkirály, 1866-ban szintén Metternich Paulinának ajánlotta Bécsi bonbonok című keringőjét. S az ünnepségek rendezői ezt el is várták.

Lehár valamikor 1901/1902 telén kapott megbízást a hercegnőtől a legközelebbi vigasság címadó keringőjének megkomponálására. Ezúttal – ugyancsak a Zsófia-teremben – Arany és ezüst volt a jelszó, s a nyitó keringő címe természetesen ugyancsak Arany és ezüst volt. „Erre aztán nekiültem, s valami különösen szépet próbáltam kigondolni. S úgy is hittem, hogy sikerült." (16)

Mind ez ideig úgy volt szokás, hogy az estélyeken előbb eljátszották a címadó keringőt, s csak azután kezdődött a tulajdonképpeni bál. Ám ezen a január 27-én, e hétfői napon, alighogy felcsendült

„az első téma, amikor felzsongott a terem, az emberek fecsegtek, nevettek, táncoltak. A végén némi taps, ismétlést kértek, s ez volt minden." (16) A másnapi lapok bőven foglalkoztak „a Hesperidák aranyló országával" (34), melyet a terem dekorációja ábrázolt. Minuciózus pontossággal írták le Metternich hercegnő kosztümjét: „Fehér nagyestélyiben lépett be, szoknyáját ezüst orgonavirágok szegélyezték, csipkés pruszlikja aranyszínű, s fölötte ezüsttel átszőtt estélyi köpeny; ehhez arany turbánt viselt." (34) Ám a muzsikáról csak mintegy mellékesen esett szó, valahogy így: „A tánczenéről Johann Strauss zenekara és a 26., ‚Orosz nagyherceg'-ezredzenekar gondoskodott, Lehár Ferenc karmester vezetése alatt. Utóbbi a vigasság patrónusának ajánlotta új *Arany és ezüst*-keringőjét." (34) Vagyis szó sem volt arról, hogy Lehár egycsapásra híres lett volna az *Arany és ezüst*-keringő révén.

„Meg sem próbáltam, hogy valami nagyobb zeneműkiadónak adjam el a kinyomtatás jogát. Chmel kiadó ötven forintot ajánlott érte; elfogadtam, s szentül meg voltam győződve, hogy az *Arany és ezüst*-epizód ezzel véget ért." (16) Chmel sürgősen eladta a keringőt a londoni Bosworth and Co. cégnek, s az rövid időn belül óriási üzletet csinált vele. Lehárnak ebből semmi nem jutott: ama ötven forinttal egyszer s mindenkorra kifizették.

A zenei nyilvánosság persze e keringő révén már 1902 végén felfigyelt a komponistára. Ám akkorra Lehár maga gondoskodott róla, hogy neve egyre szélesebb körökben váljék ismertté. Idáig csak úgy emlegették, mint „a huszonhatosok fess karmesterét". Nevét korántsem mindenki tudta, leginkább még azok, akik hallgatóként szemtől szembe figyelhették a zenekart, például a bécsi korcsolyázó egylet pályáján, a Konzerthaus és a Stadtpark között. Itt rótták a köröket, a varázslatos dallamokra ringatózva, a bécsi polgárság lányai – *A város szépei* (Lehár Ferenc keringője, op. 72), ahogyan becézték őket –, akárcsak a főnemes komtesszek meg a katonatisztek hölgyeikkel. Aki valamennyire is tudott korcsolyázni, az szinte testi érintkezésbe került a muzsikával; az megérezte, ki itt a dirigens, s tudta a karmester nevét is. Maguk a zenészek a zenepavilonban gubbasztottak egy apró kályha körül, amely sütötte a hátukat, miközben elölről az arcukba fújt a szél a jégpálya felől.

Ismerték a dirigens nevét a Stadtpark kurszalonjában, a Kerté-

44

szeti Egyesület termeiben, akárcsak az Augartenben – hogy csak néhányat soroljunk fel; ott kiírták a karmester nevét a plakátokra. Ha azonban szabadtéri hangversenyre került sor – mondjuk a városháza előtt –, akkor csak úgy emlegették, hogy „a huszonhatosok játszanak". Lehár persze közben megint komponált egyet s mást: néhány keringőt, néhány indulót, még dalokat is (egyet Antal öccse szövegére), ám mindez nem nyomott túlságosan sokat a latban. A szolgálat és a mellékkereset taposómalmában őrlődve sokkal hajszoltabb volt az élete, semhogy igazán komolyan dolgozhatott volna. Lehárnak meglehetősen elege lett az egészből. Önmagának akart hírnevet szerezni, nem pedig a huszonhatosoknak! Szerencsére posztja elfoglalásakor kikötötte, hogy nem kell követnie az ezredet, ha azt máshová helyezik. Amikor aztán 1902 márciusában Győrbe helyezték át az ezredet, szerződése egyszerűen kimúlt. Ettől a pillanattól kezdve Lehár nem volt többé katonakarmester.

Most aztán ott állt „állás nélkül; éppen ez volt azonban a döntő a jövőm szempontjából. Rá voltam szorítva arra, hogy kizárólag zeneszerzőként működjek." (12) Mindenesetre felbukkant néhány lehetőség – pontosabban: három –, amelyeknek Lehár teljes energiával utánajárt. Lefelé tendáló, zűrzavaros periódusa után új bérlő – ahogy mondani szokás: igazgató – került a Theater an der Wien élére. Tulajdonképpen ketten voltak, ám csak egyikük szerzett hírnevet: Karczag Vilmos.

Érdekes ember volt, jó egy évtizeddel idősebb Lehárnál; Magyarországon született, s ott hírlapíróként tevékenykedett. Írt néhány színdarabot is, jóban volt az újságírókkal meg a kritikusokkal, s egy kiváló operettszubrett volt a felesége: Kopácsy Júlia, akit egy több esztendős amerikai turné révén tett híressé. Amikor 1901 szeptemberében elfoglalta a direktori posztot, pénz nélkül, együttes nélkül, kizárólag vendégművészekre utalva, senki sem adott volna érte egyetlen petákot sem.

Lehár 1902 februárjában ismerkedett meg vele. Február 16-án délutáni előadás volt Rainer főherceg aranylakodalma tiszteletére. Valamiféle egyfelvonásos után a huszonhatosok történelmi katonaindulókat játszottak Lehár vezényletével. Karczag úgy látta, hogy ez a dirigens hatni tud a közönségre. Beszédbe elegyedtek, s végül Karczag leszerződtette Lehárt karmesterként a következő 1902/

45

1903-as évadra, szeptemberi kezdéssel. Amire azonban Karczag aligha emlékezett ezekben a februári-márciusi napokban, az az volt, hogy az előző őszön már hallott Lehár-kompozíciókat.

Mondottuk: Lehár minden irányban kinyújtotta csápjait, hogy bekerüljön a bécsi társaságba, s hasznos kapcsolatokra tegyen szert. Ezért többek között belépett a *Schlaraffiá*ba is. Önmeghatározása szerint a *Schlaraffia* „a művészet és a humor ápolására szolgáló egyesület, melynek legfontosabb alapelve a barátság" (35). Prágában alapították 1859-ben, s az elkövetkező évtizedekben számos európai fővárosra terjedt ki. Egyesületi helyiségeikben vagy házaikban a lovagkor szokásait utánozták (pontosabban: parodizálták – a ford.).

A *Schlaraffia*-beli szokásokról egyet s mást megtudhatunk magától Lehártól: „A bécsi *Schlaraffiá*ba léptem be, s ott összebarátkoztam egy fiatal katonatiszttel. Már évekkel azelőtt összeismerkedtünk Triesztben, ám kölcsönösen elfelejtettük egymás nevét. Mivel azonban a *Schlaraffiá*ban senkit nem szólítottak igazi nevén, hanem a maga választotta lovagi néven, most úgy ismerkedtünk össze, mint lovag Szonett és lovag Hangjasok – ez voltam én. A fiatal tiszt nagy idealista volt, s barátságunk igen bensőséges lett." (12)

Mármost 1901 őszén néhány író és művész, Felix Salten hírlapíró vezetésével összeállt, hogy valami kabaré félét alapítsanak *Theater zum lieben Augustin* néven (August vagy Augustin a neve a vásári komédiák és a cirkusz „fehér bohócának" – a ford.). Szonett lovag és Hangjasok lovag két dalt írt a kabaré számára. „Így keletkezett *A szeles szabó* című groteszk ballada, s egy lírai dal." (12)

Paródia lebegett a szerzők szeme előtt, holmi tréfa: az álnépies dalokat akarták kifigurázni, amilyeneket a század utolsó harmadában nagyon is kedveltek Bécsben. Bizonyos mesterségek, így a szabómesterség csúfolásának itt régi tradíciója volt – gondoljunk csak Cérna szabóra Nestroy *Lumpáciusz Vagabundus*zában. Meg egy kicsit meg is akarták fricskázni az állandó „wienerisch" juhú- és juhézását, a sok „holloderót" meg „johót".

A kabarénak teremre volt szüksége, s Felix Salten kibérelte a Theater an der Wient, először csak két hónapra, 1901. november 16-tól 1902. január 15-ig. Elég nagy társulat gyülekezett köréje, melynek tagja volt többek között Franz Wedekind is, továbbá szerződtetett 24 kóristát meg 48 muzsikust. Nagyszabásúak voltak a tervek, ám minden másképpen történt. A megnyitó előadás kis híján botrányba fulladt a csökönyös közönség tiltakozása okán. Két párt állt egymással szemben a teremben; a másnapi sajtó azt írta Wedekind dalairól, hogy ezek „lebujba vagy holmi elegáns csőcselék számára valók" (36); kegyetlenül lehúzták az előadást, s a *Der liebe Augustin*, vele Lehár *Szeles szabó*ja már november 16-án kilehelte lelkét.

Szonett lovag helyzete sem volt rózsás. „Egy napon így szólt hozzám: barátom, ebben az életben aligha látjuk viszont egymást. Súlyos tüdőbajom van, s el kell mennem Kairóba. Még ha meggyógyulnék is, visszatérnem soha nem lesz szabad...! Elbúcsúztunk egymástól, kölcsönösen a legjobbakat kívántuk egymásnak, s nekem valóban az volt az érzésem, hogy örökre elválunk. Teljesen elvesztettem szem elől, s nem is hallottam felőle. Több évvel később, amikor éppen egy bécsi vendéglőben ültem, odalépett hozzám egy százados, s szívélyesen üdvözölt. Ez volt a gyógyíthatatlan tiszt. Ragyogóan nézett ki, sugárzott belőle az egészség, s elmesélte, hogy boldog házasságban él, számos sikert aratott, bár ezek nem hasonlíthatók az enyémekhez. Fogalmam sem volt, hogyan is hívják, hiszen nem tudtam az igazi nevét. Végre aztán megtudtam, hogy Szonett lovag nem más, mint Hans Bartsch, a híres regényíró, aki tehát nekem szövegíróm is volt." (12)

Bartsch a századforduló után nevet szerzett magának a regényeivel. Ezek egyike, a *Schwammerl*, Franz Schubert élettörténete, az alapja a *Három a kislány* című operettnek.

A hadseregből való kilépése (1902 márciusában) és a Theater an der Wienhez való szerződés közötti időt Lehár úgy hidalta át, hogy a *Venedig in Wien* (Velence Bécsben) nevű, a Práterben található szórakoztató kombinátban dirigált, mely közel egy évtizedig működött a századforduló táján. A *Venedig in Wien* „remekmű volt, de egyúttal ipari létesítmény, kiállítási terem, szórakozóhely is, de város- és tájkép is. Az építész, Oskar Marmorek, egy ál-Velencét hozott ott létre. Csatornák hálózatát építtette ki, 8000 négyzetméternyi területet árasztott el vízzel, számos kis szigetet állított belé, s összekötötte őket a jellegzetes velencei hidakkal. Huszonöt gondolát rendelt meg Velencében, s Bécsbe importálta a negyven legjobb gondolást. A legnagyobb szigeten nyári színház működött, ahol délutánonként és esténként operetteket adtak elő." (37) Ebben a nyári színházban lépett fel Lehárral egyidőben a később oly híressé lett operettdíva, Fritzi Massary. Azonban semmiféle kapcsolat nem volt közöttük. Az 1902. év nyári szezonnyitó előadása Sidney Jones *Gésák*ja volt, május elején. Fritzi Massary játszotta és énekelte Mollyt; ám júniusban, amikor Richard Strauss néhány vendégkoncertet adott, Lehár már megint arra készülődött, hogy elhagyja a Prátert is. Lehár a létesítmény egyik kávéházában vezényelt. Mármost a *Venedig in Wien*ben számtalan vendéglő, kávéház, trattoria, locanda, előkelő vendéglő és borozó volt, gyerekek számára még bábszínház is... Mindenütt történt valami, minden talapalatnyi helyen: volt ott virágcsata, egy ál-kolostorudvarban bersaglierik muzsikáltak, olasz népénekesek daloltak, volt még díszkivilágítás, varieté-előadás, hangverseny, kabaré... vagyis mindenki megtalálta a maga ízlésének valót.

Itt aztán Lehár alaposan kitanulmányozhatta, mi tetszik az embereknek. A *Venedig in Wien* tehát valóságos gyakorlati konzervatórium volt a számára. Steiner Gábor, a létesítmény alapítója és vezetője emlékirataiban megemlékezik Lehárról is: „A nyári szórakozóhely nagy eseménye a százhúsz muzsikusból álló óriászenekar volt, melynek komoly és vidám műveket kellett előadnia a legismertebb és leghíresebb karmesterek vezetésével. Az első koncert alkalmával Graedener professzor, Lehár Ferenc és Karl Michael Ziehrer dirigált ... Igen érdekes volt az a tizenkét számból álló hangverseny, ahol tizenkét különböző karmester vezényelt. Minden egyes darabot más népszerű mester, mint Lehár, Ziehrer, Heuberger, Komczák és a többi!" (38) Steiner direktor úr egyébként éppen 1902 nyarán egészen rendkívüli módon bővítette ki rendezvényeit. Június 18-án *Ördögnapo*t rendezett, *Búcsú a pokoltól* címmel. Százötven muzsikus húzta a zenekarban, Kremser, Zemlinsky, Bayer, Reiterer, Kapeller és Lehár lengette felváltva a karmesteri pálcát.

Lehárnak ezúttal megint alkalma volt megfigyelni, mi hat a leginkább a közönségre, hiszen ezt közvetlenül ki lehetett olvasni a tapsból. S Lehár korántsem állt a sikerlista utolsó helyén.

Ám Lehár ezen a nyáron sem tévesztette szem elől tulajdonképpeni célját: azt, hogy a színpad számára akar komponálni. Miután megtudta, hogy Gustav Mahler sohasem fogja előadni a *Kukuškát*, azon igyekezett – mint már korábban Budapesten is –, hogy megfelelő operett-szövegkönyvet találjon. Nem volt könnyű; általános volt az a vélemény, hogy a bécsi operettnek befellegzett, vége. Az előző század operett-mesterei, s számos nekik dolgozó szövegkönyvíró is, elhaláloztak. A Theater an der Wien élére új igazgató került: a már említett Karczag Vilmos, aki az 1901/1902-es első szezonban tudvalévőleg csak vendégjátékokat rendezett. Nem állt jobban a Carl-Theater szénája sem: ott jobb erők dolgoztak, ám azután, hogy Jauner direktor januárban öngyilkos lett, nem volt többé jó vezetősége a színháznak. Meg aztán alig akadt már olyan operett, amelyik iránt a nagyérdemű igazán érdeklődött volna.

A Raimund Theatert – a mai bécsi operettszínpadot – 1893-ban alapították, s előbb csak színdaraboknak és vígjátékoknak adott otthont; az operett csak később vonult be a Wallgasse-i házba. Igazgatója egyébként akkoriban nem más, mint az az Ernst Gettke volt, aki annakidején nem akarta Lehárt elereszteni Elberfeldből.

Korábbi tapasztalatai alapján Lehár nem akart ismét valami laikus librettistával együtt dolgozni. Ám a híresek közül is ki szavatolhatta volna a sikert? Lehár suba alatt érdeklődött. „Victor Léonhoz utasítottak. Előadtam neki kérésemet, ám Léon azt válaszolta: sajnálom, ifjú, ismeretlen szerzővel nem dolgozom." (25) Victor Léon valóban tucatnyi komédiát, szövegkönyvet, vígjátékot és átdolgozást, no meg néhány könyvet dobott piacra a 80-as években. Johann Strauss számára megírta a *Simpliciust*, amely megbukott ugyan, ám Léon darabról darabra tapasztaltabb és öntudatosabb lett. A századforduló előtt az *Operabál* és a *Bécsi vér* szövegkönyvén dolgozott. Ráadásul rendezőként működött a Theater in der Josefstadtban és a Carl-Theaterban, s így nagyjából profi színházi szakembernek volt tekinthető.

Minthogy Léon visszautasította az együttműködést Lehárral, a zeneszerzőnek tovább kellett kutatnia. A már említett Schlaraffia révén végre hozzájutott első valódi operett-szövegkönyvéhez: a *Bécsi nők*höz. Az egyesület tagja volt Friedrich Schmiedell, előbb kereskedő, majd kiadó, akinek fivére a Währingerstrassében működő Kaiserjubiläums-Stadttheater színésze volt. Emil Norini volt a művészneve, jóbarátságban volt egy Ottokar Tann-Bergler nevű újságíróval, akinek viszont Alexander Girardi volt jó ismerőse.

Márpedig Girardi szinte hihetetlenül népszerű volt. Karczag leszerződtette színháza második évadjára, s darabokat keresett a sztár számára. Tekintettel arra, hogy – egyfelől – Lehár karmester volt, s hogy – másfelől – Tann-Bergler kapcsolatban volt Girardival, nem volt nehéz a készülő művet Karczagnál elhelyezni.

Ám – „ma is tisztán emlékezem arra, mekkora kínokat okozott nekem az a tény, hogy Girardira osztották a főszerepet, aki akkor éppen művészete delelőjén állott. Persze büszke voltam rá, de volt egy kis baj is. A nagy, a híres Girardi számára kellett szerepet írnom, holott életemben soha még nem láttam őt. Elképesztően csudálatos dolgokat meséltek e nagyszerű színészről. Mindeközben gondosan el kellett titkolnom műveletlenségemet, melynek oka állandó katonakarmesteri szolgálati beosztásomban volt keresendő. Attól féltem, hogy visszaveszik tőlem a szövegkönyvet: még hogy olyasvalaki akar szerepet írni Girardinak, aki még sohasem látta őt! Ám minden jóra fordult. S amikor aztán az egyik próbán végre meghallottam, ahogyan ez a páratlan előadóművész elénekelt néhány taktust, egészen odavoltam." (40)

Azt, hogy végül elfogadták a *Bécsi nők*et, Lehár nem utolsósorban Emil Steiningernek, Karczag munkatársának köszönhette. E művészetrajongó hajdani városházi hivatalnok, akit Karczag 1901 késő nyarán hozott magával a színházba, a továbbiakban Lehár leghívebb patrónusának bizonyult. Ő volt Karczag titkára és főpénztárosa – az az ember, aki a bevételért felelős.

Az említett, Lehár számára kétségtelenül roppant örvendetes eseményekkel párhuzamosan más is történt. Katonaindulói közül csak egy, az 1894-ben, Szarajevóban komponált *Jetzt geht's los* volt igazán népszerű. S ennek az indulónak köszönhető, hogy Lehárból életfogytiglan operettszerző lett. Egy napon ugyanis azt írta neki Léon, hogy ha még mindig szándékában áll operettet írni, keresse őt fel. „Amikor megkérdeztem, mitől döntött most végül is mellettem, azt válaszolta, hogy hallotta *Jetzt geht's los* című indulómat, s az sokkal többet árult el neki arról, hogy alkalmas vagyok operettek komponálására, mint a *Kukuška*." (12)

Viktor Léon megkérdezte Lehárt, nem akarná-e megkomponálni a *Drótostót*ot. „Kijelentettem, hogy szívesen, s ő – óvatosságból – csak az előjátékot adta át nekem. Egyhuzamban megcsináltam a munkát, s eljátszottam neki a zenét. Azzal az eredménnyel, hogy megkaptam a szövegkönyv többi részét is." (25)

„1902 tavaszától őszéig, egy fél éven át tehát egyszerre dolgoztam mindkét operettemen, a *Bécsi nők*ön és a *Drótostót*on. Úgyszólván vakon csöppentem bele az operettbe, melyről valójában alig volt fogalmam, s anélkül, hogy közelebbről ismertem volna a műfajt ... Tudatlanságom azonban előnnyel is járt, hiszen ily módon saját operettstílust alkothattam magamnak. Julius Bauer volt talán az első, aki ezt felismerte, s aki már sikereim előtt a jövő emberének nevezett." (12)

Az anekdota úgy tudja, hogy Léon lánya, Lizzi hallotta az indulót a korcsolyaegyesület pályáján, s annyira megtetszett neki, hogy otthon naphosszat ezt fütyülte-dudorászta, aztán elővette a *Kukuška* zongora-kivonatát, annak a dallamait játszotta, s végül addig rajongott apja előtt a zeneszerzőről, míg az magához nem rendelte Lehárt. Léon többször is előadta ezt a történetet a sajtóban. Valójában volt olyan rutinos színházi szakember, hogy 15 esztendős kislánya kérései aligha befolyásolhatták az elhatározásait.

1902 őszére elkészült mind a két operett. Tudjuk már, hogy Lehárt Karczag és Wallner direktorok a Theater an der Wien első karmestereként szerződtették. „A két igazgató azonban semmiképp nem értett egyet azzal, hogy a *Drótostót*ot másik operettszínpadon, a Carl-Theaterben akartam előadatni." (12)

Eléggé mérges vitákra került sor. Lehár nagyobb sikert remélt a *Drótostót*tól, s nem akart lemondani az előadásáról. Végül felmondta szerződését, a berlini Central-Theaternak kínálta a *Bécsi nők*et.

Karczag és Wallner végül is engedett. Érvényben maradt ugyan a felmondás, de az is, hogy a *Bécsi nők* a Theater an der Wiennél marad. Mindjárt az első próbákon kiderült, hogy Nechledil zenetanár figurájának jutott egy induló, amely jóval hatékonyabb mindazoknál a számoknál, amiket a darab főalakjának, Willibald Brandl zongorahangolónak juttatott. A szerepet Girardi játszotta, s ő egyértelműen magának követelte az indulót.

Mit lehet ilyenkor tenni? Megkapta. Girardinak könnyűszerrel sikerült érvényt szereznie az ilyenfajta kívánságoknak. Az év folyamán a fejébe szállt kivételezett pozíciója. „Már a legkisebb utasítást is személye mellőzéseként értelmezte." Megtörtént, „hogy hatalmi

51

szóval töröltette a szubrett egyik dalát közvetlenül a premier előtt, mert különlegesen nagy sikernek ígérkezett. Kíméletlensége olykor tűrhetetlen zsarnoksággá fokozódott." (41) Meglepőnek tűnhet, hogy az a színész, akitől elvették az indulót, eltűrte ezt a bánásmódot. Ám valószínűleg meg se kérdezték. Nechledil szerepét Oskar Sachsra osztották, aki a Jantsch-féle színházból, a Práterből került a Theater an der Wienhez, s örült, hogy ott lehetett. A második felvonás színhelye a zenetanár Nechledil kertje, ahol éppen álarcosbál zajlik. Girardi Nechledil egyenruhájában lépett fel, s mindenki mulatságára eljátszotta Nechledilt Nechledil előtt, amitől a dolog még mulatságosabb lett. Lehár nyilván megelégedéssel vette tudomásul, hogy Girardi elénekelte az indulót, amit későbbi nyilatkozata sejtet: „Az egyik próbán történt, hogy Girardi olyan magávalragadóan adta elő, hogy – ma már megmondhatom – könnyekig meghatódtam." (40) 1902 novemberében mutatták be a *Bécsi nők*et. Tíz esztendővel később így értékelte a zeneszerző az eseményt: „Ez volt az első sikerem, elsősorban művészi sikerem, mert hiszen az operett sajátosan bécsi jellege folytán nem hatolhatott el messzire, s még Bécsben, Girardi remeklése ellenére is alig több mint ötvenszer adták elő." (12) Mindazonáltal az 50. előadásra már január 14-én került sor, alig két hónappal az ősbemutató után! 1905 szeptemberéig további 19 előadása volt; nem számítva más színpadok előadásait, amelyek a bécsire következtek.

A siker alighanem főképp Girardinak volt köszönhető. Wilhelm Sterk szerint: „Mit szólt volna a *Bécsi nők*höz a közönség, mely oly nagy lelkesedést tanúsított, ha nem Alexander Girardi szerepelt volna? Viruló erőben játszotta el Alexander Brandlt, ezernyi árnyalatban csillogtak szavai, a figurát olyan szikrázó humorral és élettel töltötte meg, amilyenről a librettistáknak aligha volt fogalmuk. Régóta nem hallottunk már Girarditól valami olyan tökéletest, mint a most előadott kuplét: minden szakaszban más és más ember, kinek jellemét alig néhány szóval, nagyszerű plaszticitású mozdulattal, szikrázóan éles kifejezéssel rajzolja fel. Tomboló tapsvihart váltott ki, olyat, amilyet ez a remeklés megérdemelt. A *Bécsi nők*keringő, az átütő *Nechledil-induló,* melyet Girardi hallatlan virtuozitással hozott, egy hihetetlenül bájos duett a második felvonásban és a női hármas a harmadikban a partitúra legjobb részei." (42)

Ám a zeneszerző is meglehetősen jól jár ebben a kritikában. „Lehár úr szívélyesen üdvözlendő jelenség az operett világában; hosszú idő múltán megint akadt egy muzsikus, aki tud operettet írni. Előrelátható volt, hogy Lehár, akinek sok esztendős katonakarmesteri múlt állt a háta mögött, a hangszereléskor felhasználja a modern művészet teljes eszköztárát." (42)

Más kritikus is utalt a korábbi katonakarmesteri tevékenységre, így például Ludwig Basch, aki így írt a Nechledil-indulóról: „Gyújtó hatású ez az induló; a hajdani katonakarmester körül ott lebegett múltjának valamennyi vidám koboldja." (43)

Minthogy a kritika dicsérte a zeneszerzőt és a színészeket – Girardival az élen –, alighanem a librettón múlt, hogy az operett nem volt hosszú életű. A nyitány kompozíciós elrendezése arról árulkodik, hogy szerzője többé-kevésbé tehetséges, annál is inkább, mivel ez az első operettje. Egy jelentős zongoraszólón át egyvelegszerűen vezet az út a Nechledil-induló vidám refrénjéig. A zongoraszóló azért jelentős, mert zenedrámai mozzanatként újra meg újra felbukkan a műben, mondhatni felismertető dallamként; ha nem hangoznék fel a kulisszák mögül, a cselekmény nem haladhatna előre.

Csak keveset tudunk arról, hogy Lehár családja hogyan reagált a Bécsi nők sikerére. Emlékszünk még a szkeptikus szavakra, amiket Lehár anyja Antal fiának írt a Kukuška előadása alkalmából; hasonlítsuk össze a következő levélrészlettel: „Milyen kár, hogy nem lehetünk együtt a Bécsi nők 25. előadásán és másnap, a Drótostót bemutatóján. Azt írod, kedves Tóni, hogy irigyled Ferencet azért, amit csinál s a hatásért, amit elér. Hát melyikőtök tud több jót tenni? Hát a te hivatásod nem alkalmas rá? Hány olyan embert nevelsz rá a rendes életre, a tisztaságra, engedelmességre, türelemre, akik félvadakként kerültek a katonasághoz! Nálad megtanulnak írni-olvasni, s látják, hogy az embernek önfeláldozónak kell lennie másokkal szemben, s nem mindent csak önmagában akarni. Jóakaratod révén mily sok alkalmad adódik, hogy jót tégy! S az emberek áldani fogják nemes és igazságos kapitányukat. Hiszen a jó szó csodákat tehet az ilyen szegény katonáknál." (7) Ez a felfogás fényesen bizonyítja az anya jó szívét. A „szegény katonák" k. u. k.-beli valósága persze egészen más volt. S annak a türelemnek, amit e „szegény félvadaknak" meg kellett tanulniuk, kizárólag arra

53

a monarchiára kellett irányulnia, amelyik már rég kimerítette alattvalóinak türelmét. Minderről persze az anyának a maga együgyű jóságában fogalma sem volt. Hogy az aggódó jóság mennyire alapvető jellegzetessége volt jellemének, kiolvasható a következő, ez idő tájt Antal fiához intézett leveléből: „Nincs olyan ember, legyen bár gazdag vagy szegény, aki, ha akar, jót ne tudna tenni! Hiszen egyedül ez az élet célja és tartalma: jót tenni másokkal. Bizony, sokat mesélhetnék arról, hogy én hogyan csinálom. Ugyanolyan egyszerű vacsorát fogyasztok, mint régen, amikor gyakran voltam nehéz helyzetben. Így néhány krajcárt félre tudok tenni. Vidám szívvel, amiért a számtól vontam el. Reggel, amint befejeztem imámat, megint néhány krajcárt teszek hozzá. Így gyűjtögetek karácsonyra. Aztán összeszedem mindazt a régi holmit, amit nélkülözhetek. Följegyeztem néhány szegény sorsú, sokgyermekes anya címét. Emmynek velem kell jönnie. Lássa a nyomort, s segítsen azt szívbéli szeretettel enyhíteni." (7)

Antal, akinek ezek a levelek szóltak, időközben jócskán haladt előre katonai pályáján. 1898-ban lett főhadnagy, 1900-ban törzskari tiszt. 1901-ben elvette feleségül Emmy Magerlét, egy bécsi előkelő nagybirtokos és bányatulajdonos leányát. 1902. május 1-jén már a Komáromban állomásozó 83. gyalogezred századosa. Több évig ott állomásozott, anyja oda írta neki az idézett leveleket.

A bennük foglalt anyai intelmek nevelési elveiből fakadtak. Érthető, hogy Lehár hazagondolt, ha olyan szövegekre bukkant, mint a Drótostót alábbi sorai:

Dos is a einfache Rechnung –
Mei' Kind, vergess' dies nit:
Auch Wohltun trägt dir Zinsen,
Das is der rechte Profit!

(egyszerű számítás ez –
el ne felejtsd, gyermekem:
a jótétemény is kamatozik,
ez az igazi haszon!)

Ezt Pfefferkorn hagymakereskedő énekli, akinek Léon akaratából zsidónak kellett lennie. Ebből némi nehézség adódott. Ugyanis

Louis Treumann-nak kellett játszania a szerepet, s neki egyáltalán nem volt kedvére való a figura zsidós jellege: attól tartott, hogy a közönség erősen antiszemita hangulata rá, a színészre háramlik. Ám Léon értett hozzá, hogy meggyőzze: úgy kell eljátszania a szerepet, ahogyan ő megírta.

Nehézségeket okozott Aman és Müller, a Carl-Theater két igazgatója is. Megvetően gyerekkomédiának minősítették a *Drótostót*ot, mivel a cselekmény két szlovák kisgyerek szimbolikus eljegyzésével indul.

A Carl-Theater igazgatósága különben is csak azért szándékozott előadni a darabot, hogy kitöltse a műsorterv egy hetes hézagát, amíg is színre kerülhet a következő mű: Hugo Felix *Madame Sherry*je. Ennek ősbemutatóját visszavonhatatlanul január 10-re tűzték ki, s Léonnak a *Drótostót* bemutatójára meg kellett elégednie a lehető legrosszabb időponttal, december 20-ával.

A premier-háborúról Lehár így tudósít: „Előadás után együtt ültem néhány jóbarátommal, s mérlegeltük innen is-onnan is, milyen sikert arat majd az operett a bécsi kritikusoknál. Egyre jobban elcsüggedtem, s a társaság is egyre apadt. Végül egyedül maradtam Léonnal. Hajnalig várakoztunk, aztán együtt mentünk el – az egyik szerkesztőségbe. Nem bírtuk kivárni, míg nyomtatásban olvashatnók az első szavakat a *Drótostót*ról. A lap még nedves volt a nyomdafestéktől, amikor a kezünkbe adták; szinte faltuk a kritikát. Orcáink azonban egyre jobban megnyúltak. Amit művünkről olvashattunk, távolról sem volt ugyanis hízelgő. A *Drótostót*ot kigúnyolták, leszólták, megsemmisítették. Az a benyomás, amit ez a kritika főképpen Léonra tett, olyan volt, hogy megszeppenten hozzám fordult, megszorította kezemet, s így szólt: Bocsáss meg, kedves Lehár, amiért ilyen rossz szövegkönyvet írtam! S nem volt jobb a többi kritika sem, amiket ezután olvastunk." (25) Még évtizedekkel később is arra emlékeztetett egy cikk, hogy „A *Drótostót* bemutatója után egy kiváló zenekritikus tíz soros kritikát írt, melyben ez a mondat szerepelt: Hányingerem támadt, s el kellett hagynom a színházat!" (44) Ám ez szinte kizárólag a librettóra vonatkozott: Léon volt a célpont, nem Lehár. Ha ilyeneket írtak: „Az újdonság librettója még súlyosabban sérti a jóízlést, mint ahogyan az az operettszínpadokon – sajnos – szokás" (45), akkor ez nem a komponistának szólt. Ha az a vád, hogy „a szövegkönyv szerzőjének

55

alkotóereje és fantáziája nagyon is szegényes" (45), akkor a szerző nyilván Pfefferkorn zsidó alakjára célzott s annak állítólagos „túlburjánzó ízléstelenségeire és gusztustalanságaira, amikkel a szerző ellátta őt szinte kimeríthetetlen bőségszarujából". (45) Ám Pfefferkornnal kapcsolatban csak ritkán bukkantak fel a kritikában ilyenfajta vélemények. Más helyütt ez olvasható: „Treumannak jutott a legnehezebb szerep: egy – igaz, hogy nagyon szimpatikus – házaló zsidót kellett eljátszania. Azt a diszkréciót, amivel ezt a feladatot teljesítette, nem is lehet eléggé feldicsérni." (46)

Az operettről úgy nyilatkoztak, hogy „szeretetreméltó, vidám és tetszetős", s elismerték azt is, hogy „Lehár mindenkor ízlésesen komponál jól énekelhető, hálás számokat, s ahol az a veszély fenyeget, hogy csődöt mond a dallam, ott ügyes, bájos, ötletekben gazdag hangszereléssel köszörüli ki a csorbát." (46)

A kritikai megjegyzések ugyan nem a zeneszerzőre vonatkoztak, ám Lehár nyilván mégis úgy érezte, hogy a darab megbukott. „Így hát boldog voltam, amikor Weinberger megvette tőlem a *Drótostót* zenéjét kétezer koronáért (a színpadi előadás jogai nélkül; a szerző megjegyzése). Később rájöttem, milyen rossz üzletet csináltam én, s Weinberger milyen jót. A hangulat ugyanis megfordult, s a *Drótostót* rengeteg előadást ért meg, Weinberger pedig legalább 160 000 koronát keresett a kottákon. Ezt csak azért jegyzem meg, hogy megmutassam, milyen végtelenül nehéz a színház világában megjósolni, hogy mi fog történni. A *Bécsi nők* zenéjét is kétezer koronáért adtam el, mégpedig Bertének, aki szintén nem járt roszszul, mert a *Nechledil-induló* egymaga több mint 50 000 koronát hozott neki. De hát – kezdő voltam, örültem, hogy sikerem van, és kellett a pénz." (25)

Elképzelhető, hogy Lehár azért is érezte oly negatívnak a kritikákat, mert különlegesen nagy sikerre számított. Hiszen a bemutatóknak végtére is sikere volt. Ám a bécsi kritikusoknak nagy volt a befolyása. Amit nem magasztaltak az egekig, az nehezen tudott csak érvényesülni.

Dicsérően nyilatkozott például a Fremdenblatt: „A *Drótostót* igen kedvező fogadtatásban részesült, mely némiképp különbözött az ebben a színházban szokásos bemutatók sikerétől. Victor Léon, az operett-témák fáradhatatlan ki- és feltalálója, most már Szlivákiát is felfedezte a múzsa számára, a maga drótostót-iparával és hagymatermelésével egyetemben. Határozottan ügyesen és nem minden költői ihlet nélkül navigál ezen az újszerű terepen. Két szlovák gyereket jegyeznek el a szülőfalujukban, mielőtt a fiú vándorlásra indulna. Bécsben Janku bécsivé lesz, az évek során elfelejti a menyasszonyát, s eljegyzi annak a bádogosmesternek a lányát, aki annak idején felvette inasnak a szegény drótostótocskát. Kis szlovákiai menyasszonya is elfelejtette az évek során a jegyességet, s egy másik honfitársának nyújtotta kezét. A két szerelmespár Bécsben összetalálkozik, s a gyerekek hajdani eljegyzése veszélyezteti a felnőttek boldogságát, ám az ártatlan kavarodás mindenki örömére megoldódik, úgy, ahogyan illik. A szimpla cselekmény szálait Pfefferkorn hagymakereskedő tartja kezében, akinek Louis Treumann, a kiváló karakterkomikus kölcsönzi alakját, hangját és mozdulatait. Aki nevetni szeret, megtalálja tehát a számítását, mert Treumann ellenállhatatlanul komikus hatással játszik, énekel és táncol, s humora nemegyszer a meghatottság és boldogság húrjait pengeti. Művésznek bizonyul még egy ilyen exponált és ízlés szempontjából kétes szerepben is... Günther asszonynak jutott a felnőtt szlovák menyasszony szerepe, amelyben ugyancsak őseredetinek és drasztikusnak mutatkozott. A közönség szűnni nem akaró tapsai között énekelte és táncolta a francia négyest Treumann úr oldalán. Streitmann úrral szerelmi kettőst adott elő, mely szintén sikert aratott ... Lehár Ferenc zenéje szerencsés hatással merít a népi dallamkincsből. A partitúrában sok mindent szerkesztett össze tisztán, szeretetreméltóan és hangulatosan, ami biztos kézre vall. Csak ott lesz a zene semmitmondó és triviális, ahol Lehár a zenei bécsiesség kiszipolyozott talajára téved. Minden felvonás végén kihívták a zeneszerzőt is a szereplőkkel együtt a függöny elé." (48) Ez már valami! S a komponista is elégedett lehetett a sikerrel. Az első 13 hónap alatt 225-ször adták elő a Drótostótot, s az első világháború végéig több mint 2500 előadást ért meg a német nyelvű színpadokon.

Így hát az 1902. esztendő, mely az Arany és ezüst-keringővel kezdődött, igen örvendetesen fejeződött be Lehár számára. A keringő – London és New York után – az év végére Bécsben is népszerű lett, s a császárváros két vezető operettszínháza is sikerrel állított színpadra egy-egy Lehár-operettet.

Harmincharmadik életévében járt a zeneszerző, s a következő, 1903-as esztendőben, tizenkét esztendei katonakarmesteri szolgálat és az 1902. év viharos nyara után végre, életében először, kissé megpihenhetett, nyugvópontra jutott, ahonnan neki lehetett indulni újból. Anyagilag persze még mindig nem élhetett gond nélkül. Ám a bécsi színházi világban most már elismert zeneszerzőnek tekintették, olyannak, akitől még sokat lehet várni. Az 1903-as év mindenekelőtt a magánélet kérdései tisztázásának ideje volt. A 33 éves zeneszerző – anyagi okokból – még mindig nőtlen volt. Katonakarmesterként, akinek fizetése havi 60 forint plusz 17 forint lakáspénz, hosszú ideig bizony kínos volt a helyzete. A Marokkanergasse 20-ban lakott, korántsem rózsás körülmények között. Némi könnyebbséget csakis a sok különmunka révén szerezhetett. De hát annak is megvannak a maga határai.

Délben a közeli Heumarkt-laktanyában, a tiszti kaszinóban ebédelt. Jövedelmező vállalkozás volt az ilyenfajta kaszinók és kantinok vezetése; a Heumarkt-laktanyában lévő kaszinó egy Ferdinand Weissenberger nevű gasztronómus kezében volt.

Ugyanő hozta létre s tette híressé még a századforduló előtt Az arany szalonkához nevű Heuriger-vendéglőt Dornbachban, a Wienerwald szélén. Felesége halála után jó áron eladta, s most már csak a kaszárnyában üzemelő lokállal foglalkozott. A laktanya egyúttal amolyan katonai átjáróház volt, itt helyezték el rövidebb-hosszabb időre az átutazóban lévő tiszteket és katonákat.

Lehár különböző alkalmakkor lakott ott, s eközben valamikor megismerkedett Weissenberger úr Ferry nevű lányával. Azonnal megtetszettek egymásnak, a flörtből szerelem lett, s amikor Lehár a huszonhatosokkal Bécsbe került, már szilárd volt a kapcsolatuk. Ferry volt az, aki rábeszélte a Heumarkt-kaszinó pincéreit, hogy hónap végén minden hűhó nélkül – hogy is mondjuk – megfeledkezzenek a számláról. Így hát Lehár valahogy kijött a fizetéséből.

Házasságra persze gondolni sem lehetett. Élethelyzete mellett hogyan is alapíthatott volna családot! Ferry apja ellenezte ezt a barátságot, de feltételezte, hogy leánya majd kigyógyul ebből a – ahogyan ő nevezte – rapliból.

Ferry nevelőnője, Jozefin, minden randevúról beszámolt az apának. Bosszantó állapot, ám Ferry kijátszotta a kisasszonyt, s a szerelmesek mégis találkoztak. Nagyobb baj volt az, hogy Ferry nénikéje határozottan Lehár-ellenes volt. Ez a hölgy Anna Sacher volt, aki köré később legendák szövődtek: övé volt a Sacher-hotel, melynek híres tortája ma is fogalom. Sacherné szemében Lehár csupán holmi éhenkórász volt. Mindenekelőtt ő volt az, aki kőkeményen tiltakozott a kapcsolat ellen. A *Bécsi nők* és a *Drótostót* persze siker volt, de nem az, amit Sacherné vagy Weissenberger úr állandó biztos jövedelemnek tekintett. Az ifjú pár tehát mindenféle tervet forgatott a fejében. Lehár meg akart szökni Ferryvel, de ennek sem volt semmi értelme: szeretni lehet pénz nélkül, de házasodni...

1903-ban tehát szakítottak: Ferry ekkor 23, Lehár 33 éves volt. Egyiküknek sem volt könnyű. Lehárt átsegítette a válságon a zene meg Ferry két évvel idősebb barátnője, aki gyakran „falazott" a fiataloknak, vagy az őrangyal szerepét játszotta. Igen boldogtalan házasságban élt egy Meth nevű szőnyegkereskedővel, akit végül is elhagyott – Lehár kedvéért.

Ferry igen jó „partit" kötött, olyat, amilyenről Sacherné álmodozott. Megismerkedett bizonyos Hans Trummerrel, egy ingolstadti építési vállalkozó fiával. Tizennyolc évvel volt idősebb nálánál, s özvegyember. Anna Sacher ráadta áldását, Weissenberger papa átadta a hozományt: 60 000 forintot. 1904-ben összeházasodtak. Trummer apró és legapróbb színházakkal foglalkozott; 1911-ben halt meg, nikotin-mérgezésben. Ferry nem tért vissza Bécsbe, Lehár nem látta őt soha többé. Az asszony egy ideig Spanyolországban élt, 51 éves korában férjhez ment egy 73 esztendős tanítóhoz, aki – akárcsak az első férj – hét esztendei házasság után meghalt.

Lehár levelezett vele, s mindig tudta, merre jár. Ám elfogadta az adott helyzetet. Lehet, hogy eme első nagy szerelem szomorú vége hátrahagyott benne valami lenge bánatot, mely aztán lecsapódott a zenéjében is?

Így hát az 1903. esztendő a magánbánat éve volt, de ugyanakkor a következő operettre való készülődésé is...

II. fejezet

1904–1910

Kukuška, Bécsi nők, Drótostót... Hogyan is állott Lehár az 1904-es esztendő elején? Vajon a három színpadi mű meg a többi kompozíció – az *Arany és ezüst*-keringőig bezárólag – sejtette-e, hogy itt egy mester van kialakulóban? Ahogyan a festő palettájának valamennyi színe nem árul el semmit a majdani festményről, úgy e pillanatban lehetetlen volt még megjósolni, mivé lesz majdan Lehár Ferenc. Tegyük hozzá, hogy akkoriban nemcsak Lehár írt operettet. 1902-ben Karczag még egy jelentős komponistát fedezett fel a *Bécsi nők* komponistája mellett: Edmund Eyslert, akinek *Bruder Straubinger*je – 1903 februárjában mutatták be, alig egy negyedévvel a *Bécsi nők* után – néhány hónap alatt már több mint száz előadást ért meg. Igaz, a Carl-Theater folyamatosan játszotta a *Drótostót*ot – egy éven belül több mint kétszázszor –, ám ez a színház is újabb zeneszerzőket keresett. Egy évvel a *Drótostót* előtt adták Heinrich Reinhard *Das süsse Mädel*jét, s a darab hasonló sikert ért meg, mint Lehár és Léon közös műve. Két hónappal a *Drótostót* előtt került színre Reinhard *Der liebe Schatz*-ja. Más lapra tartozik, hogy manapság már nincs kedvünkre Reinhard operettjeinek édeskés hangvétele és tolakodóan átható, mesterkélt bécsiessége; akkoriban ezek a művek igen hatásosak voltak. Ráadásul Victor Léon fáradhatatlannak bizonyult. Béla von Ujj számára (akkortájt minden német nyelvterületen működő magyar, aki csak valamicskét adott magára, odarakta családneve elé a nemesi származást igazoló „von" szócskát, akár volt oka rá, akár nem; – a ford.) 1903 decemberében megírta a *Herr Professor* librettóját, 1905 márciusában pedig a *Kaisermanöver*ét. Vagyis Lehár mellett – részben már Lehár előtt – nem is egy szépreményű tehetség jelent meg a színen. A századforduló új igazgatókat állított mindkét bécsi operettszínház élére, ezek meg hozták az új zeneszerzőket. Lehár mai népszerűsége olykor elhomályosítja azt a tényt, hogy nem ő egymaga hozta a fordulatot a látszólag hanyatló operett történetében, hogy ő csak része volt a folyamatos fejlődésnek.

A látszólagos hanyatlás megállítása, illetve a nemzetköziségre hajló polgári operett megizmosodása megfelelt az általános európai gazdasági és társadalmi fejlődésnek. A kapitalizmus átfejlődött imperializmussá, s ezzel párhuzamosan differenciálódott a polgári osztály is. A pénzburzsoázia tőkéje nem ismert országhatárokat, s az egyik állam polgársága magához közelebb állónak érezte a másik állam burzsoáziáját, mint akár saját nemzetét. Ily módon a polgári művészet is fokozatosan elveszítette nemzeti jellegét, s igyekezett a fejlődés menetéhez igazodni. Ez volt az oka, hogy az operett a 80-as években átmeneti állapotba került, amit a 90-es években hanyatlásként érzékeltek.

A századforduló után már nemzetközi méretekben is megerősödött a fináncburzsoázia, s ezzel az operett számára is véget ért az ingadozás kora; új konjunktúrája Lehár jegyében vette kezdetét, immár nemzetközi szinten. Akkoriban sem vitatkoztak kevesebbet az operettek formájáról és tartalmáról, mint manapság – ám éppen csak vitatkoztak, mert a szerzőknek maguknak korántsem adtak szabad kezet: „Ellenkezőleg: megkívánták tőlük, hogy a legdurvább eszközökkel éljenek. Adva van például egy komikus, akire az egész műnek támaszkodnia kell, mert a partnerein a szerep hossza tekintetében is túl akar tenni, amott pedig egy tenorista, egy vagy két szubrett stb." (51) Az új bécsi komponisták pedig nem kívántak mást, mint „a gyors sikert, a minél hamarábbi exportot a német színpadokra". (52) Németországban összehasonlíthatatlanul több volt az olyan színház, ahol operetteket játszottak, mint Ausztriában; a zeneszerzők árutermelőkké lettek, s az árut exportálni kellett.

Ez volt az oka, hogy rengeteg kurrens, „piacképes áru" készült, s a komponisták meg a librettisták – öntudatlanul bár – ezzel maguk is hozzájárultak az operett átmeneti lezülléséhez: nem fogták fel, mi a műfaj szerepe a polgári társadalomban, s egymásra hárították a vélt felelősséget. Hiba volna elvárni, hogy – teszem – a korabeli lapok kritikái hozzásegíthetnek e rejtélyes süllyedés mélyebb okainak megértéséhez; annál is inkább, mivel a kritikusok, illetve librettisták nagy része egy és ugyanazok voltak! Az operett már Johann Strauss életének utolsó éveiben „egyre inkább az olyan befolyásos újságírók tevékenységi és vadászterülete lett, akik maguk mögött tudták a lapok hatalmát és propaganda-gépezetét. Az egész társaság – alig-alig leplezetten s teljességgel szemérmetlenül – egyetlen ‚brancs'-csá egyesült." (39)

A *Neues Wiener Journal* munkatársai közül Bernhard Buchbinder és Leopold Jacobsohn kritikusok kezdtek szövegkönyveket írni, Ludwig Held, a *Neues Wiener Tagblatt* operett-kritikusa úgyszintén, akárcsak Julius Bauer az *Extrablatt*, ill. Hugo Wittmann, a *Neue Freie Presse* munkatársa. Hivatalosan bírálták az elkészült librettókat, magánéletükben maguk is írtak szövegkönyveket, s még ezekben is azon morfondíroztak, milyennek is kellene lennie a jó operett-szövegkönyvnek! Lehárt is bevonták ebbe a vitába. Megismerkedett egy úrral, aki jó ismerőse volt Léonnak: bizonyos Stein úrral. Maga is írt librettókat, már több mint tíz esztendeje, s tekintélyes, rangos embernek számított; Léon és ő rávetették magukat az Amphitryon-témára. Nem volt valami eredeti ötlet, annál inkább az volt a „jelenetszerű előjáték", melynek főhőse „egy thébai szövegkönyvíró, aki buzgón imádkozik Jupiterhez: operett-ötletre volna szüksége! Jupiter meghallgatja kérését, s eljátssza neki Alkménével esett kalandját. A darab megőrizte Molière színdarabjának magvát, ám ezt beöltöztette valamiféle – nem tudom másnak nevezni – kabarétréfába, amiből mindenféle, magát az operettet perszifláló jelenet adódik." (53)

Lehárnak ez nemigen tetszett; vitákra, veszekedésekre került sor, melyek végül kompromisszumhoz vezettek. A Carl-Theaterben mindenesetre megkezdődtek a próbák. „Röviddel a főpróba előtt kiderült, hogy legalább egy énekszámot ki kell hagyni, mert a darab igen hosszú, s a közönség, ha a darab utolsó negyedében holmi lírai dal szerepel, rendszerint kifárad. Mármost nem volt könnyű egy dalt kihúzni, hiszen minden színész féltékenyen óvta a maga számait. Hosszas, zárt ajtók mögött folyó viták után abban az imában egyeztek meg, amit Mizzi Günther énekelt volna Jupiterhez. Hogyan lehet ezt neki megmondani? A fiatal énekesnő aligha mondana le önként a számról, annál is kevésbé, mert hiszen karrierje elején állott. Müller direktor úr megtalálta a kiutat: az ifjú énekesnőnek folyton pénzre van szüksége, mondotta somolyogva, így hát egyszerűen megvesszük tőle a számot! Késznek mutatkozott arra, hogy ne csak a tárgyalásokat folytassa, hanem lepergesse a száz forintot is. Mizzi Günther azonban nemigen hatódott meg

A drótostót – Szentgyörgyi Lenke és Sziklai Kornél (1903)

a száz forintos ajánlattól. Úgy küzdött az elénekelendő imádságért, mint egy anyaoroszlán, s végül kétszáz forintért volt csak hajlandó meghozni ezt az áldozatot. Mivel Müller már kifizette a maga felajánlotta összeget, Léon és jómagam hozzátettük a magunk ötven-ötven forintját. E fájdalomdíj végül felszárította Mizzi Günther könnyeit." (54) Ám ebből az imádságból lett később Lehár legismertebb melódiája: a *Vilja-dal,* amelyet persze Mizzi Günther énekelt – később, *A víg özvegy*ben. A mű 1904-ben *A bálványférj* címet kapta, hiszen Jupiter a rege szerint földi férj helyett ölelte Alkménét; a bemutatóra január 20-án került sor, a Carl-Theaterben.

Ezúttal Lehárnak semmi oka nem volt arra, hogy hadakozzék a kritikával, mint annak idején, a *Drótostót* után. Ezúttal az egekig magasztalták! Például így: „Lehár Ferenc maga ült a dirigensi pulpitusnál, s onnan tárta fel biztos kézzel pompás partitúrája valamennyi szépségét. Ez aztán a talpig muzsikus, akinek bölcsője mellett a múzsák vállalták a keresztanyaságot." (55) Avagy: „Egyik tapsvihar a másik után rázkódtatta meg az épületet, amikor a zeneszerző a második s egyben legjobb felvonás után megjelent a színpadon." (53) A zeneszámokról meg ilyesmi volt olvasható: „Felmutatták Lehár friss, messze az átlag fölött álló találékonyságát s fülbemászó hangszerelését, mely díszhelyet biztosít számára a Bécsben előadott legjobb operettek sorában." (56) Ugyanez a hangvétel jellemezte az összes többi lapot is: „Lehár zenéje mesteri arányérzékkel helyezkedik el az operett és a vígopera között. Hallatlanul kecses, s ez különös bájt kölcsönöz a műnek... Az a méltóságteljes fúvószene, amelyik Jupiter szónoklatát kíséri, bármelyik vígoperában megállná a helyét. A partitúra gyöngyszemeként kiemelnénk Alkméné és Jupiter említett kettősét s az éjszaka említett felidézését, mely bármely opera díszére válnék." (56)

Igen gyakran találhatók a kritikákban ilyesfajta utalások Lehár művei egyes zeneszámainak operai formátumára. Lehár barátai és ismerősei ezért egyre-másra unszolták a zeneszerzőt, próbálkozzék újfent az operával. Ő azonban nem tartotta szükségesnek. Az ilyen javaslatok mögött az húzódott meg, hogy Lehár ne foglalkozzék az operettel, hiszen „többre" hivatott! Ez a „több" pedig az opera. Ám „vannak jó operák meg rosszak, jó operettek meg rosszak. Értelmes embernek soha nem jutna eszébe, hogy becsmérlőleg nyilatkozzék magáról az operáról csak azért, mert e fogalom alatt sokminden kerül operaszínpadra, ami hidegen hagyja a szívet s a kedélyt, a jó zene e hangulati alapjait, mert sok minden akad, amit, fejcsóválva, legfeljebb mellőzni lehet. Ám az operettet mint műfajt szívesen teszik felelőssé mindazért, amit olykor – e fogalommal visszaélve – giccsben, rossz minőségben, alja-zenében feltálalnak. A zenetudomány legtöbbször megvetéssel kezeli vagy agyonhallgatja az operettet. Ha egy író valami silány, felületes fickót kíván regényében jellemezni, azt írja róla, hogy operett-dallamot fütyül, vagy – ahogy mondani szokás – holmi silány operettben gyönyörködik. A legnevesebb, zenével foglalkozó müncheni író egyszer azt tanácsolta a zeneakadémistáknak, hogy ha nincs elég tehetségük az operaszerzéshez, komponáljanak operettet!" (57) Eggyel több ok Lehár szemében, hogy kitartson az operett mellett – éppen, mert az opera felé igyekezték terelni.

Ám még *A bálványférj* sem szolgáltat egyértelmű bizonyítékot arra, milyennek is kell lennie a jó minőségű operettnek, s legfőképpen a librettónak. Már jeleztük, miféle fenntartásai voltak Lehárnak a szövegkönyvvel szemben; így hát az egyes jelenetek lelki hangulataihoz igazodott; ezeket – s efelől nem volt semmi kétsége – az operett adta lehetőségekkel is ki lehet fejezni. Ebből azonban az következett, hogy a zene óhatatlanul bizonyos ellentétbe került a szöveggel, főképp a dialógusokkal. Ezekben hemzsegtek a viccek meg a célzások bizonyos aktuális eseményekre. Amphitryonnak a makedóniai lázadást kell levernie – ki ne gondolt volna tehát a török megszállás alatt álló Makedóniában kitört zavargásokra! Itt is, ott is utalt a szöveg a bécsi színházi világ belső viszonyaira, s ezen egyesek jót mulattak, ám a kívülállók nem tudták, kikről van szó, s a viccek – tudjuk – hamar elévülnek. Másfelől a szerepcserén, a szereplők összetévesztésén alapuló cselekmény mindazonáltal szórakoztató, talán túlságosan is az, a zene rovására. Annak pedig a legszebb része kétségtelenül Amphitryon belépője, melynek érzelmes hangvétele persze nem enged meg semmiféle fölényeskedő tréfálkozást:

> Was ich längst erträumte,
> was ich bang versäumte –
> holdes, heissersehntes Glück,
> kehrst du nun zu mir zurück?

(Amiről régóta álmodoztam,
amire aggódva várakoztam,
édes, hőn vágyott boldogság:
most visszatérsz-e hozzám?)

A dalszövegek rímeitől persze minden jó ízlésű embernek égnek áll a haja szála, még ha eltekintünk is maguknak a betéteknek lapos, banális voltától. No de hagyjuk ezt! Az első világháború végéig *A bálványférj* összesen nem egészen száz előadást ért meg a német nyelvű színpadokon, magában a Carl-Theaterben is csak kb. negyvenet, és némi felületes átdolgozás után még egy tucatot. Lehár haragudott a szövegkönyvírókra, azok meg őrá. Következő művéhez tehát más librettista után nézett. Julius Bauerhoz fordult, a *Wiener Extrablatt* színikritikusához és főszerkesztőjéhez. Befolyásos férfiú volt, együttműködésük idején éppen ötven esztendős. Számos sikeres operettnél működött közre, legtöbbször Hugo Wittman újságíró társaságában. Része volt Millöcker utolsó operettjeinek – a *Szegény Jonatán*nak, a *Sonntagskind*nek és a *Probekuss*nak – a szövegkönyvében, de beledolgozott Johann Strauss *Ninetta hercegnő*jébe is. Bauer nemcsak befolyásos ember volt, hanem ügyes is. Tudta a módját, hogyan kell felkelteni Karczag érdeklődését Lehár új műve, ill. Girardiét az egyik főszerep iránt.

Nos, 1904. december 22-én sor került a *Mókaházasság* ősbemutatójára. Újévkor még műsoron volt, de már a január végét nem érte meg: 39 előadás után csendben levették a műsorról. Külföldön nagyobb volt a sikere, s a húszas évekre azért összesen néhány száz előadást is össze lehetett számolni.

Mármost: mi lehetett a bécsi kudarc oka? Netán a kritika? Aligha. Az operett kitűnő kritikát kapott, hiszen ki mert volna ujjat húzni a koronként igencsak rosszindulatú Bauer főszerkesztő úrral? Ludwig Karpath például így írt: „Lehárnak ez a munkája toronymagasan a legjobb, amit eddig kihozott. Ott a legeredetibb, ahol utat tör magának a komponista legerősebb oldala, a szlávos beütés. Elragadó a mű hangszerelése. Zeng, ahová csak figyel az ember, s szépen, lágyan zeng, simulékonyan és üdén. Egy sor lassú, ringató, majd meg feszes és pezsgő keringő- meg polkatéma fonódik egybe kellemesen ható zenedarabok füzérévé, csábítóan lengik körül a fület s megmaradnak benne. Maga az operett persze veszélyesen közeláll a varieté-műfajhoz." (58)

A *Mókaházasság* címet azért kapta az operett, mert hősnője, egy amerikai milliárdos megözvegyült lánya, nem akar újból férjhez menni – állítólag a pénze miatt. Tőrbe csalják, s ő el is bukik: feleségül megy valakihez, akiről kiderül, hogy férfinak öltözött nő, holott valójában igenis férfi, méghozzá egyik visszautasított szerelmese. A történet szinte hihetetlen, mondhatni: ostoba. Ám a legtöbb kritikus nem osztotta ezt a véleményt. Richard Specht zenei író odáig ment, hogy azt írta, a cselekmény ugyan „kissé vékonyszálú, de tetszetős és legtöbbször ügyes vígjátéki hangvételről" tanúskodik, cselekményétől „távol áll mindenfajta varieté-szerű közönségesség meg ostoba bohóckodás", s hogy Julius Bauer mindezt ügyesen foglalta „tréfásan kihegyezett dialógusokba és versekbe"! (59) Bauer saját lapjában pedig az volt olvasható, hogy a szövegkönyv „az utóbbi évek legmulatságosabb és legtartalmasabb librettója" (60); ám alighanem az a lap találta fején a szöget – s ezt a mű rövid színpadi pályafutása is igazolta –, amelyik azt írta: „Ha másvalaki hozakodna elő az igazgatóknál egy ennyire unalmas, valószerűtlen szövegkönyvvel, s nem a nagyhatalmú Julius Bauer, udvariasan ajtót mutattak volna neki... Aligha írtak még ennyire unalmas, humortalan könyvet; az az abszurd ötlet, hogy egy férfit nőnek állítanak be, egyszerűen gyerekes." (61)

Kétségtelen: a szerzők valami viccset akartak csinálni operettjük szereplőivel, ám túlságosan is komolyan vették a cselekményt és a figurákat is. Ám aki ma hallgatja, mulatságosnak találhat nem egy dalszöveget, így például Girardi egyik kupléját, akinek egyébként sofőrt kellett alakítania:

Wer nie ein Automobil besass
wer nie sein Brot im Staube ass
wer am Benzintank sich nie erfreut,
tut mir in der Seele leid

(Akinek sohasem volt autója,
aki sosem ette az út porában a kenyerét,
aki nem örvendezik a benzintank láttán,
azt sajnálom)

A német szöveg „humora" abból adódik, hogy az első két sor persziflálja Goethe „Wilhelm Meister"-ének egyik versbetétjét (az agg hárfás dalát; belekerült a Mignon c. operába is).

Ilyesmik, meg az a tény, hogy a darab az Egyesült Államokban játszódik, roppant „modernnek", nagyon „nemzetközinek" hatott akkoriban. Ám ez egymagában még nem garantálja sem az operett minőségét, sem a sikerét.

Még Girardi sem tudta megmenteni a darabot. Annakidején, a *Bécsi nők* bemutatásakor, maga Lehár is elismerte, hogy Girardinak mekkora része volt a darab sikerében. Mostanára azonban a színésznek alighanem elment már a kedve a Theater an der Wientől. Negyed évvel a *Mókaházasság* bemutatója után elhagyta Karczag és Wallner intézményét.

Különösen az utóbbival akadt gyakran nézeteltérése. Csinos kis anekdotát meséltek ezzel kapcsolatban, hiszen tudvalévő, hogy Bécsben minden affér anekdotává kerekedik, s nincs még egy hely a világon, ahol az anekdoták olyan könnyen lépnének elő „afférrá".

Úgy hírlett, hogy „Girardi, miután összeveszett Wallnerral, otthagyta a próbát, a legközelebbi vonattal elutazott Mariazellbe, hogy ott, ezen a szent helyen kiimádkozza: Wallnert üsse meg a guta, s ráadásul vigye el az ördög. Amint belépett a mariazelli szállodába, a portás átnyújtott neki egy sürgönyt a következő szöveggel: „Wallner hasonló szándékkal Maria Taferlbe utazott örvendünk ha jó egészségben viszontláthatunk üdvözlet Karczag." (39)

Girardi átszerződött a Carl-Theaterhez, de tán helyesebb, ha azt mondjuk: már csak vendégszerepelt. Alighanem észrevette, hogy az eljövendő, nemzetközi szabású operettek már nem neki valók, neki, a tősgyökeres bécsinek, a mulatságos középosztály-ábrázolónak, a zseniális kispolgárnak.

Szerencsére a *Mókaházasság* után nem került sor hasonló konfrontációra Lehár és Julius Bauer között, mint *A bálványférj* munkálatai közben és után a zeneszerző és librettistája között.

„Egy operett létrejötte során olyan jelenetekre kerül sor, melyek annál mulatságosabbak a kívülállók szemében, minél komolyabban veszik az érdekelt felek. Pontosan mint az operettben: az akaratlanul komikus szituáció általában a leghatásosabb! Az operettkomponálás első mozzanata: hajsza a szövegkönyv után, avagy 'országomat egy jó ötletért'! Librettókkal Dunát lehet rekeszteni, magam is sok százat lapoztam át. Honnan vegye az ember a türelmet valamennyinek az elolvasására, ha ilyen 'költeményekre' akad, mint az, amelyik véletlenül most éppen előttem van (egy vándorló beduin, nőrabló stb. belépője):

Hau, hau, hau
voll Freud' mich durch die Welt,
bau, bau, bau
mir überall ein Zelt;
schau, schau, schau
mir an die Frauen all;
Frau, Frau, Frau,
du bist mein Ideal!

Alatta pedig, aláhúzva: Ez a nagy sláger! ... Ám egy ifjú, ismeretlen zeneszerző előtt egyetlen cél lebeg: hogy szövegkönyvet szerezzen valamelyik elismert librettistától! Ám ők igen tartózkodóak holmi ismeretlen zeneszerzővel szemben." (63)

Hiszen ugyanezt tapasztalta Lehár a Victor Léonnal való együttműködés kezdetén is. Amikor aztán kifejtette A drótostót cselekményét, a szlovákiai falusi idillt, Pfefferkorn alakját, hát az olyasmi volt, hogy „szinte szükségletemmé lett ezt zeneileg kifejezni. Minden zeneszerző leghőbb vágya, hogy ilyen belső késztetés alapján dolgozzék. Csak keveseknek adatott meg, hogy kényszerítő erővel hassanak a komponistára. Ha aztán végre megvan a librettó, megkezdődik a zeneszerző harca a költővel, a színházzal és a közönséggel. A zeneszerző lubickol a művészi felépítésű fináléban vagy egy hosszabb zenei jelenetben, a szövegíró számára mindez túl hosszú. S leírhatatlan az öröme, ha a komponistáról lefaragott egy percnyi zenét! Ám bármennyi is a súrlódás munka közben, végül csak a szépre emlékezik; például egy új dallamra, melyet elsőként a direktornak játszott el nagy örömmel, s érezte, hogy az mennyire el van ragadtatva. Nem minden szövegkönyvíró egyforma; bánni kell tudni velük. Sokszor nem is annyira muzsikusnak, mint inkább diplomatának éreztem magamat, afféle mindent elsimító udvari tanácsosnak. Direktorokra, énekesnőkre, énekesekre, színészekre kell különös tekintettel lenni, mindnek van valami kívánsága, s ezeket mind figyelembe kell venni, nem egy esetben: de mennyire kell!" (63)

Az 1905. év arra rendeltetett, hogy a vége felé újabb Lehár-mű ősbemutatójára kerüljön sor. Ám a dolog már 1904 őszén vette kezdetét, és éppen annál az embernél, aki már kétszer keresztezte Lehár életútját: Richard Heubergernél. Léonnak része volt abban, hogy Heuberger *Operabál*ja oly példamutató sikert aratott. Valamiféle kötődés volt közte és Heuberger között, s az ilyesmi kötelez. Mindenekelőtt további sikerekre, ám éppen itt volt a bökkenő! Léon közreműködött Heuberger *Őexcellenciája* és *A határai vonat* című operettjeiben, ám egyik sem keltett nagyobb visszhangot. Léonnak már saját önös érdekében sem volt hőbb vágya, mint hogy anyagot szállítson neki valami bombasikerhez – de hogyan?

Az *Operabál* előképe egy francia vígjáték volt: *A rózsaszín dominók;* magától értetődött tehát, hogy megint francia vígjáték után kell nézni. Egyik barátja könyvtárában Leo Stein felfedezett egy negyven éves francia vígjátékot, Henri Meilhac *Az attasé* c. darabját. Elvitte Léonnak, s a vígjáték alapján ketten megírták a Heubergernek szánt librettót. Heuberger neki is látott a komponálásnak, ám a szövegkönyvíróknak nem tetszett, amit csinált. Megegyezésre került a sor, s ő visszaadta a szövegkönyvet. Úgy hírlik, hogy Léon néhány egyfelvonásost ígért neki cserébe, ilyenekről azonban nem tudunk. Heuberger aztán megzenésítette Léonnak egy operaszövegét, a Barfüsselét (Mezítlábacska); ősbemutatója Drezdában volt, 1906-ban.

Stein aztán addig beszélt Léon lelkére, amíg az be nem látta: Lehár az egyetlen, akinek az attasé-szövegkönyv „fekszik", s elküldte neki. „Még az éjszaka elolvastam, s már kora reggel odaszaladtam hozzá a kéréssel, hogy adja át nekem. Aznap este felhívtam telefonon, rátettem a hallgatót a zongorára, és eljátszottam az éppen elkészült *Dummer Reitersmann*t. Hamarosan követték a többi számok, s Léon szíve meglágyult." (40)

1905 első munkanapján, január 2-án megköttetett a kiadói szerződés a Dorotheergasséban lévő Doblinger cég helyiségében; az aláírók a kiadó részéről Berhard Herzmansky, a cégtulajdonos, és a szerzők.

Arról, hogy *A víg özvegy* honnan kapta a címét, a következő anekdota kering: mivel az eredeti címet – *Az attasé* – nem lehetett felhasználni, a szerzők valami más után néztek. Rá is bukkantak, amikor Lehár egy napon meghallotta, hogy „Stein odakiált a pénztárosnak: 'Nincs több szabadjegy a főtanácsos özvegyének! Ha legközelebb idejön, dobják ki ezt az alkalmatlankodó özvegyet – ami németül úgy hangzik, hogy *die lästige Witwe* –, Lehár azonban félrehallotta a szót, és elragadtatással felkiáltott: *lustige Witwe* – vagyis víg özvegy –; megvan a cím! *A víg özvegy!"* (64) Lehár nem ismerte a mű előtörténetét. „A munka befejeztével megkérdeztem Léont, ki lett volna eredetileg az operett komponistája. Legnagyobb meglepetésemre Heuberger nevét említette, azét az emberét, aki annakidején a Konzertverein zsűrijében tehetségtelen keringő-karmesternek titulált!" (29)

A zeneszerző szépen haladt a komponálással, bővelkedett zenei ötletekben is, hiszen „a dallamok a legfurcsább alkalmakkor támadtak fel bennem, például, amikor egyszer, eső idején, egy kocsiszínbe menekültem, és néztem az ide-oda szaladgáló embereket. A futó lábak ritmusa rávezetett egy dallamra. Odafirkantottam egy használt levélborítékra, s ez lett az egyik legjobb számom." (65) Ám Lehár nem örvendezhetett sokáig, mert Léon nem osztotta a lelkesedését a grizett-kórus iránt: „Nem volt éppen elragadtatva a zenémtől, és mindenáron rá akart venni, hogy komponáljam át az operettet. Azt írta nekem például Unterachból: 'Remélem, eljössz a jövő héten, hogy még egyszer alaposan végigmenjünk az egészen. Érzésem szerint sok mindent változtatni kell a szövegen, de – ne ijedj meg! – a zenén is. Lehetek őszinte? Nekem hiányzik valami erős, jellegzetes zene, valami abszolút kényszerítő. Ne mondogasd, hogy majd a hangszerelés ... az ebből a szempontból mellékes. Sokáig gondolkodtam, hogy mindezt megírjam-e neked. De hát végre-valahára egyszer csak ki kellett mondanom! S ezenközben arra kérlek, ne érts félre. Valami különlegeset keresek, valami zeneileg lenyűgözőt, ahol felcsillan valamiféle eredetiség. A keringőid például a legszélesebb hadiúton járnak. Márpedig éppen a keringőknél kell különösen ügyelni az újszerű ritmusra és az új dallamfordulatokra, különben nem érnek semmit. Esedezve kérlek, ne vedd zokon a levelemet, de hát nem vagyok fejbólintó János. Nyilván magad is tudod, mily távol áll tőlem a piszkálódás." (29)

Lehár mindig is állította: nem változtatott a partitúrán egy hangjegyet sem. Ám még sokféle ellenállást kellett leküzdenie, míg sor kerülhetett a bemutatóra. „Amikor lakásomon eljátszottam az operettet Karczag és Wallner direktoroknak, igen hűvös volt a fogadtatás. A librettisták egy hang nélkül eltűntek, s Wallner direktor köntörfalazás nélkül kijelentette: Kedves Lehár, nagy csalódást okoztál. Ez nem operett-zene, ez vaudeville-zene!" (12) „Egyik igazgató sem bízott az operettben, a legkevésbé Karczag. Léon, aki rendezte is a darabot, később szívesen el-elmesélte, mily sajátos körülmények között kellett a darabot betanulni. A Theater an der Wien igazgatóinak érdektelenségét az is mutatta, hogy az operettnek csak egészen kevés próbát engedélyeztek. Úgy éreztem, minden erőfeszítés ellenére sem lehet a darabot megfelelően színpadra állítani. Azt kértem – péntek volt, ami köztudomásúlag nem jó a színháznak –, hogy maradjon el az előadás, s használjuk fel az estét egy újabb próbára. Erre azt követelték, hogy mi, szerzők, térítsük meg az elmaradó bevételt!" (66)

Az már mégiscsak túlzás volt, hogy a szerzőknek „pénzért kelljen megvásárolniuk a szükséges próbát. Lehár, Stein és jómagam úgy döntöttünk, hogy visszavesszük a darabot. Ügyvédünk, dr. Friedrich Elbogen, megtette megbízásunkból a szükséges lépéseket. Megbeszélésre került sor köztem és az igazgatók között. Mivel egyetlen további próbát sem akartak engedélyezni, küszöbön állt a darab visszavonása; ám az ajtó előtt ott volt Mizzi Günther és Louis Treumann is, s ők esedezve kértek, ne vonjam vissza az operettet. Hajlandók voltak éjszaka próbálni, s vállalták, hogy rábeszélik erre a többi szereplőt, sőt az egész személyzetet. S ez sikerült is. Ennyi áldozatkészség láttán el kellett állnunk szándékunktól. Éjjel tizenegytől hajnali négyig tartott a próba, ám zenekar nélkül! Lehár jajgatott – arra sem volt ideje, hogy a végszavakat beírja a partitúrába. S a táncosok sem mozogtak egyszerre, bármily szorgalmasak voltak is. Így hát másnap reggel sor került még egy táncpróbára, zongorakísérettel, a leeresztett vasfüggöny mögött, nehogy megzavarjuk az egyidejűleg próbáló zenekart. Utána volt még egy teljes próba zenekarral, és aztán jött a főpróba..." (66)

A szerzőknek mélyen bele kellett nyúlniuk a zsebükbe, hogy tormás virsli és sör segítségével megőrizzék a kórus és a zenekar jó hangulatát. „Végre közeledett a főpróba, ám a második felvonáshoz még nem volt semmiféle dekoráció. Léon fogta a kabátját és kalapját, leszaladt egy közeli papírkereskedésbe, s gyorsan vett néhány

72

lampiont; ez jelezte a díszkivilágítást... Az üres épületben nagyjából nullára süllyedt a hangulat. Egyetlen kritikus volt jelen, Ludwig Karpath, őt pedig Karczag az egyik idegességi rohamában kidobta. Nem volt könnyű visszaédesgetni, de aztán Karpath volt az első, aki dicsérni merte a darabot." (40)

Hírlik, hogy Lehár „még a főpróba napján is kiegészítette a hangszerelést Steininger apró szobájában, az igazgatók rémületére, akik megállapították, hogy az operett még mindig nincs készen!" (67)

Az ilyesmi viszont Lehár számára nem volt újdonság. „Szinte mindig csak a főpróba, olykor csak a bemutató napján voltam teljesen kész ... a hangszereléssel. Vagyis a komponálással: az első hangjegynek ugyanakkora figyelmet szentelek, mint az utolsónak." (63)

Lehár többször is nyilatkozott a munkamódszeréről. Elmondta, hogy komponálni szinte kizárólag csak éjjel szokott. „Amikor minden csendes, amikor tökéletes a nyugalom körülöttem, akkor jutnak eszembe a legjobb ötletek. Mindenekelőtt a szöveg szélére írok néhány hangjegyet, valami, csak számomra érthető vázlat-félét. Ezek aztán egyre világosabbak lesznek. Addig változtatok, míg az az érzésem nem támad, hogy ennek így és nem másképp kell lennie. Ennek a munkának az ideje számomra a legboldogságosabb. Erre emlékszem a legszívesebben, ez hozza a legnagyobb kielégülést. Minden éjszaka hajnalig ülök az íróasztal mellett, míg a test el nem kezdi követelni a maga jogait! Sokszor az íróasztalra borulva aludtam el." (63)

1905. december 30-án, egy nappal szilveszter előtt, olyan napon, aminél rosszabbat premier számára álmodni sem lehet, sor került az ősbemutatóra. Ennek lefolyásáról így referáltak: „Meglehetősen 'lukas ház' volt, minden sorban hatalmas űrök tátongtak, hangulatról szó sem lehetett. A művet nyilvánvalóan csekély érdeklődés kísérte. Az első felvonás alatt lanyha volt a hangulat, a szünetben hallottam, amint az egyik néző odaszól a másiknak: nincs ebben semmi, ez nem lesz hosszú életű! A továbbiak során egyedül a *Vilja-dal* aratott sikert, egyébként jeges maradt a hangulat továbbra is. Az első felvonás után hozott ítéletet a végén kiterjesztették az egész műre: nincs benne semmi érdekes!" (69)

A közönség hangulata láttán a szerzők is meglehetősen szkepti-

73

kusak voltak. Ludwig Hirschfeld kritikai lapocskája bő egy évvel később beszámolt a premier hangulatáról, imigyen: „A librettisták egyike, Leo Stein úr, a kávéházban azt mondta a barátainak, reméli, el lehet vonszolni a darabot az ötvenedik előadásig, s akkor nem is teljesen reménytelen, hogy megérhet még további húszat." (69) Maga Lehár is így nyilatkozott évekkel később: „A benyomás, amit a premier keltett, korántsem volt valami nagy siker. Úgy negyven-ötven előadással számoltunk." (12) Ám a kritikusok – kevés kivétellel – lelkesedtek: „A muzsika megint felmutatja azt a gyakran méltatott finomságot, mely alkotójának sajátja. Valami hallatlan grácia tölt el mindent" (70) – írta valaki; valaki más meg azt, hogy „a partitúra finom filigránmunka" (71) stb. Hiszen a sajtó méltatásai idővel egyre inkább hasonlítottak egymásra. Mivel tudjuk, mekkora sikert aratott azóta *A víg özvegy,* arra kell gondolnunk, hogy az első hetek langyos fogadtatása a közönség részéről a librettó kiváltotta kezdeti ellenérzésekkel kapcsolatos.

Az elemzést Meilhac *Attaché*jával kell kezdenünk. Cselekménye egy Marsowia nevű szláv fantázia-állam párizsi követségén kezdődik, a német nyelvű változatban pedig, melyet csakis Bécsben ismertek, egy aprócska német államban. A párizsi ősbemutatón ez a mini-közeg fokozta az előadás mulatságos voltát, hiszen a cselekmény szerint a követre az a hallatlanul fontos feladat hárul, hogy egy picinyke hazájából származó, Párizsban élő dúsgazdag özvegyet összeboronáljon a követség laza erkölcsű attaséjával, nehogy a hölgy – s a hölgy vagyona – egy párizsi szépfiú kezére jusson. A haditerv sikerül, az özvegy és az attasé egymásba szeret, ám utóbbi hirtelen nem akarja megkérni a kezét – éppen azért, mert olyan gazdag! Ám az özvegy felfedezi az egyébként nagyon is gátlástalan, ám most annnál gátlásosabb fiatalemberben annak mélységesen mély lelkét, annál is inkább, mivel a fiatalúr korábbi erotikus kiruccanásai egy csöppet sem érdeklik. Rangbéli uraknál az ilyesmi fikarcnyit sem számított, különösképp akkor, ha a szóban forgó hölgyek nem voltak rangbéliek.

Léon és Stein persze nagyon jól tudták, hogy ez a cselekmény nem lett sokkal hihetőbb attól, hogy elmúlt negyvenéves; pótolni kellett hiányosságait. A legvalószínűtlenebb mozzanatnak annakidején az attasé magatartása minősült, mármint az, hogy az imádott özvegyet csupán azért nem óhajtja nőül venni, amiért gazdag.

A bécsi Volkstheater éppen akkor mutatott be egy vígjátékot, amikor Léon témát keresett Heuberger számára. A darabról ilyeneket írt a sajtó: „A Volkstheater évadjának legnevetségesebb előadása a *Nelly milliói* című vígjáték, melyet azon nyomban kikacagtak és agyonpisszegtek.

Tessék elképzelni: egy ifjú kimondhatatlanul imád egy leányt, akiről azt hiszi, hogy szegény, ám hirtelen visszalép a kislánnyal kötendő házasságtól, mert tudomására jut, hogy imádottja, a vélt szegényke – milliomosnő!" (73) Az ilyen visszalépés nem minősülhetett másnak, mint viccnek vagy merő ostobaságnak; Léon és Stein Meilhac vígjátékának feldolgozásakor tehát azon igyekeztek, hogy elködösítsék az attasé hihetetlen magatartását, amivel visszautasítja a gazdag özveggyel kötendő házasságot. Kitalálták hát, hogy kettejük között ifjonti korban szerelem szövődött, és az attasé büszkesége tiltakozik az ellen, hogy a hajdani *nem*ből *igen* legyen. Másfelől az özvegynek szabad volt a darab vége felé úgy beállítania magát, mint aki hirtelen elszegényedett, ezzel módot adva az attasénak arra, hogy megkérje a kezét. Igaz, az özvegy végül fellebbenti a fátylat a csalásról: ha férjhez megy, a milliók a férjéé lesznek! Ám az attasé ezúttal elfogadja az ajánlatot.

Léon és Stein még egy változtatást eszközöltek *Az attasé* cselekményén. 1870/71 után a darab már nem játszódhatott valamelyik német államban: a századforduló idején az osztrák polgárság már igen erősen kötődött a Német Birodalomhoz, még hozzá nem is egy okból. Német támogatás nélkül Ausztria aligha tudta volna tovább féken tartani a cseheket, sem valamiféle egyensúlyt teremteni a magyarokkal. Ausztria összes külföldi adósságának több mint ötven százaléka már a századforduló előtt is német bankok kezében volt. Az ilyen kölcsönös összefonódás mellett nem volt ajánlatos kifigurázni a csak nemrég, s még mindig nem teljesen meghaladott német kisállamiságot.

Léon és Stein tehát másik miniállam után nézett. Meg is találták: a Balkánon, amely iránt Ausztria amúgy is erősen érdeklődött. A szóban forgó államocska Montenegro volt, s ezt elég átlátszóan Pontevedróvá keresztelték át.

Montenegro el volt kötelezve a szerb államnak, ám attól elválasztotta az osztrákok által elfoglalt novibazári szandzsák. Montenegro félkörben ölelte körül azt a dalmát partszakaszt, ahol Cattaro, az osztrák hadikikötő feküdt; Montenegrót viszont osztrák terület fogta körül félkör alakban, mintegy harapófogóban tartva a kisállamot. Ha már nem lehetett 1905 táján Szerbia ellen indulni – ezt a Monarchia félretette 1914-ig –, legalább Szerbia kisöccsét – mármint Montenegrót – lehetett kifigurázni. A cselekmény a legkisebb részletekig összefonódott a montenegrói viszonyokkal. Azt a lakájt, akinek folyton folyvást különböző éjszakai lokálokból kellett összeszednie gazdáját – mármint Danilo attasé urat, aki nevét a montenegrói trónörököstől kölcsönözte –, ezt a lakájt Nyegusnak hívták: ez volt a miniállam uralkodóházának a neve. A követ úr Mirkó hercegtől s annak Zéta menti vajdaságától kapta a nevét... Az ősbemutatón egyébként Danilo, Louis Treumann megszemélyesítésében, kosztüm és maszk tekintetében is hasonlított a trónörökösre. „Arról, hogy hogyan öltözködnek a montenegróiak, senkinek nem volt a színházban a leghalványabb fogalma, még kevésbé arról, hogy milyen népviseletben járnak. Victor Léon elrohant Alfred Grünfeldhez, mert lakásán látta egyszer egy montenegrói herceg képét." (40) Leszedte a falról, elvitte Treumann-nak, aki később persze roppant büszke volt eredetinek ható kosztümjére.

Volt némi felzúdulás is *A víg özvegy*en végighúzódó montenegrói utalások miatt. A Bécsben tanuló montenegrói egyetemisták tiltakoztak a parlament előtt, némely külföldi előadáson, így Konstantinápolyban és Triesztben vígözvegy-ellenes tüntetésekre került sor.

Triesztben a Teatro filodramatico mutatta be az operettet, 1907. február 27-én; maga Lehár vezényelt. Még mielőtt Mila Theren színre lépett volna, aki az özvegyet alakította, „fülsiketítő lárma keletkezett a nézőtéren, mely majd' egy negyedóráig tartott. A nézők egy része fütyült és ordítozott, ahogy a torkán kifért; az erkélyről vörös cédulákat szórtak a terembe, melyeken az volt olvasható (hibás olaszsággal), hogy az olaszok nem akarják a montenegróiakat sértegetni. A rendőrség kiemelt vagy ötven hőzöngőt, s kiutasította őket a színházból. Ezután nagy sikerrel folytatódott az előadás." (74) A firenzei Teatro della Pergolában olyan mértéket öltött a tiltakozás 1907 júniusában, hogy abba kellett hagyni az előadást, s helyette egy olasz operettet adni.

Ezekkel az eseményekkel, melyekben elsősorban az osztrákellenes hangulat nyilvánult meg, szembe kell állítanunk *A víg özvegy* sikerskáláját, amely már röviddel az ősbemutató után megkezdődött.

1906. március 3-án, vagyis alig két hónappal a bécsi premier után került sor az első német bemutatóra: Hamburgban, a Neues Operettentheaterben, Max Monti igazgatása alatt.

Ám Bécsben is jelentkezett már a siker; az első előadások bágyadt fogadtatása hamarosan a múlté lett. Áprilisban volt a századik előadás, az évad végére 119 előadás volt elkönyvelhető, s ezután *A víg özvegy*-együttes átköltözött a Volksoperbe, melynek társulata nyári szabadságon volt. Itt került sor június közepén a 150. előadásra, s ezt méltóképp meg is ünnepelték. Szeptember 10-én a 180. előadással folytatódott a sikersorozat a Theater an der Wienben – és számos más színpadon.

1907. február 23-án a kiadó, a berlini Felix Bloch örökösei cég levelet küldött Lehárnak: „Eddig 3970 előadásra került sor. Talán fölösleges valamennyi várost egyenként felsorolni; a művet mindenütt előadták." A levél időpontjában Bécs megünnepelte a háromszázadik előadást. Huszonöt évvel az ősbemutató után valaki megpróbálta, hogy legalább becslésszerűen megállapítsa a negyedszázad alatt sorra került előadások számát. Ám már az 1930-as évhez érve „oly hihetetlenül nagy volt ez a szám, hogy hetekig tartó munka nélkül, amit persze csak a színházi ügynökségek végezhetnének el, ki se lehet számítani. A nehézséget az okozza, hogy a külföldi előadásokat nem egyenként, hanem zárt tömbben számolják el." (75)

A becslések 20 000 körül jártak, de ez a szám már 1930-ban is túl alacsony lehetett, hiszen csak 1920-ban és csak a német színpadokat számba véve 8000 előadást lehetett összeszámolni. Ha úgy vesszük – ami persze szintén csak becslés –, hogy évente 8000 előadás volt világszerte, akkor 1970-re „nagyjából félmillió a végösszeg ... a zongorakivonatok, egyes számok és zenekari átiratok eladása 25–30, a hanglemezeké 40–50 millióra tehető." (76)

Ez aztán az igazi bombasiker! S mindez egy olyan darab esetében, amelyben eleinte sem Léon, sem Karczag, sem Wallner nem hitt. Érdekes, hogy valami nagyon hasonló történt Londonban is. Az első angol változat színre vivője, „Mr. Edward Morton kijelentette, hogy a német librettó egyszerűen használhatatlan Angliában, de azért nem lehet a sikert eleve kizárni." (77) 1907 júniusában került sor a bemutatóra: a londoni előadás közel nyolcszázszor szerepelt egyvégtében a bemutatószínház deszkáin, s csak ebben az egy színházban kereken egymillió ember látta.

1907. november 28-án került sor a New York-i bemutatóra, december 2-án pedig Chicagóban: itt Lina Abarbanell, Lehár régi ismerőse játszotta a címszerepet, aki 1902-ben, még a Theater an der Wienben közreműködött Lehár első operettjében.

1909. április 28-án Párizsban bukkant fel *A víg özvegy*, s ugyanolyan sikert ért el, mint mindenütt másutt a világon. Ám egy kritikus, Adolphe Brisson írásából tudjuk, hogy a párizsi közönség nem egyértelmű lelkesedéssel fogadta a darabot: „Azt kutatta, mi lehet az ily különleges siker oka, hiszen arra a mű jó oldalai nem adnak elegendő okot. A szövegkönyv lapos, mértéktelenül hosszú, javarészt unalmas epizódokkal hígított. Mivel magyarázható, hogy *A víg özvegy* összesen 20 000 estén szerepelt Bécsben, Berlinben, Londonban, New Yorkban és más városokban? Egyedül a muzsikus tehetségének, a lehári polkák, mazurkák, keringők számlájára írandó-e, hogy ilyen óriási a közönségsiker? Ez annál is kevésbé valószínű, mivel Lehár úr nem nagyon eredeti zeneszerző, s hol a montenegrói népénekek, hol pedig a francia vígopera forrásából merít." (78)

Számos ellenvetés hangzott el világszerte a zenével kapcsolatban is. Felix Salten, színikritikus és tárcarovatvezető, 1906-ban azt írja a darab zenéjéről – ez a cikk adott egyébként alkalmat Karl Krausnak arra, hogy megtámadja Louis Treumannt és *A víg özvegy*et –, hogy „Ami a mi melódiánk, az felhangzik *A víg özvegy*ben. Mindaz, ami napjainkkal valahogy együtt rezdül, együtt dudorászik, amit olvasunk, gondolunk, fecsegünk, s az, hogy milyen új, modern ruhákba öltöznek érzéseink – mindez felcsendül, felrezdül ebben az operettben. Nem hiánytalanul, nem tökéletesen; mégis úgy, hogy lenyűgöz, éppen mert a mi melódiánk. Az se fontos, hogy Lehár valóban elolvassa-e, amit írunk, vagy odafigyel-e arra, amit gondolunk. Lehár eltalálja a kor hangját, öntudatlanul ... Ez a zene nemigen bécsies. Lehár különben is inkább modern, mintsem bécsi; inkább a kor határozza meg őt, semmint a hely. Lehár 1906 embere, mai ember, ő szabja meg lépteink ritmusát... Lehár muzsi-

Menu

Bouillon à la Rosillon
Danilowitsch Hachées
Rôti du Chevreuil à la Mirko Zeta
Bairelle rouge et riz
Une honnête oie
Confitures et salades
Friandises d'après le modèle de
Mme Hanna Glawari
Glaces des Grisettes à la Lolo
Dodo, Jou-Jou, Frou-Frou, Clo-Clo
et Margot
Fromages à la Njegus
Café noir
Bière, Vins de la provence
Pontewedrina
Champagne François Lehár

16. Juni 1906.

„Lehár-menü" A víg özvegy 150. előadása alkalmából

kájában izzik a leplezetlen erotika, át- meg átjárja az érzéki szenvedély – modern verseket lehetne énekelni ezekre a dallamokra." (79) Chicagóban ezzel szemben nyíltan plágiummal vádolták Lehárt: hogy a *Die Lippen schweigen*-keringő első ütemeit Felix Mendelssohn egyik oratóriumából lopta, s a sajtó kottafejenként hasonlította össze az állítólag elorzott zenét a vélt eredetivel. Az amerikai Szövetségi Bíróság előtt viszont azt állította egy ifjú hölgy, hogy Lehár Planquette *Mohamed paradicsoma* c. operettjéből tulajdonította el a keringőt, Danilo dala a Maximról pedig igazában egy francia népdal, egy chanson provençale. Talán fölösleges külön hangsúlyozni, hogy mindez merő badarság.

Lehár se törődött túlzottan az ilyen vádakkal, a dolgot a jogászokra hagyta. Inkább élvezte a kézzel fogható sikert, s érthető, hogy nagyon is boldog volt. „Mily végtelenül sokat jelent a siker az alkotó művésznek! A siker az a mozgatóerő, mely egyre újabb teljesítményekre sarkall. *A víg özvegy* olyan megbecsülést hozott nekem, amilyet nem is vártam, nem is remélhettem." (25)

Hagyatékában található többek között egy nyakkendőtű: „Rajta a Kék Duna keringő első taktusa, briliánsokból kirakva. Johann Strauss hagyatékából való. Strauss hagyatékának gondozója, Josef Simon úr – nagyiparos és a Theater an der Wien épületének tulajdonosa – nyújtotta át nekem *A víg özvegy* sikere után, azzal, hogy az ékszer Johann Strauss legméltóbb követőjéhez kerül." (80)

S még valami: „*A víg özvegy* sikere azt hozta nekem, amire gyermekkorom óta vágytam: az anyagi függetlenséget, mely módot ad a művészi alkotásra, azt a lehetőséget, hogy legbelsőbb vágyaimnak s csakis nekik engedelmeskedjem. Függetlenség, szabadság: ezek azok a javak, amelyekre vágytam a súlyos nélkülözés és forró küzdelmek közepette, melyeknek feláldoztam ifjúságomat, életemnek egy részét. Most végre megkaptam mind a kettőt, s boldognak érzem magamat birtokukban." (25)

A hirtelen támadt rendkívüli siker nyomán persze sok támadás is érte Lehárt. Akadt olyan vád – nem is egy –, mely messze túlment a könnyen visszaverhető plágium-vádaskodásokon. Gondoljunk csak Karl Krausra, arra az emberre, aki lankadatlan erővel dörgölte a kor orra alá annak ostobaságait. A kor persze nem vette ezt túlságosan a szívére, annál is kevésbé, mivel Kraus időnként úgy használta a boncszikét, mintha cséphadaró volna. Többek között abban az 1909. januári cikkben, amely a kortárs operettel foglalkozik, s az „elme szégyenének" nevezi a műfajt, melynek előadása „nekivadult elmebajosok" randalírozásával egyenértékű. *A víg özvegy* zenéje, így Karl Kraus, „zümmögés a zenekarban", s érthetetlen, hogyan válthat ki „elragadtatást holmi bosnyák nóta, melynek hangszerelését egy zenész-őrmester ügyeskedte össze." (81) Akár irigyelték a zeneszerzőt a hatalmas sikeréért, akár úgy értelmezték *A víg özvegy*et, mint a pusztuló, morbid polgárság legzengzetesebb kifejezési formáját, *A víg özvegy* végső soron mégis „valami sajátos történelmi eset, jelenség, egy új operettvilág hajnala. Általa jött létre az új nagyüzem: a nemzetközi operettpiac ... *A víg özvegy* a bécsi frakk-operett csírasejtje. Ennek nyomán készült a patetikus-szentimentális, előkelősködő, szellemeskedő, nagyvilágiaskodó sablon szabásmintája. Itt bukkannak fel legelőször a drámaian felfújt, valójában legtöbbször roppant együgyű finálé-konfliktusok, a tüntetőleg, ám semmi veszéllyel nem járó megszakadó szívek, az ál-eljegyzések. Ám *A víg özvegy*ben található egyúttal a legelső, drámai mozzanattá emelkedő táncjelenet. Akkor, amikor Louis Treumann először fogta át Mizzi Günther nyakát, s így táncolt vele, szabadon lebegve körbe-körbe, akkor ez – bízvást állítható – nagy tett volt az operett mezején." (82) Azokban az években rengeteget írtak *A víg özvegy*ről. Mindenek közül alighanem a legmeglepőbb egy 1910-ben, Livingstone-ban (Rhodesia) 1910-ben kelt híradás: „d'Albertis kapitány, Afrika-kutató, igen elcsodálkozott, hogy a Victoria-vízeséshez vezető expedíció során az őserdei szállodában vacsora után rögtönzött színpadot állítottak fel: egy Afrikában turnézó európai operett-társulat adta elő *A víg özvegy*et. Különvonat szállította oda egész Észak-Rhodesiából a farmereket és hölgyeiket, s mindnyájan roppant épületesnek találták az előadást." (83)

Persze sok minden más is történt, ami korántsem volt kedvező. Max Kalbeck elővette Lehár *Kukuškáját*, változtatott rajta egyet s mást, s a brünni (ma Brno, ČSSR) városi színház 1905 februárjában előadta az operát *Tatjana* címmel. Bécsben erről nemigen tudtak. „Egy napon Rainer Simon, a Volksoper igazgatója, érdeklődött nálam első művem felől, mivel szívesen előadta volna Bécsben." (84) Közvetlenül *A víg özvegy* bemutatója után elkezdődtek a próbák, s 1906. február 10-én sor került a *Tatjana* bécsi bemutatójára. Nem a Hofoperben, az „igazi" operaházban persze, hanem csak a „népoperában", de akkor is... „Rendkívül meg voltam elégedve a bemutató sikerével, hatvan 'függönyt' számoltam össze, s úgy véltem, hogy az előadás óriási sikert aratott. Legnagyobb meglepetésemre a másnapi napilapok kritikái igen kedvezőtlenek voltak." (84)

Még Ludwig Karpath is felmondta a barátságot, holott korábban igen sokat tett Lehárért: „A legsúlyosabb vád, amit Lehár ellen kénytelenek vagyunk felhozni, az a mű arctalansága és stílustalansága. Lehár mindig a dallamra helyezi a fősúlyt, s ez lesz a veszte. Melodikája szerkezetében ódivatú, olyan dilettáns eszközökkel él, mint a szekvenciák (szekvencia: más hangnemben megismételt rövid zenei motívum – O. Sch.), „s éppen ezzel bizonyítja, hogy hiányzik belőle a hosszú ívelés; egy szóval, az a zene sekélyes és édeskés." (85)

Nem csupán Karpath használt kemény szavakat. „Az egyik nagy bécsi lap egyenesen karmester-muzsikáról beszélt. Azt tanácsolták, ne törekedjek többé operai babérokra, maradjak meg *A víg özvegy* szférájában. Mivel senki nem akart tudomást venni múzsám eme gyermekéről, úgy döntöttem, hogy magam is elfelejtem." (84)

A víg özveggyel Lehár megtalálta a maga stílusát. Mégis két esztendeig váratta közönségét a következő operettre. Ennek több oka is volt. Mindenekelőtt – lehet, hogy öntudatlanul, de mégis – ki akarta aknázni a sikert. Rengeteg meghívást kapott *A víg özvegy* vezénylésére, s rengeteg városban járt. Kölnben új színházat építettek, s az 1906 őszén *A víg özveggyel* indította az évadot. A mannheimi Nemzeti Színház 1907 nyarán operett-fesztivált rendezett, ahol Lehár vezényelte *A drótostótot* és *A víg özvegyet*. Másodsorban tisztázni akarta magában az operett-műfajt. Kénytelen volt rá: a szakma világa – mondjuk így: a szakmai kritika – néhány sajtócsatározástól eltekintve alig foglalkozott az operettel. „Vannak szakértők, vagy akik annak szeretnének látszani, akik mélységes zeneértésük alapján alsóbbrendűnek vagy nem egészen teljesértékűnek méltóztatnak nevezni az operettet. Pedig úgy vélem, nincs igazuk. Vajon egy hatalmas történelmi festmény inkább műremek-e, mint egy vidám zsánerkép, ha mindkettőt mesterfokon festették meg a maga műfajában?" (25)

Lehárnak megint egyszer – mint első sikerei óta oly gyakran – tisztáznia kellett, gondolatilag is fel kellett dolgoznia önmagában, hogy mit is jelent tevékenységének fő területe: az operett. Megfontolásainak eredménye számos írásban csapódott le. „A zenekedvelő bécsiek felüdülést várnak az operettől a mindennapi fáradozásuk után, nem pedig mély problémákat. Azt az örömöt várják tőle, amely elfog minden jókedélyű, ártatlan lelkű embert, ha kellemes muzsika cseng a fülébe, s annak ritmusa hasonló rezdüléseket kelt a lelkében is ... Az operettszerző nem írhat spekulatív, lélekmarcangoló zenét; egyszerűnek, népiesnek kell maradnia. Ez bizony nehéz – nehezebb, mint általában hinnők. Nem szabad többet akarnia, mint azt, hogy operettszerző legyen, ám óvakodnia kell a banalitástól és nem szabad csorbát ejtenie muzsikusi méltóságán. Ha szabad szólnom az operett jövőjéről, azt mondanám, hogy egyre tartalmasabb lesz majd, s közelíteni fog a vígoperához. Ma ugyan még stílustalanságnak tekintik, ha a zeneszerző az operett ilyenfajta nemesítésére törekszik. Mégis elérhető lesz ez a cél, ha vérbeli muzsikusok is e felé a műfaj felé fordulnak." (25)

„Nem látom be, miért az lenne az operett egyetlen célja, hogy lerántson minden szépet és magasztost a nevetségesség és viccelődés szintjére. Soha nem akarnék zenei tréfamester lenni. Az a célom, hogy megnemesítsem az operettet. A nézőnek élményt kell adni, ne halljon-lásson csupán ostobaságokat." (12)

„Ideálként mindig a zenés vígjáték lebeg a szemem előtt: vásári effektusok nélkül, ám bőségesen élve a lehetőséggel, hogy szubtilisan aláfesse az eseményeket. Nyugodtan elfogadom azt a vádat, hogy túlságosan operaszerű, amit csinálok, hiszen vagyok annyira önző, hogy inkább magammal szemben legyek szigorú, semhogy kabarézenével vagy slágerekkel hajszoljam a sikert ... Úgy vélem, hogy A víg özveggyel megközelítettem ezt a célt, amennyire erőmből tellett." (88)

Érthető, hogy Lehár igyekezett kiaknázni A víg özvegy sikerét; nagyon is érthető, hogy sokat gondolkodott a műfaj jövője felől, amelynek elkötelezte magát. Ám valamikor csak ki kell tűzni a következő célt. Sok mindent persze nem lehet céltudatossággal elérni – vallotta Lehár –, hiszen a dolgok számtalan dolog eredőjeként adódnak. Abból, ami az életében A víg özvegy bemutatója után történt, alig valamit tervezett meg előre.

*Nyáray Antal Danilo
szerepében (1907)*

*A víg özvegy – Bárdy Gabi Glavari
Hannaként, a Király Színház
1907-es előadásán*

1904-ben Lehár a Marokkanergasse-i lakásából átköltözött a Schleifmühlgasse 1. alá, a Theater an der Wien tőszomszédságába. Anyját és Emmi húgát magához vette. 1906 első hónapjaiban anyja egészsége szemmel láthatóan megromlott. „Sokszor vagyok lázas", mondogatta, „nem tudok felmelegedni. Csak amikor süt a nap, akkor vagyok kicsikét jobban." (7) Lehár elvitte őt Bad Ischlbe – e fürdőhelyről majd még bővebben is szó esik –, s az asszony úgy is érezte, mintha jobban volna. „Órák telnek el anélkül, hogy bármi fájna, s már ettől is boldog vagyok" (7) Augusztus 6-án halt meg; Ischlben temették el.

Lehár élete – azé a fiúé, akin az anya oly nagy szeretettel csüggött, s aki oly nagy szeretettel csüggött az édesanyján – természetesen nem állt meg. Ismét Lipcsébe kellett mennie. Október 20-án elvezényelte a *Bécsi nők* átdolgozott változatát. Julius Horst átkeresztelte *Az édenkert kapujá*vá, a derék öreg Nechledilből pedig egy zeneiskola igazgatója lett. Egy héttel később bemutatták *A bálványférj*et is, új dialógusokkal körítve, ami lassanként divattá lett.

Valahogy el kellett viselni a szakmai és a magánélet nehézségeit. De más oka is volt, hogy *A víg özvegy* után szünet következett be az alkotásban: valami tudattalan félelem attól, hogy csalódást okozhat a nagyközönségnek. Hiszen mit vártak el a szép reményű zeneszerzőtől? Nyilván olyasmit, ami hasonló visszhangra lel, mint legutóbbi műve. Ám kétszer egymás után aligha lehet ekkora sikert aratni.

Lehár tehát egyelőre másfajta terepre vonult, s 1906 végén megírta egy mesejáték zenéjét. Igen sok színház adott elő az év vége felé mesejátékokat a legifjabb nagyközönség számára: dramatizált régi meséket, vagy újonnan kitaláltakat. Karczag és Wallner is ilyesmit akart. A társulat két fiatal színésze, Robert Bodanzky és Fritz Grünbaum összeállt, s megírtak egy *Peter und Paul reisen ins Schlaraffenland* („Péter és Pál Bergengóciában") című játékot. Nestroy *Lumpáciusz Vagabundusz*a lebegett a szemük előtt, ám annak színvonalát megközelítőleg sem érték el. „A cselekmény veleje annyi, hogy Laborosa, a munka tündére, legyőzi Slendriánuszt, a lustaság gonosz szellemét; kettejük küzdelmének tárgya Péter és Pál, a két suszterinas. Slendriánusz elviszi őket Sültgalambországba, hogy örökre lusták maradjanak. Ám a két fiú észhez tér, visszamennek a gazdájuk műhelyébe, s egy karácsonyi apoteózis keretében a jó diadalmaskodik a gonosz fölött." (89)

December 1-jén volt a premier. A sajtó ugyan rákoppintott a két szövegíró ujjára: „Igaz, hogy a kicsikék számára leszállított áron szoktak írni, de valamiféle nívót akkor is meg kell őrizni!" (90) Mindazonáltal a darab egészen csinos sikert aratott, s más színpadokon is szorgalmasan be-bemutatták a művecskét. Lehár muzsikáját mindenki dicsérte, igaz, hogy „nem írt csábkeringőket, de írt bájos bölcsődalokat, egy naiv gyermekkórust a szembekötősdihez és egy szellemesen hangszerelt dicshimnuszt a hintalóra:

> „Hü und hott,
> Pferdchen flott,
> reite wie besessen!
> Ist der Gaul
> träg und faul,
> kriegt er nichts zu fressen."
>
> (Gyí, gyí,
> lovacskám
> vágtass mint a szélvész!
> lomha ló,
> lusta ló
> vacsorája elvész.)

Ám Lehár még e siker után sem tudta magát rászánni, hogy valami új, nagy műbe fogjon. Így hát megint más területre merészkedett – egyelőre.

Leopold és Siegmund Natzler 1906. október 1-jén stúdiószínházat rendezett be a Theater an der Wienben. *Die Hölle* – A pokol – volt a neve. Négyszáz ülőhely volt benne, s Lehár egy egyfelvonásost írt a színháznak, címe *Mitislaw der Moderne* – *Mitiszláv, a modern ember*. 1907. január 5-én mutatták be.

Ám a *Mitiszláv* is csak átmenetnek bizonyult a nagy, egész estét betöltő operettek között. S áll ez akkor is, ha még több ilyen egyfelvonásost komponált a Theater an der Wien alagsorában lévő kis színháznak. Élvezte, hogy a drámai műfajnak ezt a formáját is biztonsággal kezeli. A mesejáték meg a játszadozás a kabaréval tehát gyümölcsöző volt; ám végül igyekeznie kellett, hogy *A víg özvegy* világsikere nyomán felcsigázott várakozásnak megfeleljen.

86

A víg özvegy
Gallai Judit
és Latabár
Kálmán
1968-ban
(MTI Fotó
– Molnár Edit
felv.)

Egy új operett *A víg özvegy* után... „Minden és mindenki fel volt csigázva, a színház vezetősége, a színészek, a közönség s nem utolsósorban a kritika. Mindennek *A víg özvegy* példátlan sikere volt az oka. A közönség, mely nem fukarkodik a dicsérettel, ha valami sikerül, telhetetlen; most aztán pláne valami jobbat, nagyszerűbbet, sosemlátottat követelt." (91)

Ám ki írja meg ezt a „csodalibrettót"? Julius Bauerre esett a választás, akiről úgy hírlett, hogy inkább vicces, mintsem szellemes ember. Rajta is túltéve így viccelődtek az új kapcsolatról: „Lehár múzsája egyszer már mókaházasságra *(Juxheirat)* kelt Julius Bauerral. A frigy nem volt hosszú életű, hamarosan bekövetkezett a válás, mind a színháztól, mind a tantiemektől. Telt-múlt az idő, Bauer összeviccelt egy újabb librettót, s szerelmesen dürrögve ismét körüludvarolta a zeneszerző múzsáját. Szegény múzsa, beleesvén Bauer hálójába, melynek szálait számtalan kéz rángatta, újfent előző férje karjaiba dőlt. A múzsa hozománya tekintélyes, hemzseg benne a sok, legkülönbözőbb fajtájú drága kincs. Amit viszont a férj hozott a házasságba, csupa talmi holmi, melyet átkentek aranyfüsttel, hamis gyémántokkal spékeltek meg, hogy úgy mutasson, mintha valamit is érne." (92)

Tény azonban, hogy Bauer érdekes közeget fedezett fel az operett számára: a tömegturizmust. Az első utazási irodákat a múlt század hetvenes éveiben hozták létre, s az ún. társasutazások száma nőttön nőtt. Ezek az irodák felár nélkül árusították a vonatjegyeket a világforgalom minden jelentősebb tájára, körutazásokra hívó prospektusokat adtak ki stb. A tömegturizmus ma már valóságos ipar, de a századforduló táján még tisztán kivehető volt a kezdetek családias jellege.

Bauer megorrontotta az utazás-téma mélyén szunnyadó erotikus izgalmat. A *Három feleség (Ein Mann und drei Frauen)* főhőse egy idegenvezető, akinek Bécsben van ugyan felesége, ám Párizsban és Londonban, ahová gyakran kell csoportokat elkísérnie, egy-egy szeretőt tart. A feleség rájön a csalásra, a három asszony összeszövetkezik, s jól megadják az utazgató donzsuánnak. Az meg magába száll, s visszatér Bécsbe, a feleségéhez.

A kritika igen különböző módokon fogadta a szövegkönyvet, mely szerint a cselekmény főhőse minden felvonásban a következő, a három hölgy által énekelt altatódal hangjaira szunnyad el (ahelyett, hogy valahol mulatságos kalandok részese lenne):

„Bienchen, summ nicht mehr,
Käfer, brumm nicht mehr
denn mein Hans, der will jetzt schlafen!
Vöglein, singt nicht mehr,
Glöcklein, kling nicht mehr,
Täubchen, girrt nicht mehr,
Mücken, schwirrt nicht mehr..."

(Ne zümmögjetek, méhecskék,
Ne surrogjatok, bogaracskák,
Mert az én Jancsikám tentikélni akar!
Ne daloljatok, madárkák,
Ne burukkoljatok, galambocskák,
Ne röpködjetek, szúnyogocskák...)

Ilyesmit lehetett többek között olvasni: „Bauer többé vagy kevésbé jó, többé vagy kevésbé szalonképes viccekkel traktálja a közönséget; ez a specialitása. Hogy mifélékkel, azt néhány példán mutatjuk be. A kopasz báró végigsimít koponyája csillogó politúrján és felkiált: „Befelé nőtt minden hajamszála!" stb. (92)

Ám ilyet is írtak: „Ismerjük Bauert, ismerjük csavaros eszét, kedélyes humorát, s dús egyéb adottságait is; előrelátható volt, hogy alkalmat ad a zeneszerzőnek irodalmi szempontból megtámadhatatlan, logikai felépítés tekintetében hézagmentes, kifogástalan szövegek megzenésítésére." (91)

A zeneszerző megítélése tekintetében azonban valamennyi lap egyetértett. Dicsérték a zenét, olykor fellengzősen is, s dicséretük egyaránt szólt a nagyobb összefüggéseknek, az egyes számoknak, sőt, azok részleteinek is.

Ám a nagyközönség alighanem más véleményen volt. A mű éppencsak hogy megérte az évad végét. 1908. január 21-től május végéig kereken nyolcvanszor adták elő; röviddel az első világháború kitörése után további kétszáz előadást lehetett összeszámlálni, az összes német nyelvű színházi előadást összevéve. Másutt is játszották a *Három feleséget*, ám *A víg özvegy* után mindenki többet várt.

Lehárnak igyekeznie kellett, hogy a legközelebbi alkalommal kiköszörülje a csorbát. Erre azonban csak bő másfél év múlva került sor, mert még sok minden másnak is utána kellett járnia. A Monarchia színházai és zenekarai például igen sok Lehár-művet és zeneszámot adtak elő. 1908. februárjában érdekes intézmény jött létre: az *Inkassoverband der Theater- und Orchesterunternehmungen Österreichs*, az osztrák színházi és zenekari vállalkozások inkasszószövetsége. Az volt a célja, hogy „Ausztria valamennyi színházi és zenekari vállalkozásánál" pótdíjjal terheljék meg a belépőjegyek árát, s az így nyert összeg arra szolgált volna, „hogy fedezze a vállalkozók prémium-kifizetéseit s alapot teremtsen a színház- és zenekarvezetők nyugdíjbiztosítására". Nem is volt rossz ötlet a vállalkozók részéről, hogy a nagyközönséggel teremtessék meg békés öregkoruk anyagi alapjait.

S valóban akadtak az ügynek ellenzői is, hiszen a szerzőknek a zsebére ment volna a dolog. Amennyiben az áremelés következtében a közönségnek csak egy része is elmaradozott volna a színházaktól, érezhetően megcsappant volna a jövedelmük. Az operettműfaj, ahogyan Karczag, Lehár barátja becsületesen ki is mondta, „az üzlet jegyében áll, s akárcsak az üzlet, alá van vetve a naponta változó ízlésdivatoknak, a változékony konjunktúrának". (95) Honnan tudhatta Lehár, meddig kell majd a zenéje? Óvatosnak kellett lennie.

A szövetség irodája a Theobaldgasse 16 alatt székelt. Eladó volt a ház, s Lehár egykettőre megvásárolta és be is költözött egy második emeleti lakásba. Életében először lakott a saját négy fala között.

Ugyanakkor létrehozták a bécsi zeneművészek zenekarát (Wiener Tonkünstlerorchester), s ennek Lehár is alapító tagja volt. Tavasszal azután nagy turnéra indult a zenekarral Németországba.

1908 nyarán végre nekiállt, s egyszerre három új művön is dolgozott. Nem volt ebben semmi újság, hiszen „gyakran dolgoztam egyidejűleg több operetten is. Hol az egyik figura ragadott meg, hol egy másik. Az kellett, hogy valami megindítsa a lelkemet, máskülönben félretoltam a munkát." (9)

Az első ezek közül a művek közül barátja, Leopold Müller számára készült. Müller korábban tagja volt a Carl-Theater vezetőségének, ám 1908. október 29-én megnyitotta saját színházát, a Johann-Strauss-Theatert. Két millió koronáért építtette át a Favoritenstrasse 24 alatti, a „nagykörúttól", a Ringtől nem messze álló épületet. Müller szívesen kihozott volna egy Lehár-ősbemutatót, Lehár meg azt szerette volna, ha ehhez meg lehetne nyerni Mizzi Günthert és Louis Treumannt. Mindenkor életbevágóan fontos, hogy milyen a szereposztás az ősbemutatón. Mivel Mizzi Günther egy esztendeig nem játszott, csak 1909-ben került sor a *Hercegkisasszony* (Fürstenkind) ősbemutatójára. „Emiatt az operett miatt pofozott fel Louis Treumann egy végrehajtót, emiatt az operett miatt tartóztatták le és engedték őt ismét szabadon, emiatt az operett miatt került sor szerződésszegésekre és becsületbeli ügyekre!" (97)

Louis Treumann pofozkodásának ügyét Karl Kraus is tollhegyre tűzte: „Az olyan énekes sorsa, aki akkora kacifántos szerződésszegések sorát követi el, hogy a jog csődöt mond, s előzetes letartóztatással kell kihúznia magát a csávából, bizonyára feldúlja a kávéházi szabadjegy-vadászok lelkületét. Ám az, hogy ez az érdeklődés odáig fajulhat, hogy beavatkozzanak egy hivatalos eljárásba" (81), az, Kraus szemében, a züllés korszakának biztos előjele. Kraus egy ideig viszonylag sokat foglalkozott Lehár személyével is. Olyan emberként jellemezte, „aki nekiindult, hogy megkeresse a szimfóniát, s megtalálta a *Nechledil*-indulót". (98)

A *Hercegkisasszony* szövegkönyvénél Léon egy francia regényre támaszkodott, About *Le roi des montagnes* („A hegyek királya") c. művére. A regény kedélyes-gunyorosan és parodisztikus fantáziával írja le a görögországi viszonyokat 1850 táján, összes rablóbandájával együtt. „A rablók a legnagyobb tiszteletnek és közszeretetnek örvendő polgártársak; vezérük akár igazságügy-miniszter is lehetett volna, ha nem maradt volna inkább rablóvezér és fejedelmien gazdag nagybirtokos. Művelt ember, bandáját rég átalakította részvénytársasággá, amely 80 százalékos osztalékot fizet. Pénzét londoni bankok őrzik, s ő, a merész rablóvezér, semmitől sem fél a világon, csupán az árfolyamok ingadozásától. S legyőzhetetlen is; csak akkor kapitulál, amikor közlik vele, hogy szeretett leányát elfogták és túszként fogva tartják." Ám „Léon, a szövegkönyvíró, meglehetősen szabadon dolgozta át ezt az elbeszélést a saját céljainak megfelelően."

A feldolgozás legbosszantóbb hiányossága, hogy „mellőzi About elbeszélésének valamennyi ironikus és parodisztikus vonását, ezzel szemben halálos komolyan veszi a szentimentális-melankolikus rablóromantikát. Ez módot ad egy sor rafináltan hatásos jelenetre, ám teljességgel nélkülözzük az operett tulajdonképpeni elemeit: a pajkosságot, a szeszélyt, a szellemességet." Léon túlságosan komolyan vette About-nak azt a megjegyzését, hogy a görög rablók mindannyian halálos komoly, zord emberek, kik sohasem nevetnek. Ahol a szövegkönyv szórványos könnyedsége nem About-tól származik, ott kényszeredett és béna, vagy bosszantó és kellemetlen." (99)

A librettó nehézkesre – persze nem súlyosra – sikeredett, s így Lehárnak is el kellett fogadnia az egyik kritika szemrehányásait: „Valódinak tekintette a romantikát, a nemeslelkűséget, az érzelmeket; elérzékenyült, ahelyett, hogy vidám szemmel nézte volna a dolgokat. Ha nem így áll hozzá, talán sikerült volna friss hangvétellel életet lehelnie a történetbe. Ám ő is beleesett a komor romantikába. Súlyos hanghullámok dübörögnek a zenekaron át, valamennyi hangszer állandó feszültségben. Azután pedig hosszan elnyúlva siklanak tova a dallamok, mollban – egyre csak mollban!" (100) Az igazság persze az, hogy Lehárnak Léon szövegét kellett megzenésítenie, nem About-ét. Egy másik kritikus drasztikusabban adott kifejezést véleményének: „Úgy érzem, Lehár ezúttal elbukott Léonon ... Nem azt akarom mondani, hogy ez a zene rosszabb száz másiknál; azt sem akarom mondani, hogy ez a librettó együgyűbb a többinél. Csak éppen a századik 99 ugyanilyen után. A melódiák pedig olyanok, hogy az ember úgy véli, már hallotta őket valahol. Álmodozóak, karakterisztikusak, kihallatszik a szláv jelleg. Mindig ezt szokták mondani, és nagyon nehéz a banalitást jobban leírni, mint éppen az ilyen klisé-fordulatokkal." (97) S az idő sem tudta lényegesen megváltoztatni ezeket a véleményeket.

A *Hercegkisasszony* ősbemutatójára 1909. október 7-én került sor, nagy érdeklődés közepette. A nézőtér „egy nagy premier társadalmi képét mutatta! ... a . darab kedvező, zajos fogadtatásban részesült." (99) Valamennyi beszámoló lényegében ugyanazt írja: „Az emberek szívesen felmelegedtek a darab iránt, élénk taps követett egyes énekszámokat is, ám ahogyan múlt az idő, úgy erősödött meg az a benyomás, hogy itt hamis értékekkel operálnak." (100) „Négy órányi operett-melankólia – egy kicsit sok a jóból." (99) „Tetszésnyilvánítás volt bőven", ám „az ovációból hiányzott az a bizonyos lelkesedés, amely a nagy, átütő siker jellemzője." (103)

Mindazonáltal – About ide, Léon oda – ilyen dolgok valóban megtörténtek, s korántsem voltak örvendetesek, legalábbis az érintettek szempontjából nem. Léon Mary-Ann-je a Stone and Co. bankház egyik főnökének a lánya. Egy bizonyos Miss Stone-nal valóban történt roppant hasonló, mégpedig 1902-ben. „Úgy hírlik, hogy Miss Stone, miután szerencsésen kiváltották s egérutat nyert valamennyi kérője és egyéb népek elől s már úton volt hazafelé, ahol a romantikus rablók már rég kihaltak, a hivatásos brigantikon túlmenően még valami kis magánjellegű csínynek is áldozatul esett. A hatóságok letartóztatták Zika asszonyt és férjét, a fogoly amerikai lány sorstársait, mert felmerült az a gyanú, miszerint egy követ fújtak a rablókkal a magas váltságdíj kizsarolása érdekében." (104) Mindabból, ami a világon valóban megtörténik, persze nem minden történhet meg a színpad világában is. A színpad nem tükre, hanem gyújtólencséje az eseményeknek: koncentrált formában láttatja az életet. Nem vesz tudomást a jelentéktelen véletlenekről, s a művi konstrukciókat ugyancsak sikertelenségre ítéli. A drámaíró – és a szövegkönyvíró és a zenedrámaszerző – feladata, hogy az események teljéből kiszűrje a lényeget. A lényeget – s nem a banálissal határos szokványost.

A premier estéjének végére olyan volt a hangulat, hogy egy kritikus a következőkben fogalmazhatta meg: „Elfáradtunk és öszszezavarodtunk." Ám ezzel zárta sorait: „Érdekes este volt. Aki ismeri Lehárt, kinézi belőle, hogy le fogja vonni a megfelelő tanulságokat." (100)

Ennek a következő műben kellett beteljesülnie: a Luxemburg grófjában, melynek szövegkönyve érdekes előtörténetre pillanthat vissza. A történet 1897-ben kezdődik. A Die Göttin der Vernunft (Az ész istennője) c. Strauss-operett szövegkönyvét két író, Bernhard Buchbinder és Alfred Maria Willner szerezte. Strausst a bíróság kényszerítette a szerződés teljesítésére, s mindenféle kellemetlen jelenetre került sor. A mű, „melynek az ész kölcsönözte a nevét, ám nem adta rá az áldását" (105), nem is lehetett sikeres. Később szétvált egymástól a librettó és a zene, s most már Willner kezében volt a – mondhatni: szűz – szövegkönyv, ama Willner kezében, akinek lassanként sikerült érvényesülnie a bécsi librettista-szakmán belül. Addig formálta-csiszolgatta, míglen alig hasonlított már 1897-es ősére. Most már csak zeneszerzőt kellett találnia – ám innen kezdve többféle változatban mesélik a történet folytatását.

Valószínűleg sok minden úgy történt, ahogyan Willner egyszer leírta: „Mi sem könnyebb, mint operettet csinálni. Kitalálunk vagy kölcsönveszünk valamelyik francia cégtől egy témát, a tervezettel a zsebünkben bemegyünk egy kávéházba, ahol sok zeneszerző szokott üldögélni. Ha csak félig-meddig jó a konjunktúra, akkor a tervezetet általában lábon el lehet adni az operett-tőzsdén." (106)

Steiningertől, a színházi titkártól tudjuk, hogy „minden Lehár.o-perettnek hosszú előtörténete van, sok stációval." A történetek annak idején általában a Karlsplatzon, a Café Museumban kezdődtek. „Az évek során valóságos színházi törzskávéházzá lett. A kávéházi törzsasztal tagja volt jószerével mindenki, akinek valami köze volt az operetthez. Lehár szinte naponta bejárt, akárcsak Leo Fall. És teljes bizonyossággal ott lehetett megtalálni a legismertebb bécsi szövegkönyvírókat is." (107) Persze nem kellett föltétlenül kávéházba járni. A fontosabb zeneszerzők és szövegkönyvírók ismerték egymást, hol egymással, hol – olykor – egymás ellen dolgoztak, és kapcsolatot tartottak minden számításba jövő színházzal.

Willner ezúttal – nem először – Robert Bodanzkyval állt össze. Együtt s szinte egy időben adták át Lehárnak a *Luxemburg grófja* és a *Cigányszerelem* librettóját, s megállapodtak, hogy a *Luxemburg grófja* inkább a Theater an der Wiennek, a *Cigányszerelem* pedig a Carl-Theaternek való.

A zeneszerzőnek jobban ínyére volt a *Cigányszerelem* anyaga, úgyhogy 1909. május közepén le is szállította a kész művet a Carl-Theaternek. A Theater an der Wien várta a neki szánt *Luxemburg grófját*. Közeledett a nyár, ám Lehár még csak épphogy hozzáfogott a munkához.

A Theater an der Wien úgyszólván katasztrófának nézett elébe, hiszen „a jövő évadra teljes biztonsággal számított a *Luxemburg grófjára*. Nem maradt más hátra, mint arra az álláspontra helyezkedni, hogy Lehárnak szerződés szerint mindenképp le kell szállítania a munkát, ellenkező esetben kártérítést követelnek tőle. Ezt a fenyegetést persze senki nem vette túlságosan komolyan, csak kicsit rá akartak ijeszteni. Lehár kelletlenül közölte, hogy majd elutazik Ischlbe, és megírja az operettet". (107) Amikor Steininger meglátogatta őt az üdülőhelyen – akkor már augusztus volt –, a zeneszerző átadott neki egy paksaméta kottát: „Nesztek, ha annyira akartátok ezt a vacakot, készen van; de ha nem lesz sikere, magatokra vessetek." (109)

Lehár sietve dolgozott, ám ugyanolyan műgonddal, mint máskor – természetesen a bemutató előtti hetekben is akadt még itt-ott némi kiegészíteni- és átalakítanivaló, ezért lehetett sokfélét hallani a komponálás időtartamáról. Steininger egyszer úgy nyilatkozott, hogy a mű „két hónap alatt" (107) készült el, Bernhard Grun, Lehár életrajzírója, hatvan esztendővel az ősbemutató után azt állította, hogy „három-négy hét alatt" (109), Maria von Peteani, aki szintén írt Lehár-életrajzot, három hétre redukálta a mű elkészültét. (110)

Arra azonban, hogy utómunkálatokra is sor került, legalább egy bizonyító erejű anekdotát lehet felhozni. Mizzi Günthert a Johann-Strauss-Theaterhez kötötte a szerződése. Ám Lehár Reichenbergben (ma: Liberec, ČSSR) felfedezte Anni von Ligety énekesnőt, s keresztülvitte, hogy őt szerződtessék Angèle szerepére. Egy szép napon Lehár éppen a Theater an der Wienben dolgozott Robert Bodanzkyval, amikor a csinos Anni berobbant a szobába, s túláradó boldogsággal meglobogtatta a frissen aláírt szerződést. Lehár lelkesen üdvözölte az énekesnőt, s felkiáltott: Na, itt jön a kacagó boldogság!" Állj! – ordított föl Bodanzky –, ez az a szöveg, ami nekünk kell!" Megírta, és néhány percen belül át is adta a zeneszerzőnek:

„Bist du's, lachendes Glück,
das jetzt vorüberschwebt."

(Te vagy-e a kacagó boldogság,
mely most itt átlebeg...)

Eredetileg *Luxenburg grófja* volt az operett címe, alighanem azért, mert nem akarták, hogy a hasonló nevű nagyhercegségre emlékeztessen. Mivel azonban úgyis mindenki *Luxemburg*ot mondott, a kiadó belenyugodott a betűcserébe.

A premierre 1909. november 12-én került sor, s fenntartás nélküli, nagy sikert aratott. „A ragyogó hangulatban lévő közönség hallatlan lelkesedéssel fogadta az újdonságot." (111) „Már az est kezdetén kedvező atmoszféra alakult ki, s ez végig megmaradt." (112) Az operett szokatlanul nagy sikert ért el. Majd' minden énekszámot meg kellett ismételni, némelyiket kétszer is. Igen sokszor hívták ki a szereplőket a függöny elé, lelkiismeretes statisztikusok összeszámlálták a harmadik felvonás végén: hatvannégyszer. (113) Ám a kritikus uraknak azért volt kivetnivalójuk. „Lehár muzsikája ezúttal inkább művészi technikája, semmint ötleteinek eredetisége és sajátossága révén hat ránk" – írták, de azért meg is dicsérték: "Mindig érdekes, akkor is, ha az operett-divatnak engedve összekapcsolja az éneket a groteszk tánccal." (112) Számos sajtókritikából kicsendül valami enyhén negatív felhang is. "A zeneszerző ezúttal megelégszik azzal, hogy korábbi ötleteinek kamataiból éljen. Különösképp a néhány hangon fel- s alásétáló keringők régi ismerősei a nagyközönségnek.

Csak éppen hajdanán frissen csendültek, ma viszont egy mechanikai úton gyártott másolat benyomását keltik, és minden egyes másolat természetesen fakóbb az előzőnél. Ilyen az operett két legfontosabb keringője is ... Mellettük stílustalan összevisszaságban csendülnek fel a cseh polka ütemei, a párizsi kánkán, kabarékuplék, angol groteszk táncok és álcázott osztrák katonaindulók ... A zenekarban unos-untalan felzokog a koncertáló hegedű, a dürrögő fuvola, a hárfa, a harangjáték; Lehár beveti az erotikus operett, sőt a verista opera teljes érzékcsiklandó eszköztárát." (113)

Persze nemcsak negatív sajtóvélemények jelentek meg. Olvasható volt ilyesmi is: "Lehár rendkívül finom munkát végzett. Zenéjét tekintve ez az operett akár vígopera is lehetne. Zengve csendül a zenekar, az ember a legszívesebben együtténekelne vele. Lehár csak úgy ontja a legbájosabb melódiákat, s ezeket valami hihetetlenül könnyed, bájos hangszereléssel ruházza fel, mely gyakran a Pucciniéra emlékeztet, ám soha fel nem róható neki a közvetlen átvétel." Megdicsérték muzsikájának "pompás összhatását", "friss, kellemes ötleteit és makulátlan technikáját, mely ebben a műben szinte még magasabb szintű, mint A víg özvegyben." (114)

A viták most már alighanem nem csupán az új mű körül zajlottak, hanem napirendre került a Lehár-operett fölötti vita. Nem véletlenül szólt az egyik kritikus "az erotikus operett" vonzerejéről és izgatószereiről, akarva-akaratlanul megteremtve azt a műfaji meghatározást, amely ráillik a Lehár-operettek többségére. "A víg özveggyel megkezdődött az operettszínpadon az erotikus harc férfi és nő között; a férfi akarja a nőt, a nő menekül előle, hogy hosszas tartózkodás, sőt elválás után végül mégis a nyakába boruljon." (115)

A víg özvegy és a Luxemburg grófja még a cselekményben is hasonlít egymásra. Előbbiben a semmirekellő Danilóval találkozunk, aki anyagi helyzetén szeretne javítani, utóbbiban a haszontalan Renével, aki a pénzét:

„Verjuxt, verputzt, verspielt, vertan
(Eldáridózta, szétszórta, eljátszotta, kidobta...)

Amott Hanna és Rossillon áleljegyzése, itt Angèle álházassága egy ismeretlennel, amott a vígkedélyű Valencienne, itt a vígkedélyű Juliette. Egy különbség mégis akad: Valencienne a Maxim grizett-jeivel járja a kánkánt, Juliette viszont férjhez akar menni. A *Luxemburg grófját* minden bohémság meg karneváli hangulat ellenére átmeg áthatja valami polgári tisztesség. Danilo megtehette, hogy fütyül Hanna húszmilliójára, bár nagyon is szüksége volna rá; Renének szabályosan áruba kell bocsátania önmagát, s arra vár, hogy rendben visszakapja elkobzott javait. Apadt az összeg nagysága is: az előző operettben még húszmillió, a *Luxemburg grófjá*ban már csak félmillió a tét. S oda *A víg özvegy* vitathatatlan nagyvilágisága, melynek színterét Montenegro és Párizs határolja be: a *Luxemburg grófjá*ban egy festői, montmartre-i műterem és egy kis szálloda huzatos hallja között játszódik a cselekmény, s a miliő sem a nagy-, hanem a félvilág.

Ha eltekintünk a hasonlóságoktól meg az élettér és az érzelmek beszűkülésétől a *Luxemburg grófjá*ban, mindkét műben ugyanazt a mesterkélt konstellációt fedezzük föl. Danilo nem akarja elvenni Hannát, bár szereti, mert az asszony dúsgazdag; a vele való házasság megfelel ugyan anyagi érdekeinek, ám összeegyeztethetetlen a becsületével. René ezzel szemben nem kérheti meg Angèle kezét, bármennyire szereti is őt a lány, mert ez sértené az anyagi érdekeit (vissza kellene adnia a félmilliót), s csorbát ejtene a becsületén (szavát adta, hogy egy ujjal se nyúl Angèle-hez). Danilo gőgje talán hőbörgésnek minősíthető, de azért elképzelhető; a *Luxemburg grófjá*ban nagyot zuhant a becsület árfolyama, hiszen René ismeretlen személynek adja el a kutyabőrét meg a nevét, valakinek, aki lehetne akár egy párizsi mosónő vagy grizett is, de lehetne valaki más is.

Jónéhány kritikus talált hát kivetnivalót a René, Bazil és Angèle között létrejött rejtelmes szerződésen. „Ilyenfajta megállapodással ritkán találkozik az ember az életben – olvassuk egy kritikában –, annál többször a regényekben és a színpadokon. S azt is tudjuk, hogy az ilyesfajta megállapodásokat soha még be nem tartották, ha a színből elvett hölgy csinos és fiatal." (112) „Minden a legnagyobb rendben lett volna, ha René nem adta volna becsületszavát a her-

97

Luxemburg grófja – Petráss Sári és Király Ernő (1910)

cegnek, hogy Angèle-t soha nem tekinti valóságos nejének. S állja is a szavát, pompásan operettszerű, nemes és lemondó büszkeséggel." (113)

Ám semmi nem állhatta útját a Luxemburg grófja sikerének. Amikor az egyik lapban megjelent kritika azzal fejeződik be, hogy „Viszontlátásra a századik előadáson!" (114) még senki nem sejtette, hogy egyedül a Theater an der Wienben közel háromszáz előadásra kerül majd sor az elkövetkezendő húsz esztendőben – a világ egyéb színpadain aratott sikerről nem is szólva. S ne hallgassuk el azt sem, hogy Max Pallenberg felfelé ívelő karrierje is a Luxemburg grófjával kezdődött, ahol „csúzos és szerelmes orosz hercegként szerzett meglepetést és szórakozást a közönségnek." (113)

Alig két hónappal a Luxemburg grófja ősbemutatója után Bécs újabb Lehár-bemutatóra készült: A Cigányszerelem ősbemutatója 1910. január 8-án volt. A bécsi operett-üzem nem egy megfigyelője beleszédült a gondolatba, hogy három Lehár-operett is követte egymást gyors egymásutánban. „A termékeny zeneszerző új operettjét tegnap adták elő, s ez immár a harmadik ebben az évadban. Kissé szokatlan. Természetesen fel kell vetni a kérdést, vajon a mennyiség arányos-e a minőséggel. S lehetetlen, hogy egy alkotó azonos értékűt nyújtson, ha nincs ideje ötleteinek kiérlelésére és megformálására." (116)

Alig akadt kritikus, aki gondolt volna arra, hogy Lehár mily sokáig dolgozott valójában a három operetten; a Cigányszerelem és a Luxemburg grófja tulajdonképpen már 1908 eleje óta foglalkoztatta. Hogy tisztázza magát a halmozás vádja alól, Lehár a nyilvánossághoz fordult: bemutatójuk idején a Hercegkisasszony három, a Luxemburg grófja két, a Cigányszerelem pedig egyéves volt." (117)

Hát ez nem volt egészen igaz, de Lehár úgy érezte: válaszolnia kell a támadásra. Úgy szégyenkezett, „mint valami fiatalasszony, akinek túl bőségesen kijutott a gyermekáldásból". Valójában ugyanakkor dolgozott már „egy komoly hangvételű egyfelvonásos operán. Katonaszerelem volt a címe, a szöveget Willner, a jóbarát írta." (117) Igaz, a mű soha nem látott rivaldafényt, s a zeneszerző önkritikus megítélése szerint jobb is, ha mindenki megfeledkezik róla.

A Cigányszerelem bemutatója után számos részletes recenzió is megjelent. Cselekményéről hol igenlő egyetértéssel, hol ironikus

Luxemburg grófja – Dömötör Ilona Angèle szerepében a Revü Színház 1921-es előadásán

visszautasítással szóltak: „Zórika, egy magyar nemesi kisasszony nem a jegyeséért, hanem egy cigányért epekedik, aki mesterien kezeli a vonót. Szívesen megszökne vele, ám a Cserna vizének varázsereje van: egy kortyától az ember megálmodja a jövőt. Zórika tehát álmodja, hogy nem illik ő a cigányprímáshoz. Felébredvén vőlegénye karjaiba veti magát, annál is inkább, mivel a cigány éppen egy bizonyos Ilonával kezdett ki." (116) Ehhez hasonlót olvashatunk valamennyi újságban, helyenként részletesebben is.

A muzsikáról már több szó esett. „Lehár úrnak a zenekari eszközök bőséges bevetésével – melyek olykor szinte operai szintet képviselnek – sikerült hatalmas fokozásokat elérnie. A *Cigányszerelem* olyan benyomást kelt, mintha a zeneszerzőnek szívügye lett volna.

Luxemburg
grófja – Sir
Basil: Feleki
Kamill (1963)
(MTI Fotó
– Keleti Éva
felv.)

A közönség mindenekelőtt erős, személyének szóló sikerrel ajándékozta meg őt, nagyon élvezte az egyes számokat, s készségesen tapsolt." (116)

Akadtak persze, akik nem tudták hová tenni ezt az új művet. Egyikük Lehár „sajátos melosz"-áról szólt, „mely szláv–magyar keverékként merít Lehár muzsikuslelkének legmélyebb tárnáiból, s kiküzdi magának a kifejezést." (118) Egy másik kritikából: „Hol melankolikus román nóta csendül fel, hol valami zokogó magyar nemzeti dal, lassan, ringatózva, hogy aztán hirtelen átváltson tüzes csárdásba. De ez sem elég: Lehár igazi cigánybandát állít a színpadra, cimbalmostul, magas fekvésű klarinétostul. Igen sajátos hatást ér el Lehár egy régi magyar hangszerrel, a tárogatóval, mely néhány hanggal mélyebben szól, mint az angolkürt." (118) A tárogató, más néven töröksíp, igen közkedvelt volt Magyarországon a XVIII. sz. elején, később a nagy méretű klarinétot hívták így; 1900 táján még sokat használták.

Nagyjából azonos hangnemben írt valamennyi kritikus, a librettót illetően azonban többé vagy kevésbé ironikus hangon.

A *Cigányszerelem* nagy siker volt, hosszú sorozatokban szerepelt számtalan színpadon. Bécstől távolabb azonban már nem tartották annyira tiszteletben a szövegkönyvírókat, mint azok bécsi barátai. Egy hónappal az ősbemutató után, február 12-én került sor az első németországi bemutatóra. A zeneszerző viszonylag jól járt: „Lehár igen szeretetreméltó ember, s érti a mesterségét. Ha meggondoljuk, hogy mily mélyre süllyedt az operett, ennyivel is meg kell elégednünk. Lehár kézírása tiszta, jól hangzó zenekart állít össze, s szinte bámulatos, hány csinos dallamra futotta belőle a *Cigányszerelem*ben. Megadatott neki a találékonyság adománya. Nem előkelősködik; zenéje a népdalban gyökerezik, kedveli az egyszerű, diatonikus meneteket, s ezáltal valami olyan szívhez szóló a zenéje, hogy a hallgatóság hozzá pártol. Úgy tud slágert írni, hogy nem érezzük a sláger kellemetlen szándékoltságát. S nem is banális, hiszen a priori nincs is banális dallam, a melódia csak a koptatás révén válik banálissá." (119)

A librettistákkal már radikálisabban bánt el a kritika: „Carmen, a cigánylány, démoni. Arra csábítja don Josét, hogy szökjön meg vele, hagyja cserben a jóságos Micaelát. Azután meglátja a nálánál is démonibb Escamillót, belészeret, s most ő hagyja cserben a szegény don Josét, aki ebbe belepusztul. Józsi, a cigány, démoni. Arra csábítja Zórikát, hogy szökjön meg vele, s hagyja cserben a derék Jonelt. Ám aztán meglátja a még démonibb Ilonát, beleszeret, s faképnél hagyja szegény Zórikát. Aki ebbe bele..., illetve: aki ebbe nem pusztul bele. A *Cigányszerelem* tehát valami fordított *Carmen*. A férfiszerepből női szerep lett, a nőiből férfiszerep. Szexuális permutáció. Ehhez társul a közismert vidám, fiatal szerelmespárocska, egy bakfis, aki a férfiak ostobaságáról dalol és csókra bírja a félénk szerelmest, egy táncoslábú hölgyemény, aki egy keringő segítségével formába hozza a reszketeg agg kéjenceket, egy komikus nőszemély, aki a meghülyülésig ismételgeti ugyanazt a szót – íme az untig ismert bécsi sablon, egy csipetnyi álromantiká-

Lehár Ferenc a zongoránál, 1910 körül

val fűszerezve: cukrosvíz, némi áfonyalével sötétre festve, borkősavval és némi szódavízzel pezsgővé stilizálva." (120)

A szövegkönyv-kritikák persze óhatatlanul magukkal rántották a kompozíciót is az örvénybe: „Zórika walkürszerű hojotohózásától a plakátszerű ,Zórika, Zórika, jöjj haza már!' refrénig – íme Lehár zenei étlapja, a világ valamennyi konyhájából összeválogatva! Csak a köret elegánsabb kissé, mint más vendéglőkben... Komolyra fordítva a szót: Lehár nyilván ki akarja rántani a bécsi operettet abból a mocsárból, amelybe süllyedt. Attól tartok, hogy bizonyos kvalitásai ellenére sem elég nagy ennek a feladatnak a megvalósítására. Fejlődésének eddigi menete bizonyítja ezt, A víg özvegy kecsességétől a Cigányszerelem sűrű vérű romantikájáig, a könnyed érzékiségtől a könnyhullató szentimentalizmusig." (120)

Másutt köntörfalazás nélkül hangzik el az ítélet: „Rejtély, hogy a művelt nagyközönség miért nem érezte már e velejéig hazug szerelmi álom-történet első felvonása után szükségesnek, hogy pánikszerűen elhagyja a színházat, s az a legfelfoghatatlanabb, hogy olyan kétségtelenül izmos tehetségű muzsikus, mint Lehár, annyira elereszti művésztemperamentuma gyeplőjét, hogy megfeledkezik a librettó kongó ürességéről és laposságáról." (121)

Érdemes észrevenni, hogy a Lehár-operett ebben a műben ismét tovább polgárosodik. Akárcsak Szaffi és Barinkay A cigánybáróban, itt Zórika és Józsi él vadházasságban a második felvonásban. Ám a szövegkönyv szerzői azzal tompították a helyzetet, hogy mindez csak álom. Drámai szempontból nem sok történik az első és a harmadik felvonásban: Zórika előbb berzenkedik, aztán beleegyezik az eljegyzésbe, míg álmainak férfiúja odébbáll – egy másik nő miatt:

„Ich bin ein Zigeunerkind,
lieb' und hass' wie keiner;
Ruh noch Rast ich nirgend find,
ich bin ein Zigeuner."

(Vad cigánylegény vagyok,
nem bír senki vélem,
nincs hazám, nem nyughatom,
mert űz, hajt a vérem.)

Cigányszerelem – Fedák Sári és Papir Sándor (1910)

Olyan nagyon rossz persze aligha lehetett a mű a maga idején. Hans Gregor érdemesnek tartotta arra, hogy bemutassa a berlini Komische Operben; 1910. július 18-án pedig a karlsbadi Városi Színházban Lehár-hetet rendeztek, melynek programja *A víg özvegytől* ívelt a *Cigányszerelem*ig mint csúcspontig. További bel- és külföldi színházak tűzték műsorra a művet. A siker sajátos jeleként értékelendő, hogy ezúttal is felmerült a plágium vádja. Temesvárott megjelent egy lap, a *Die Posaune* (A harsona). Szerkesztője egyszerre csak azt állította, hogy szöveg könyvet küldött Lehárnak, s hogy Lehár ennek tartalmát közölte a librettistákkal azzal a céllal, hogy megírják belőle a *Cigányszerelmet*. Az eset alkalmat adott Lehárnak arra, hogy válaszoljon az ilyen vádakra: „A sikeres szerzőket elárasztják szövegkönyvekkel, vázlatokkal, cselekmények tartalmi kivonatával, semmirevaló dalokkal. Volt olyan nap, amikor hat, sőt tíz szövegkönyvet is kaptam. Inasom lajstromba vette valamennyit, és gondoskodott róla, hogy rendben vissza legyenek küldve. Levélbeni közlés esetén én gondoskodtam a megfelelő válaszról néhány udvarias, semmitmondó szóval. Soha nem olvastam végig a beküldött szövegkönyveket. Két-három oldal elegendő volt, s azokat is elfelejtettem a következő pillanatban." (122)

A *Cigányszerelem* kapcsán 1910 nyarán némi nézeteltérésre került sor a Carl-Theater és Lehár meg a szövegkönyvírók között, s az ügy Leo Fallt is érintette. Lehár így tudósít erről: „Operettszerződések esetén az egyik legfontosabb kikötés, hogy az előadásokat mindaddig folytatni kell, amíg a heti bevétel eléri a 18 000 koronát. A *Cigányszerelem* mindig meghaladta ezt a szintet, csupán a szezon vége felé esett vissza 17 000 korona alá. Mégis a *Cigányszerelem*mel indult az új szezon, s attól fogva ismét tizennyolcezren felüli bevételt hozott hetenként. Mármost napirendre került az a kérdés, vajon joga van-e az igazgatóságnak levenni a műsorról az operettünket, holott meghaladtuk a garantált bevételt; vagyis hogy az igazgatóság hivatkozhat-e arra, hogy már a múlt évadban is jogában állt volna leállítani az előadásokat. Úgy látszott, hogy a kérdésnek nincs jelentősége, ám mi idejekorán be akartuk biztosítani magunkat: a Carl-Theater már Leo Fall új művére készülődött. Már ki is tűzte a bemutató napját, november 12-ére. Mi azonban úgy véltük, hogy operettünk még ezután is megszerzi a 18 000

Fedák Sári a cigányok között (1910)

koronán felüli bevételt; nem akartunk áldozatul esni a Carl-Theater más irányú kötelezettségeinek." (123)

Mivel azonban senki nem akart összeveszni senkivel, az érintett felek békésen megegyeztek, annál is inkább, mivel Lehár Ferenc és Leo Fall jóbarátok voltak. A három színházban, ahol új Lehár-művek futottak, Fall-művek kerültek műsorra: a Carl-Theaterben a *Puppenmädel* (Babuska), a Theater an der Wienben a Schöne Risette (Szép Rizett), a Johann Strauss Theaterben a *Sirene* (Szirén). Magától értetődött, hogy különböző szerzők művei váltották egymást, elvégre akadt Leháron és Fallon kívül más szerző is szép számmal, akiknek műveit be kellett mutatni. Végső fokon a közönség döntötte el, melyik zeneszerzőt kedveli a legjobban. Erről, s a sajtó állandó támadásaira válaszolva így nyilatkozott Lehár: „Tudom, mindaddig, amíg mi, operettkomponisták tisztességesen és kitartó szorgalommal dolgozunk, s ameddig óvatosan válogatjuk meg a szövegkönyveinket, addig semmi bajunk nem eshet, s az elfogulatlan publikum mellettünk áll... Nem vagyok hajlandó elállni attól a meggyőződésemtől, hogy a hallgatóságnak több jár, mint holmi sekélyes árucikk. Nem elég, ha előadás közben olcsó eszközökkel jókedvre derítjük a publikumot. Ilyenkor mindenki jó hangulatban van, nevet, szívből kacag; ám ha az emberek kijönnek a színházból, valami ürességet éreznek, s ha nyugodtan meggondolják, elcsodálkoznak azon, mi is tetszett tulajdonképpen." (124)

A *Cigányszerelem*mel azonban aligha volt minden rendben a sekélyes eszközök elkerülését illetően. Lipcsében így írtak a második felvonásról: „Vajha nem kellene magunknak is átélni ezt az egész álmot a színpadon, mindazzal a kísértetvarázzsal meg operett-gügyeséggel és szóvicc-egyveleggel egyetemben, amit a szövegkönyv szerzői a maguk megható naivitásában alighanem humornak véltek!" (125) S ami azt a szándékot illeti, hogy többet kell adni, mint holmi „sekélyes árucikket" – az a megfogalmazás, hogy „könnyáztatta szentimentalizmus" (120), nem csupán a berlini előadás kapcsán hangzott el.

Ám a nagyközönségnek annak idején határozottan az volt a véleménye, hogy azért, amit letesz az asztalra – a belépőjegy áráért – teljes ellenértéket kell kapnia: „Óriási előadás-sorozatok s telt házak a tehetség olyan bizonyítékai, melyek hatalmas súllyal esnek latba..." (95) Efelől Lehárnak sem volt semmiféle kétsége. „A művészet is kenyérkereset. Amikor sok évvel ezelőtt operát írtam, s Lipcse forró talaján megszereztem első pár sarkantyúmat, mindenáron azt szerettem volna elérni, hogy művemet valamelyik világhírű színpadon adják elő, s e kísérlet során kis híján éhen haltam. Az operett viszont tantiemeket hoz! Persze igaz, hogy valódi művész lelke késztetéséből, önnön lényéből alkot, ámde nem csupán csak önmaga és valamelyik opera irattára számára! Közönségre van szüksége, amely meghallgatja, színpadra, ahol előadják a műveit... Nem tudom, hogyan vélekednek erről más szerzők; számomra az operett csupán ürügy, hogy zenét szerezhessek. S becsvágyam célba ért, ha ezt a zenét jó zenének minősítik." (87)

Eddigi műveivel Lehár még nem egészen érte el azt, amire becsvágya sarkallta; egyelőre egy új szakasz kezdetén állt. S ezen a ponton meg kell említeni egy helység nevét, amely igen fontos volt mind Lehár, mind az operett története szempontjából: Bad Ischl.

III. fejezet

1911–1924

„Aki majdan megírja a bécsi operett történetét, alighanem kénytelen lesz azt javarészt azokból a történetekből összeállítani, amikkel a színházi emberek az elmúlt szép nyári napokon szórakoztatták egymást a zúgó Traun mentén" (126), írta a *Neues Wiener Journal* 1929. június 9-én.

Mármint a „Salzkammergut gyöngyének" nevezett felső-ausztriai Bad Ischlben. A városkának 1910-ben 2300 lakosa volt, s évi 28 000 látogatója. Szépségesen terült el egy félszigeten a Traun és az Ischl folyók között.

A *Bécsi nők*et és *A drótostót*ot Lehár 1902 nyárvégén még a Passauhoz közel fekvő mezővárosban, Halsban hangszerelte. Augusztusban azonban már átköltözött Ischlbe, a Grazer Strasséra. Néhány évvel később kibérelte az Esplanade 6. számú ház mögötti ún. Rózsa-villát, ahol őelőtte már más zeneszerző is lakott: Meyerbeer, és Joachim József hegedűművész.

Kissé körülményes Ischlbe eljutni. Attnang-Puchheimben át kell szállni, ám Lehár szívesen vállalta ezt a kényelmetlenséget. A következő operettől kezdve szinte valamennyi művét itt komponálta. Egy interjúból kiderül, hogyan vélekedett a környezet hatásáról a műveire. A kérdés így hangzott: „Valamennyi dallama mintha ebből a tájból fakadt volna. Tudjuk, hogy Beethoven zenei impulzusainak java részét a Heiligenstadt körüli Bécsi erdőnek köszönhette, hogy Schubertet el sem lehet képzelni a bécsi környezet nélkül, hogy Strauss és Lanner a Baden bei Wien körüli gyönyörű tájból merítette alkotóerejét. Vajon Ischlnek is volt-e ilyesfajta megtermékenyítő varázsereje az Ön számára, a városka volt-e az a motor, amely Önt hajtotta?" (127)

„Igen is, nem is – válaszolta a zeneszerző. – Ha úgy érti, hogy a kifejezetten szép tájon töltött élet a művészi alkotás előfeltétele, akkor nemmel válaszolok. Bármikor s bárhol legyek is, képesnek kell lennem a komponálásra. Hiszen nem az ötlet a legfontosabb, nem az impulzus, hanem az íróasztal meg a zongora mellett végzett munka. Ahhoz pedig tökéletes magány kell, a teljes elfordulás a környezettől, teljes koncentráció... Egyvalamiben persze igaza van. Inspirál az engem itt körülvevő szépséges világ: a hegyek, a folyók, a pompás levegő. Hiszen aki nem művész, az is halkan dudorászik maga elé, ha jól érzi magát. S hát így vagyunk mi, művészek is. Az embernek hirtelen támad valami ötlete, egy dallam, amit el lehet kapni, amit először is szép gondosan fel kell jegyezni. Azután megkezdődhet a munka." (127)

Nem Lehár volt az egyetlen az operett képviselői között, aki a nyarat Ischlben töltötte. „Karczag idején Ischl volt a bécsi operettnépség állandó nyári állomáshelye. Karczag úgy vélte, hogy ami a táj szépségét, a jó levegőt és a tarkabarka társaságot illeti, aligha akad bármi is, ami vetekedhetnék az ischli Esplanade-kávéházzal és a Zauner-cukrászda belső termével. Ezért hát minden nyáron elvonult Ischlbe, s magától értetődött, hogy minden esztendő július 1-jén odaköltözött jószerével az egész Theater an der Wien, a direktorral az élen." (126) Leo Fall, Kálmán Imre és Anton Ascher is sorra-rendre úgy döntött, hogy Bad Ischlben kell megtelepednie.

Márpedig „ahol operettet komponálnak, ott felbukkannak a szövegkönyvírók is. Nem kellett hozzá sok idő, s az Esplanade-on végestelen-végig másról sem esett szó, mint tantiemekről." (126) E szavak Emil Steiningertől, Lehár barátjától erednek. Könnyen viccelődhetett a tantiemekről: ő volt a Karczag Kiadó vezetője, tudta hát, hogy miről beszél.

Lehár ekkor már egy nagyon jó helyen álló bérház tulajdonosa volt, s hamarosan egy tekintélyes villáé is a Salzkammergut e legszebb helyén, s ebből visszakövetkeztethetünk a vagyoni helyzetére. Műveit, A víg özveggyel és a Luxemburg grófjával az élen, világszerte játszották, mindenütt, ahol csak színház akadt; dallamai eljutottak mind az öt földrészre. Őt tehát nem érintette ama évek jónak korántsem mondható gazdasági és szociális helyzete.

Ám ugyanúgy olvasta a lapokat, mint az osztrákok zöme, s volt némi képe a monarchia helyzetéről, ebből pedig levont némely következtetést saját munkájával kapcsolatban is. Meg is fogalmazta őket abban az interjúban, amit a Karl Kraus szerkesztette Die Fackelnek adott. Ebben utal A drótostótban szereplő Pfefferkorn alakjára is. „Meg vagyok győződve arról, hogy a jövő operettje mindenképpen az élet megfigyeléséből nő majd ki, persze annak könnyed és vidám megfigyeléséből... Mindaz, amire törekedtem s amit kerestem, abból a szándékomból eredt, hogy munkámba annyi realizmust, annyi igazságot és valódi életet vigyek bele, amennyit csak lehet... Eljő a nap, amikor az operett még a mindennapok társadalmi kérdéseit is bemutatja a népnek. Miért is ne? Ugyanúgy, ahogyan a más műfajú színpadi művek megtették. Persze nem akartam a szokásos drámai eszközökkel élni: a bájt igyekeztem az erőszak helyett ábrázolni." (128) Lehár tehát úgy vélte: a jövő operettje az élet egyfajta könnyed és vidám megfigyeléséből fejlődik majd ki. Beleillett ez „a mindig eleven, fess Duna-menti császárváros" (129) annak idején igen népszerű kliséjébe. Hiába, no: a bécsi ember különleges ember; hódol a Heuriger népszokásának, és imádja a sramlizenét! S ez alól Lehár sem kivétel: „Ha bécsies színezetű operetten dolgoztam, mindenkor értékes inspirációt kaptam a sramlizene köré rendeződött bécsiességtől. Ennek legfontosabb példája A drótostótban hallható bécsi dal. Ha bármikor szükségem volt ilyenfajta inspirációra, ott kerestem, ahol lágyan simogatják a húrokat s bécsi dallamok hízelegnek körül – vagyis a sramlizenészeknél és -énekeseknél." (130)

Lehár Ferenc olyan körülmények között élt, hogy könnyedén, vidáman szemlélhette az életet Ausztria-Magyarországon. Ám attól, hogy ebből a szemszögből nézte a társadalmat, persze fikarcnyit sem változott a valóság. Erre az operett sem volt képes.

Következő művében az a szándék vezette, hogy színpadra állítsa e valóság bizonyos mozzanatait. Az Éva bemutatójára 1911. november 24-én került sor a Theater an der Wienben. A téma kidolgozása során több nehézség is akadt. Jól megfigyelhető, hogy a szövegben is, a zenében is három irányzat küzd egymással. Először is a zeneszerző igyekezete, hogy folytassa a szentimentális-patetikus Lehár-vonalat, s lehetőleg még erősítse is; másodszor a szövegírókat sújtó kényszer, hogy a bécsi s általában az európai siker érdekében vidámak legyenek; harmadszor a komponista és a librettisták igyekezete, hogy a készülő műben a való életet ábrázolják, vagyis korszerűek legyenek. A korszerűség pedig azt követelte, hogy szembe kell nézni a társadalmi problémákkal. S ha ez a probléma már napirendre került, akkor a megoldása élet-halál kérdése az Osztrák–Magyar Monarchia számára.

A színpadművészetnek is tudomásul kellett vennie a szociális kérdés meglétét, s tudomásul is vette, még ha felszínesen is. Az operett-műfajban mindenesetre az *Éva* volt az első ilyenfajta mű. Ha végigtekintünk azokon a darabokon, amiket ekkortájt előadtak a bécsi színpadokon, egyetlenegyet sem találunk, amelyik csak félig-meddig is szociális problémát érintene. Az *Éva* ősbemutatója táján ilyen című művek szerepeltek a színlapokon: *A szerelem völgye, Az ártatlan Zsuzsi, A babuska, Vénusz az erdőben, Az obsitos, Őfensége keringőzik, A cigányprímás* és *A vidám Augusztin.* Ám az *Éva* szerzői megfeledkeztek a közönségről, a *maguk* közönségéről, melynek véleményét a kritikusok is megfogalmazták: „Eddig kuplékkal enyhítettük a drágulást, s ez megvigasztalt. Most azonban háromnegyedes ütemben tálalják fel nekünk a szociális kérdést, a tánckar hölgyei egy munkásforradalom vulkánjának tetején dobálják lábaikat, s még örülhetünk, ha a fináléban nem számos halott, hanem néhány poén hever a deszkákon." (131) Avagy: „Zavaróan hatottak mindenekelőtt a szociális allűrök. Teljesen fölösleges, hogy a társadalmi lelkiismeret még az operettben is furdalja az embert. A kék ing és a kérges tenyér nem való színpadra, a szociálpolitika, az etika és a munkáskérdés dalban elbeszélve elviselhetetlen. Túl komoly dolgok ezek az operett feladatához képest." (132)

Az *Éva* szövegkönyvében s mindenekelőtt a dalszövegekben fikarcnyi sem érezhető ezekből az eseményekből. Csupán mese a szegény Hamupipőkéről – vagyis Éváról –, akit a királyfi – Octave, Éva főnöke – némi trükkel maga mellé emel a trónusra – magyarán az igazgatói luxusvillába. A befejezés teljes egészében szétrombolja a realisztikus szándékot.

A cselekmény tulajdonképpen ugyanúgy kezdődik, mint Donizetti operája, *Az ezred lánya*: felbukkan egy apátlan-anyátlan lányka, akinek hirtelen rengeteg papája akad. Az üveggyári munkások végtelenül derék fogadott lányáról leperegnek a gonosz főnök machinációi; még azt sem képes elérni, hogy „egy kokottbál ürügyén felcsalja magához a gyári munkáslányt, hogy aztán pezsgőspalackütegek felvonultatásával megingassa a vár szilárd alapjait." (131) Éva továbbra is tisztességes s elhagyja őt, „ami azonban nem akadályozza meg a romlatlan lánykát abban, hogy alig valamivel később, a befejező felvonásban, egy francia hercegnél vendégeskedjék".

(131) „Az udvari ceremóniákban járatos szövegkönyvírók akaratából egy belga gyári munkáslány ennél alább nem adhatja." (131) Ironikusan emlékezik meg a sajtó arról a hercegről, aki „villát ajándékoz neki, holott, mint a programfüzetben olvasható, csupán plátóian tiszteli. Hát tényleg akadnak ilyen önzetlen hercegek?" (135) S hogy mi a történet vége? „A főnök önvizsgálatot tart, megállapítja, hogy szereti Évát, megleli őt, s a herceg platonikus metresze a gyár urának karjaiba omlik." (135) Ez nem más, mint egy „regény a munkáslányról, s az úgynevezett krajcáros irodalomban előkelő helyet foglalhatott volna el". (136)

Éva – Latabár
Árpád,
Medgyaszay
Vilma és
Rátkai Márton
(1912)

Való igaz: csak látszatra szociálisak azok a gesztusok, amikkel a szöveget felékesítették. Ám a Theater an der Wien akkori közönsége már attól is megrémült, ha a színpadon elhangzott az a szó, hogy „munka". Szó sem lehetett a valóság tényleges megfigyeléséről. A dalszövegek sem utalnak semmi ilyesmire. Leginkább abban az irodalomban gyökereznek, melyet a tiszti kaszinók vagy a legénylakások könyvszekrényeinek zárt fiókjaiban szoktak tartogatni. Hasonlítsuk csak össze Éva főáriájának a szövegét:

> „Wär's auch nichts mehr
> als ein Traum vom Glück..."

> (Hogyha csak egy percig volnál szép
> És aztán köddé omolnál szét...)

Theodor Etzel *Kaviár* című, legényembereknek szánt könyvsorozatának az első világháborút megelőző időkből származó költeményével:

> „Az ezüst ámpolna
> titkos homályában...
> leheletfinom selyem
> csillog a testen...
> a hószín vállakon...
> Az éjkék heverőn elomolva,
> holdsárga selyemben
> nyúltál el az izzó
> ámpolnafényben...
> S vállaidon..."

A különbség csak annyi, hogy Éva álmában a vállra omló haj aranyszín, míg az álmodozó ifjú álmában fekete. A parfüm, mely e versekből előlengedezik, nagyjából ugyanaz.

Vagyis nem kell túlságosan komolyan venni az élet tükröződését az *Éva*-operettben, még kevésbé a szociális szándékot.

Vagy két és fél esztendővel később Karczag tisztázta e kérdést, bár ezzel le is leplezte a zeneszerző szándékait: „Egyre-másra azt hallom, hogy Lehár Ferenc szociális problémákat feszeget az Évában. Az isten szerelmére: elhangzik-e e zeneműben akár csak

114

egyetlen ilyen szó is? Ha a munkások lázonganak: az már szocializmus? A munkások meg akarják védeni Évát a fiatal gyártulajdonostól, aki el akarja őt csábítani; ez természetes emberi megnyilvánulás, és semmi köze nincs a szocializmushoz." (137) Vagyis nem sok maradt meg a szerzők szándékából. Már az ősbemutató idején felmerült a kérdés, hová is kell ezt a művet besorolni:

„Operettnek titulálják a művet, ám nem az. Amit bemutatnak, az valami konglomerátum, operettből, nagyoperából, varietévaudeville-ből, színjátékból, népszínműből és párizsi erkölcsrajzból összefoldozva. Érthető, ha ilyen toldott-foldott anyag nem áll össze stílusos egésszé." (135)

Számos kritika mindazonáltal dicsérően emelte ki a kompozíciót: „A zeneszerző ezúttal nagy, művészi ambícióval mutatja meg, mily érett a művészete, mennyire tökéletes a technikai tudása és formaművészete. Egyetlen korábbi operettjében sem találkozunk a jelenetek, számok és finálék ily előkelő és elegáns megformálásával. Soha nem zengett a zenekara ily gazdagon, ily káprázatosan, ily igézetesen, mint itt. Rafináltan és érzékenyen vezeti és elegyíti a hangokat, s elmaradt az a túl bőséges zenei szirup-adalék is, mely annyira bántó volt a korábbi operettekben." (132)

A kritika egyre-másra azt követelte, hogy Lehár szerezzen jobb librettókat. A *Berliner Tageblatt* 1926. február 4-i számában olvasható, hogy ő maga hogyan vélekedett erről: „De hát mi a jó operettszövegkönyv? Számomra olyan könyv, melyből erős zenei fluidum árad, olyan könyv, mely első elolvasásra mély zenei izgalmat kelt bennem... És mi a rossz? Emlékszem azokra az időkre, a *Cigányszerelem* és az *Éva* bemutatójára; a kritika akkor egy emberként rávetette magát a librettókra, és szálanként szedte őket szét. Tudvalévő, hogy az operett a szövegkönyvön áll vagy bukik. Nos hát: megbukott a két operett? A *Cigányszerelem* Gregornál, az *Éva* egyedül Pálfinál sok száz előadást ért meg. ... De miért is beszéljek magamról. Régóta ismerjük a történetet, hogy mennyire elhagyatottan és egymagában ült a helyén Johann Strauss *A cigánybáró* főpróbája után, mert senki nem mert odamenni hozzá, megmondani, mennyire rossz az új operett szövegkönyve, s hogy kár minden hangjegyért, amit erre a bukás káinbélyegével a homlokán született tákolmányra pazarolt. S ma...?" (138)

Más izgalmakat is köszönhetett Lehár a sajtónak az *Évával* kapcsolatban. A *Corriere della Sera,* ez a nagy példányszámú, nagypolgári olasz újság azt közölte, hogy Tripoliban az *Évával* nyitottak meg egy új színházat. Tripoli, mai helyesírással Tripolisz, ma a Líbiai Köztársaság fővárosa. A XVI. században az oszmán birodalom része volt, s kis híján önállósodott. 1912–13-ban Olaszország annektálta a területet, s azon igyekezett, hogy a fővárosból egyfajta olasz vidéki várost csináljon.

A bécsi sajtó átvette a színház megnyitásáról szóló hírt, s lokálpatriotikus tapintatlansággal még fel is fújta: „Néhány esztendeje ez a Tripoli még holmi napsütötte sivatagi porfészek volt, ahol az arab muzulmánoknak még csak fogalma sem lehetett arról, micsoda csemege egy színházi előadás. Most meg esténként fellelkesülhetnek Lehár muzsikáján, s ütemesen ingathatják barna kobakjukat az Éva-keringő hangjaira" (139) – és így tovább. S persze mindenki Lehárt okolta a sajtó e soviniszta megnyilvánulásáért.

Ez idő tájt megvételre ajánlottak Lehárnak egy házat hőn szeretett Ischljében: a későbbi Lehár-villát. Az épületet Sabran-Ponteves Adelhaid hercegnő hagyta rá Kőröspataki Kálnoky Sándor grófra. Ám ő még kiskorú volt, s apja eladta Lehárnak a villát a mögötte álló épülettel együtt, összesen 68 000 koronáért. Az összeget Lehár készpénzben számolta le a gróf asztalára Bécsben, 1912 nyarán. Most már az övé volt a Rudolfskaion álló ingatlan.

A hátsó épületbe Sophie Meth költözött be, aki még mindig nem volt elvált asszony. Lehár a századforduló után ismerkedett meg vele; Sophie volt akkori nagy szerelmének, Ferry Weissenbergernek legjobb barátnője. 1903-ban már Sophie társaságában töltötte a szabadságát Ischlben, majd 1904-ben átköltözött a Marokkanergasséból a lány közelébe, a Schleifmühlgasséba, ahol annak apja, Sigmund Paschlis szőnyegkereskedő lakása volt. Sophie pedig a Paulanergasséban vett ki lakást, a Naschmarkt és a Theater an der Wien túloldalán, s ha fel akarták keresni egymást, mindkettejüknek el kellett haladnia a színház előtt. Elég soká tartott, amire Sophienak sikerült elérnie, hogy hivatalosan is elválasszák Meth úrtól.

Eleinte szükségből laktak külön-külön, ám ezt hamarosan meg is szokták. Ennek nyilván megvolt az az előnye is, hogy mindig vasárnapi hangulatban találkoztak. 1924. február 20-án kötöttek házasságot, húsz évvel azután, hogy bensőséges kapcsolat jött létre közöttük.

A késői házasságkötés tényét – a hivatalos procedúra feltűnés nélkül zajlott, hozzátartozók nem voltak jelen, csupán két véletlenszerűen adódó tanú – aztán megvizsgálták, kiértékelték és fel is fújták az életrajzírók meg a Lehár-kritikusok. Beethovennek megvolt a maga halhatatlan szerelmese, de az nem adatott meg neki, hogy együtt éljen vele, még kevésbé, hogy nőül vegye. Lehár szerelmese tetőtől talpig halandó földi lény volt. Faképnél hagyta a férjét, s húsz álló esztendeig együtt élt Lehárral, s csak érte élt. A kapcsolatot 1924-ben sikerült törvényesíteni, de ettől mi sem változott meg kettejük között. Milyen okos lehetett ez az asszony, mekkora beleérző képességgel rendelkezhetett, ha egy életen át megtartotta maga mellett a szeretett férfit, anélkül, hogy köteléket erőszakolt volna rá!

A Bad Ischl-i ház megvételekor Lehár túl volt a negyvenen. S az *Éva* bemutatóját követő években sokat járt külföldön. „Nemcsak Londonban, Párizsban, Pétervárott, Stockholmban, Koppenhágában és Konstantinápolyban vezényeltem a műveimet, hanem Németország, Svájc, Olaszország és a Duna-menti monarchia szinte valamennyi nagyobb városában is. Az új munkák mellett szívesen és kitartóan csiszolgattam a már kész műveket is." (10)

Gyakran mondogatták Lehárról, hogy nem volt rajta kívül olyan zeneszerző, aki oly sokszor dolgozta volna át műveit – mindaddig, míg végül biztos sikerre számíthattak. Sikerről és bukásról ő maga így vélekedett: „Megkockáztatom azt a persze kissé merész megjegyzést, hogy talán meg se tudnék bukni, mivel minden munkámat kínos precizitással végzem, s átgondolok minden egyes hangjegyet." (29)

Ami az átdolgozásokat illeti: csak ritkán került azért sor rájuk, mert Lehár szégyellte, ha nem aratott teljes sikert – persze azon is el kellene gondolkodni, mit jelent az operett esetében a teljes siker. Az *Éva* például rengeteg városban ment, s Colonel Savage, aki az Egyesült Államokban színre vitte *A víg özvegy*et, megszerezte az amerikai előadás jogát. Felkérte Lehárt, hogy írjon az *Évá*hoz egy tangót. Lehárnak akkoriban fogalma sem volt, mi is az a tangó. „Megkérdeztem, milyen jellegű a tangó, milyen a ritmusa. Azt a lakonikus sürgönyválaszt kaptam, hogy ¾-es ütem! Ettől persze nem lettem okosabb. Csak Monte Carlóban láttam azután tangót.

117

Egy Valparaisóból származó spanyol hölgy különórát adott nekem, s sok mindent elmesélt a tánc születéséről. ... A tangó modern tánc volt, a kor szülötte. Ugye megérti, mennyire felkeltette mindez egy zeneszerző érdeklődését." (140) A tangó Lehár következő művében is kapott szerepet. Ő így vélekedett erről a modern táncról: „Hihetetlen, mily gyorsan lett népszerű! A tangó lett a jó társaság tánca. Felhánytorgatták, hogy érzéki. Ezt is meg kellene gondolni. Hát nem az érzékek kábulata minden más tánc is? Majd' egy évszázaddal ezelőtt azt mondták, hogy a világ megrészegül a Strauss- és Lanner-féle keringőktől – most, századunk elején meg azt, hogy a tangótól! Gáláns tánc, elegáns tánc, szinte azt mondhatnók: modern menüett." (140)

A következő operett, melyben tangó szerepelt, *A bálványférj* átdolgozott változata, *A tökéletes asszony* volt; a teljesen modern mű cselekménye Spanyolországban játszódott. „Már évekkel azelőtt elterveztem, hogy új szövegkönyvet szerzek *A bálványférj* zenéjéhez. Brammer és Grünwald, a két librettista, írt is egyet, s abban szerepelt egy az eredeti változathoz hasonló motívum. Eleinte az volt a szándékom, hogy az új témához felhasználom a korábbi mű teljes zenéjét, ám munka közben kiderült: ez nem megy. Újabb meg újabb zenéket kellett komponálnom, hogy megfeleljek az új operett felépítésének és témájának. A zenének csak töredék része maradhatott meg eredeti formájában" (140) – nyilatkozott a zeneszerző a *Neues Wiener Tagblatt*nak. Ám egyetlen kritika sem mulasztotta el, hogy párhuzamokat keressen *A bálványférj*jel, hogy összehasonlítson, hogy kiemelje a különbségeket.

A sajtó ezúttal is, mint azelőtt is oly sokszor, a gondos zeneszerzői munkát dicsérte. Aki átvizsgálja a partitúrát s jól ismeri *A bálványférj*et, persze „lépten-nyomon találkozik jól ismert motívumokkal, keringőkkel, dalokkal és indulókkal. Ám most más arcukat mutatják az ismert dallamok. Annak idején vidáman odavetett háromnegyedes és kétnegyedes ütemekkel találkoztunk, dallamokkal, amelyeknek az volt a rendeltetése, hogy tessenek, hogy el lehessen őket fütyülni, dúdolni." (142) *A tökéletes asszony*ban a zeneszerző „kiemelte összefüggéseikből, más formába öntötte őket, rendkívüli hangszereléssel más arculatot adott nekik. Kedélyes keringők alakultak át drámai jelenetekké, bájos ötletek valódi témák rangjára emelkedtek... Nem a különlegesen spanyolosnak szánt részek a legértékesebbek, a harmadik felvonásba beiktatott varietészerű tangó teljesen kilóg a keretből." (142) Elhangzott az a kritikus megjegyzés is, hogy a zeneszerző nem képes elszakadni a „puccinis és patetikus hangvételtől". (102)

A tökéletes asszonnyal kapcsolatban meg kell emlékezni egy perről is. Ebbe Lehár azután bonyolódott bele, hogy Berlinben, a Monti-féle operettszínházban előadták a darabot, Fritzi Massaryval a főszerepben. Mármost 1901-ben előadták egy Ludwig Fulda nevű írónak *Az ikernővér* című darabját, s a Brammer- és Grünwald-féle szöveg fatális átfedéseket mutatott fel ezzel a darabbal. Fulda beperelte őket, hosszas bírósági eljárásra került sor; a szövegkönyvírók azt igyekeztek bizonyítani, hogy az efféle átvétel már az antik világban, Plautus idején sem volt ritkaság. A felek kiegyeztek egymással, ám Lehár soha többé nem dolgozott együtt a szerzőpárossal.

Az eset annál is kínosabban érintette Lehárt, mivel elnökségi tagja volt egy Bécsben épp akkortájt létrehozott szövetségnek, a *Drámaírók és Zeneszerzők Uniójának.* Olyan barátai ültek vele együtt az elnökségben, mint Eysler, Fall, Ziehrer, Kopeller és Weinberger. Ebben a pozíciójában Lehár nem engedhette meg magának, hogy a gyanú leghalványabb árnyéka is rávetődjék. Hogyan is képviselhette volna az Unióban tömörült osztrák írók érdekeit, ha németországi kollégáik érdekeit – tudtán kívül bár – megsértette!

A tökéletes asszony ősbemutatója előtti és utáni hónapokban nagy volt a nyugtalanság a Theater an der Wien társulatában. Karczag direktor úr hatalmas mozivá akarta átalakíttatni a színházat. A dologból végül nem lett semmi: a város vezetősége elutasította a tervet, a belügyminisztérium kijelentette, nem illetékes moziengedélyek kiadására, a rendőrkapitányság pedig 1914. január 8-án végleg elutasította Karczagot.

Ő pedig 1908-ban kibérelte még a Raimund Theatert is; a Theater an der Wien vezetősége második bemutatóhelynek használta ezt a színházat, mivel bizonyos operettek hatalmas sikere következtében alig lehetett az első épületben más darabokat is bemutatni. A Raimund Theaterben – ebben az eredetileg prózai színházban – eleinte csak a nyári szünetben, majd egyre gyakrabban mutattak be operetteket.

119

Mivel Lehár megvált a Brammer és Grünwald szerzőpárostól – ami amúgy is bekövetkezett volna, mivel nem értett egyet a javasolt témákkal –, ismét új szövegkönyvírók után kellett néznie. „Engem leginkább a rendkívüli vonzott, az, amit nem lehetett előre látni! Mint ahogyan a vérbeli hegymászó is előszeretettel keresi a csúcsra vezető új, még ki nem taposott utakat, mit sem törődve a lezuhanás veszélyével, úgy kutattam én is olyan könyvek után, melyek még járatlan utakat nyithattak meg előttem, olyan lehetőségeket tártak fel, melyek a kényelmes sétautakon túl keresendők, s olyan feladatokat róttak rám, ahol a nehézségek úgyszólván megduplázták alkotókedvemet. Ha nem kínáltak nekem ilyen könyveket, igyekeztem szövegkönyvíróimat arra bírni, hogy olyat írjanak, ami nekem kell. Mivel ilyenformán legtöbbször szétfeszítettük az operett ország- és világszerte szokványos kereteit, azzal vádolták őket, hogy nyaktörő kísérletekbe hajszolnak bele, holott ez a szemrehányás engem illet. Rekordként felemlíthetem a *Végre egyedül* című operettem második felvonását, ahol csupán két szereplő van a színen: egyedülálló jelenség az operett történetében, s általában példátlan vakmerőségnek tekintették." (88)

Egy teljes operett-felvonás csupán két szereplővel! Micsoda újdonság, milyen hallatlan újdonság! Maga az ötlet a szövegkönyvírók és a zeneszerző együttműködésének a gyümölcse.

Már 1913 tavaszán megszületett a döntés, hogy a Theater an der Wien a következő év tavaszán új Lehár-művet mutat be. Ez még jóval *A tökéletes asszony* bemutatója előtt történt. A nyarat Lehár – mint már évek óta mindig – Ischlben töltötte, hisz valamennyi vele kapcsolatban álló szövegkönyvíró ott vagy a környéken nyaralt – Léon, mint már említettük, Unterachban. Lehár a Café Esplanade-ban találkozott barátjával, Willnerrel. Meghánytávetették az újabb terveket, s Willner már másnap meghozta a *Végre egyedül* első vázlatát. Később úgy fogalmazott, hogy Lehár őt ama beszélgetés során úgyszólván hipnotizálta.

Olyan igen nagyon talán mégsem erőszakolta rá Lehár az óhajait Willnerre. Szövegkönyveinek kiválasztásakor „egyre inkább az a gondolat vezette, hogy valódi embereket állítson színpadra, szenvedélyeikkel, örömeikkel és bajaikkal egyetemben." (10) S nem volt ez másképp a *Végre egyedül* esetében sem.

Persze nem szabad elfelejteni, hogy Lehár „hús-vér emberei" a szövegkönyvben gyökereztek, és csak ebből a helyzetből volt módjuk önmaguk zenei kifejezésére. Lehár muzsikája csak a librettó határain belül juttathatta kifejezésre szenvedélyeiket, örömüket és bánatukat, ezt a kritika is tudomásul vette. „Lehár fejlődése figyelemre méltó komolyságról tanúskodik, s ez kétféle módon is megnyilatkozik: egyfelől abban, hogy milyen becsületesen és szigorúan munkál önmagán, másfelől abban, hogy egyre inkább nyilvánvaló, hogy elfordul a könnyű, felületes operett-fabrikálástól. Nagyon is figyelemre méltó, hogy éppen az a zeneszerző tér most ki szinte aggodalmasan a népszerű és olcsó hatások alól, aki a legnagyobb népszerűségre tett szert, és a legelsöprőbb közönségsikereket aratta; mintha megriadt volna önnön népszerűségétől, mintha elkívánkoznék a nagyüzemi sikergyártástól, s meg akarná menteni lelke zenei üdvösségét." (143) A kritikus elismerte: Lehár olyan feladatokat keres, amelyek kielégítik becsvágyát.

Persze már akkor is mondogatták: „Meglehet, hogy ez a becsvágy rossz irányban halad, hogy Lehár félreismeri igazi rendeltetését, azt, hogy értékes, elegáns operettzenét írjon. Ám olyan korban, amikor szinte mindenkit a külsődleges siker érdekel, örvendeznünk kell e tévedésen alapuló igényesség láttán: mindig szimpatikus, ha egy művész erősebb, mint önnön sikere." (143)

Lehár Ferenc azonban minden eszközzel küzdött az ellen, hogy az általa választott művészi utat becsvágya kifejezésének tekintsék. Évekkel később így beszélt erről egy interjúban: „Ilyesmit csak az állíthat, aki nem ismeri, nem érti az alkotás folyamatát. Azok a figurák, amelyek megragadnak, életre kelnek bennem, életük az én életem, érzésviláguk az én érzésvilágommá lesz, lényük, akárcsak a táj, amelyhez tartoznak, mint a levegő, amit belélegeznek, bennem zenévé alakul át." (144)

A Végre egyedül második felvonásában Lehár megvalósította ezt az elvet. „A felvonás egyetlen nagy szerelmi jelenet, a helyzet teljesen operaszerű, zenedrámai tisztázása." (143) Az az irónia, amivel a sajtó az operett tartalmát kommentálja, megint csak arról tanúskodik, mennyire elégedetlenek a kritikusok Lehár szövegkönyvíróival. „A színhely egy – alighanem elsőrendű – svájci szálloda, ahol egy fiatal attasé távolról rajong egy fiatal, gazdag s roppant excentrikus amerikai hölgyért, aki egy operettbe illő együgyű gróf jegyese. A báró semmi módon nem képes megközelíteni a hölgyet, hisz az ifjú attasék köztudomásúan roppant félénkek és ügyefogyottak...

Amikor aztán megtudja, hogy Dolly holmi idegcsiklandó kalandra vágyik a hegyek ormán, hegymászó-vezetőnek álcázza magát, s elcsábítja a hölgyet a magányos hegyormok világába. Dollynak eleinte igencsak tetszik a vezetője, ízlik a köröm közül fogyasztott szalonna, hízeleg neki a férfi szerelmes pillantása. Ám a férfi egyszercsak szerelmi ráadást követel a kialkudott vezetői díjon felül. Dolly megriad, indulna lefelé, de addigra rájuk tör a második finálé hosszú éjszakája: kénytelenek másnap reggelig az ormokon tanyázni. Dolly rájön, hogy vezetője manikűrözött jellem és gentleman, megvallják egymásnak szerelmüket, a lány elalszik, a férfi őrködik álma fölött, miután csupán a kezét csókolta meg szíve hölgyének – ifjú attasék köztudomásúan soha nem csókolják szájon szerelmüket...!

A felvonásközben az ifjú pár leereszkedett a hegyoromról, s a harmadik felvonásban épségben eljutnak a felbontott és újonnan megkötött eljegyzésektől hemzsegő szállodahallba... A középső felvonás merő szentimentalizmus és pátosz, a halál borzalmairól annyi szó esik, hogy az még egy operettnek is sok. A hegyormok magányában mintha a két librettistát is elhagyta volna a humor meg az elmeél: végre egyedül..." (143)

Ezúttal is más hangnembe csapnak át a kritikusok, amint a zenéről esik a szó: „Értékre, jelentőségre a zene révén tesz szert az operett. A második felvonásban alig akad beszélt mondat, minden egyebet a zene mond el, fejez ki; általában szigorúan operai eszközökkel, zenei dialógusok és drámai konfrontációk formájában, melyekhez a csodálatosan zengő zenekar fűz kifejezésteljes kommentárokat. Szinte valamennyi dallamot motívumszerűen dolgozott ki a zeneszerző, minden ötlet egy-egy téma rangjára emelkedik; ilyen mindenekelőtt a B-dúr keringő (Szép a világ), az operett vezérmotívuma. A közönség a második felvonásban szinte egy Wagnerelőadáson érzi magát; a komponista ünnepélyes Walkür- és Trisztán-gesztusai alighanem nehézségeket okoznak az átlagos operettközönségnek." (143)

Összefoglalóan talán így lehetne jellemezni a Végre egyedült: banális szövegkönyv, benne egy kísérlet – egy csak kétszereplős felvonás –, kellemes, helyenként a cselekményhez, illetve a helyzethez képest túl súlyos zenével.

A műnek nem volt különösebb sikere. Ám a *Végre egyedül* előadásai mindenképp alkalmat adtak néhány elvi kérdés tisztázására. 1914 áprilisában például ez volt olvasható: „Aki manapság ad valamit a tisztes polgári reputációjára, az becsmérlőleg nyilatkozik Lehárról, de boldog, ha titokban valamelyik keringőjét vagy indulóját hallhatja... Lehárt outsiderként kezelik, a magas kritika nem veszi komolyan, nem is alakított ki semmilyen igazi álláspontot vele szemben. A közönség viszont rajong érte; Lehár mindenképp a legismertebb zeneszerző, méghozzá valamennyi néprétegben. Márpedig Lessing híres mondása szerint – ez a legnagyobb elégtétel, amit művész kaphat. S ez az ember elég bölcs ahhoz, hogy ne törekedjék többre, mint amennyit tud. Megbízható muzsikus, aki iránt tulajdonképpen rokonszenvet érezhetünk. Működési területe a szórakoztató zene." (145)

Lehár egész életében tiltakozott a szórakoztató zene fogalma ellen. Egy 1941-ben kelt levelében ezt olvassuk: „Egyesek abból indulnak ki, hogy létezik külön úgynevezett szórakoztató zene – nyilván az úgynevezett komoly zenével szemben... Én nem ismerem a könnyűzene fogalmát! Csak jó és rossz zenéről tudok. Az előbbi megmarad, az utóbbi belehal önnön sekélyességébe." (146)

A *Végre egyedült* ritkán adták elő, de ha mégis elővették, mindenhol tetszést aratott. Berlinben majd' tizenkét évvel a megszületése után mutatták be, igaz, más címmel.

Az 1914. januári premier és némi vendég-karmesterkedés után Lehár ismét – mint minden esztendőben – Bad Ischlbe utazik: a városban most már ugyanúgy otthon van, mint Bécsben. Ám Magyarországgal is változatlanul szoros a kapcsolata. Vagyis Lehárnak hazája az Osztrák–Magyar Monarchia, Bécsestül, Ischlestül, Budapestestül. E Monarchia egén azonban már jó évtizede, talán már régebbről fogva is sűrűsödnek a viharfelhők.

Az osztrák kormány 1903 óta – talán már régebben is – arra törekedett, hogy gyengítse, netán meg is semmisítse Szerbiát. 1907 után már nyilvánvaló volt, hogy Bosznia és Hercegovina belátható időn belül igencsak szoros kapcsolatot teremt Szerbiával, aminek következtében ennek pozíciója tovább erősödött volna; a Monarchia tehát annektálta mindkét területet. A cári Oroszország nem volt felkészülve a háborúra, s védencével, Szerbiával együtt kénytelen volt tétlenül tudomásul venni a bekebelezést. Ettől a perctől fogva minden gondolkodó ember tudta, hogy küszöbön áll egy nagyarányú, átfogó háború – Ausztriával és Németországgal az egyik, Szerbiával és Oroszországgal a másik oldalon. Ferenc Ferdinánd, a trónörökös, Aehrenthal külügyminiszter és Conrad von Hötzendorf, a vezérkar főnöke voltak azok, akik a leginkább akarták ezt a háborút, amely persze – szerintük – nem végződhetett másképp, mint győzelemmel. Arra, hogy Ausztriát egyenrangú nemzetek szövetségévé lehetne tenni, egyikük sem gondolt. Kitört az első világháború, embermilliók pusztultak el, számos határ változott meg Európa térképén, s széthullott az Osztrák–Magyar Monarchia.

Ama évek eseményei – a további drágulás, a Délkelet-Európát az 1912 őszén és 1913 nyarán megrázkódtató Balkán-háborúk, és ezek hatása a Monarchiára – a Lehár-család tagjait sem hagyták érintetlenül. Lehár Emmi 1911-ben férjhez ment egy Pawlas Stefán nevű századoshoz, aki akkoriban az osztrák–magyar katonai kémelhárításnál dolgozott Bécsben, a vezérkar mellett. Az egyik házassági tanú Lehár Antal volt, Ferenc és Emmi testvére. Antalt 1907-ben nevezték ki tanárrá a Bruck an der Leithában működő katonai lövésziskolában, 1910-ben pedig korábbi ezredének századparancsnoka lett. 1913-ban tért vissza a lövésziskolába, őrnagyi rangban.

A családnak tehát két tagja is katonai pályán működött. Érthető, ha a család többi tagját is érintették a katonaság problémái.

Lehár Ferencet a családi gondokon-bajokon túl még egy szakmabeli bosszúság is foglalkoztatta. Két héttel a *Végre egyedül* ősbemutatója után Budapesten járt, s ott „levelet kapott dr. Samuely Kálmán ügyvédtől, bizonyos Popescu úr jogi képviselőjétől, melyben felszólították, hogy nyolc napon belül terjesszen elő javaslatot egy ügy békés rendezésére; maga az ügy azt jelentette, hogy Popescu úr részesedni kíván a *Végre egyedül* c. operett jövedelméből. ... Dr. Samuely közölte levelében, hogy a Popescu úrtól kapott információ szerint a *Végre egyedül* nem Lehár műve, hanem javarészt átvétel Popescu ‚Az ő nevenapja' c. operettjéből. Ha Popescu úr ilyet állított, akkor azzal vádolta Lehárt, hogy tudatosan vétett a szerzői jog előírásai ellen, vagyis hivatalból üldözendő, de legjobb esetben is becstelen cselekedetet követett el. Valójában Lehár soha életében nem látott egyetlen kottát, nem hallott egyetlen hangot sem Popescu úrtól... Kapcsolatuk csupán annyiból állott, hogy Lehár – 1913 novemberében vagy decemberében – ajánló sorokat írt érdekében a Theater an der Wien igazgatójának, mivel Popescu úr be óhajtotta nyújtani neki egyik darabját; eladdig Lehár azt sem tudta, hogy a világon van. Annak, hogy a vád légből kapott, az a legdöntőbb bizonyítéka, hogy a *Végre egyedül* zongorakivonata már az előző év augusztusának végén ki volt metszve – olyan időpontban tehát, amikor Lehárnak fogalma sem volt még Popescu úr létezéséről." (147)

Az eset nagy port vert fel. Popescu úr feljelentette Lehárt a bécsi tartományi bíróságon, szellemi javak eltulajdonítása címén. A tárgyaláson a bíróság úgy döntött (1914. április 26-án), hogy „a vádnak semmi néven nevezendő alapja nincs". (148)

Popescu úr nem nyugodott, folytatta a harcot Lehár ellen, ám a fellebbviteli bíróság is megerősítette az első fokon hozott döntést. Lehár most már úgy érezte, kénytelen Popescut becsületsértés címén feljelenteni. A tárgyaláson Popescu lelepleződött, nagyzoló szélhámosnak és rágalmazónak minősítették, és egyhavi elzárásra vagy 600 korona megfizetésére ítélték. Hát ilyen gondokkal küszködött Lehár 1914 tavaszán. Mivel már többször esett meg vele hasonló, ezúttal végre kénytelen volt erélyesen tiltakozni az ilyenfajta rágalmak ellen.

A tárgyalás után ismét csak Ischlbe utazott. Ott értesült – június 28-án, egy vasárnapon – arról, hogy Szarajevóban meggyilkolták Ferenc Ferdinánd trónörököst. Majd' egy hónapba tellett, mire az osztrák kormány megszakította a diplomáciai kapcsolatokat Szerbiával. Ez pedig háborút jelentett.

Időközben Lehár visszatért Bécsbe. „Leírhatatlan volt az iszonyatnak és a háborús lelkesedésnek az a keveréke, mely most egyszerre úrrá lett a városon." (133)

Az iszonyatot igencsak meg lehetett érteni; kevesen fogalmazták meg ennek okait olyan egyértelműen, mint Karl Kraus, aki „a nemzetek börtönének" bélyegezte a Habsburg-monarchiát, s a kormányról ezt írta: „A legnagyobb bűn azonban a világháborúért való felelősség s az a szándék, hogy nemzeteinek többségét gépfegyverrel lelkesítik a nekik gyűlöletes ügy szolgálatára. Villogott a pokol ama zseniális ötlet fényétől, hogy egy világháború révén csináljanak propagandát egy olyan államiság nagyzási mánia, rossz politika és tehetetlen közigazgatás által eltemetett emberi és természeti szépségének, amelyet a világ elutasít." (149)

A háború megkezdésének napján még aligha sejthette a bécsi átlagpolgár, mi lesz ezekből a kísérteties kezdetekből. „Már másnap kora reggel szállingóztak a házakba a behívók. Ápolónők siettek az utcákon fehér egyenruhájukban. Már kinyomtattak egy csomó háborús költeményt, szüntelenül harsog a Savoyai Jenő-induló. Július 28-án, délután négy órakor ismertették a Szerbia elleni formális hadüzenetet, s ez tovább fokozta az óriási feszültséget. Az élelmiszerek ára máris ugrásszerűen emelkedett; a városi tanács hiába igyekezett megfékezni az árdrágítást. A lapokban, melyek egyébként is egyre soványabbak lettek, megjelentek a cenzúra fehér foltjai. Mindenkit úgy ért a váratlan háború, mint valami rémálom, mint valami teljesen más, mint a dolgok eddigi biztonságos rendje: egyeseknek szép álomnak tűnt, másoknak kibírhatatlan lidérces álomnak." (133)

Antal, Lehár Ferenc öccse, „aki kiskölyök kora óta szolgált, aki mindenkor testestől-lelkestől katona és katonatiszt volt, nagy lelkesedéssel indult ebbe a szerencsétlen háborúba". (150) Szeptember 7-én lövés érte a bal csuklóját, majd súlyosabban is megsebesült: „Robbanó lövedék érte a csípőjét, reménytelen állapotban vitték a kötözőhelyre. Helyt adtak annak a kérésének, hogy Bécsbe szállítsák, s így, óriási kínok árán, Eiselberg udvari tanácsos klinikájára került. ... Több hónapos szenvedés után úgy döntött a legfőbb ellenőrző bizottság, hogy tartósan ,untauglich' a hadi szolgálatra, ám irodai szolgálatra alkalmas!" (151)

1915-ben berendelték a hadügyminisztérium elnökségi irodájába, és alezredessé nevezték ki. 1915–16-ban a tiroli tartományi védparancsnokságon dolgozott, 1916-ban az olasz frontra vezényelték. Benne is volt büszkeség, és „nehezen tűrte, hogy aki csak megismerkedett vele, rögtön azt kérdezte: ah, netán testvére a híres...?" (151)

Lehár Ferenc pedig keveset komponált. A háború kitörésekor bezárt számos osztrák és német színház. A bécsi udvari színházban 1914/15-ben október 18-án kezdődött a szezon; ugyancsak októberben nyitott a Theater an der Wien és a Raimund-Theater: megkezdődött az ún. háborús operettek konjunktúrája. Karczag direktor úr sietve felmelegített egy régi Kálmán-operettet: *Der Urlauber* – *Az obsitos* – volt a címe, ám az októberben beindított nemesfémgyűjtés hatására átkeresztelte *Aranyat vasért*-ra. Karl Kraus, ez idő tájt is az ország lelkiismerete, így kommentálta a dolgot: „Hogy a csillagos ég auspiciumai alatt lejátszódhatott egy *Aranyat vasért* című operett, jobban elgondolkoztatja majd az utánunk jövőket a világháborúról, mint valamennyi történelemkönyv együttvéve... hogy azon a napon, amikor negyvenezer férfi, kit mind anya szült, elpusztult az árammal telített drótok között, Gerda Walde szmoking-ingmellben éppen ezt olvasta fel a felvonásközben s hogy Victor Léont éppen ezért még ki is tapsolják a függöny elé – ez, ha évmilliók múlva még lesz emberi szív, többet mond el rólunk, mint maguk a tettek." (152)

Ám a Theater an der Wiennek ez sem volt elég. A Raimund-Theater, amely ekkoriban még nem volt igazán operettszínpad, bemutatott egy *Jöjj, német testvér* című korképet, melybe beleaplikálták Lehár Ferenc és Edmund Eysler néhány zeneszámát.

Nem szabad persze túlbecsülni Lehár közreműködését ebben a vállalkozásban. Ő korántsem komponált efféle háborús operetteket. Szerzett néhány indulót azoknak az ezredeknek, melyeknél öccse, Antal szolgált, s akad néhány dal is, melyet a háború első hónapjaiban írt, de ezek is nagyon különböznek a szokványos hurrá-hazafiságtól; inkább olyat komponált, mint az, melynek szövegét Hugo Zuckermann írta: Drüben am Wiesenrand / hocken zwei Dohlen; / fall' ich am Donaustrand? / Sterb ich in Polen?... (Odaát a rétnek szélén / két csóka üldögél; / a Duna partján esem-e el? / Lengyelországban ér-e a halál?). Ilyen az Erwin Weill verse nyomán keletkezett *Láz* című dal is; ezt Lehár azután komponálta, hogy öccse kórházi ágya mellett átélte Antal vívódását a halállal.

Ám 1918 utánra két operett is elkészült: az egyik Josef Jarno Theater in der Josefstadtja számára: a *Sterngucker* – *Csillagok bolondja* – az ősbemutatóra 1916. január közepén került sor. A helyszín kissé meglepő, hiszen a Theater in der Josefstadt mindig is prózai színház volt, s máig is az.

Karczag és Lehár között súrlódásokra került sor, s mivel Jarno direktor úr teljesítette Lehár kívánságait – külön zenekart állított össze a darabhoz, s leszerződtette Louis Treumannt és Louise Kartouscht –, a darab az ő színházában került színre. Fritz Löhner személyében Lehár új szövegkönyvírót talált. „Löhner már nevet szerzett magának egy sor drasztikus-szatírikus verssel; szellemes ember volt, s különösen a poénok kihegyezésében jeleskedett. Ez már feljogosít arra, hogy az ember megírjon egy szövegkönyvet, s arra is, hogy humorosan beszéltesse-énekeltesse a szereplőket. Ahhoz persze, hogy a szereplők éljenek is, hogy elevenek legyenek a színpadon, ennél több kell. Bármilyen színházi iparos képes megtáncoltatni egy komikus figurát a színpadon. Ám az olyan különös, kedves és kedélyes ember megrajzolásához, amilyen az operett hőse, nagy adag művészet és annál is több kézművesség szükségeltetik. Löhner egyikkel sem rendelkezett." (153)

Ez volt a sajtó ítélete: megint egyszer megbukott Lehár egyik szövegkönyvírója.

A Csillagok bolondjában szerepel egy csillagász – ám a címnek szimbolikus jelentése is van. „Ez a csillagász afféle tiszta szívű, ártatlan fickó, s legfőképpen teljesen járatlan a szerelemben. Aki a fellegekben jár, persze mit sem tudhat a földi dolgokról. Így történhetett, hogy egy este nem kevesebb mint három ifjú hölggyel jegyezte el magát. Ez történik az első felvonásban. A második felvonásban szolgája révén megszabadul két menyasszonytól, ám a harmadikat el kell vennie feleségül. Ezzel véget is érne a darab, de következik a harmadik felvonás s vele együtt a kisiklás" (153), mert elmarad a szokásos finálé.

A kritika elmélázott azon, hová is tegye ezt a művet. „Tudjuk, hogy Lehár soha nem akart legutolsó sikerének a rabja maradni. Bármennyire tetszett is valamelyik műve, a következő alkalommal valami másra törekedett! Valami jobbra, szándékai szerint mindenképp valami magasabbrendűre. Így jutott el a kezdeti vidám számokból összeálló operettől a líraian ingerkedő operetthez, onnan a mélyebb lírát tükrözőkhöz, és végül a drámai operetthez. Úgy érezzük, mintha most a zenés vígjáték formájába akarná önteni az operettet. Ezért hát száműzte a finálét, lemondott a nagy, zenedrámaian felépített homlokzatról; ez bizonyára fáj az oly merészlendületesen építkező Lehárnak. Azzal vigasztalódik talán, hogy a fináléval együtt leparancsolta a színpadról ennek sokat szidott hordozóit, a teljességgel indokolatlan kórista-hölgyeket és -urakat, akikben a kétkedők mindig is a hagyományos operett-idiotizmus oszlopait vélték felfedezni." (153)

Talán meglepő, hogy az emberek a jó – vagy inkább: a rossz – öreg operett reformjával törődtek ezekben a háborús időkben, hiszen annyira más kérdések voltak napirenden! „Államilag maximálták az árakat, ám ez nem hozott mást, mint vadul burjánzó feketekereskedelmet. Felbukkant az árpagyönggyel, kukoricával és krumplival vegyített liszt, a fehér pékáru teljesen eltűnt. Korábban zártak a nyilvános helyek. Már 1915-ben óvni kellett a munkát keresőket attól, hogy Bécsbe áramoljanak. Hamarosan megkezdődött a sorbanállás a pékségek előtt, és ezen semmiféle intézkedés nem segített." (133)

Még elő sem adták a *Csillagok bolondját*, amikor „tovább drágultak az élelmiszerek, minőségük pedig tovább romlott. A harmadik hadikölcsön nyomán tovább romlott a pénz, újból gyűjtötték a fémet, a templomi harangokat lefoglalták hadicélokra." (133)

Magának Lehárnak sohasem kellett közvetlenül szembenéznie a harci eseményekkel. Többször adott koncertet a fronthoz közeli területeken – ezt el is várták tőle – frontkatonák vagy sebesültek előtt. 1916 tavaszán meghívást kapott a lipcsei operettszínháztól a *Luxemburg grófja* néhány vendégjátékának dirigálására; a vendégjátékok színhelye a franciaországi Lille volt. „1916 pünkösd vasárnapján indultam útnak, s Belgiumon keresztül érkeztem Észak-Franciaországba. Útközben, francia földön, mindenütt láttam a franciák heves ellenállásának nyomait. A Hotel Royalban szálltam meg, ahol érkezésemkor átadtak egy kenyér- és egy húsjegyet, 60 gramm értékben. Első látogatásomkor a stuttgarti Hofoper adta elő *A mesterdalnokok*at. ... A szünetben kizárólag tiszteket láttam az első sorokban, a többiben, fel egészen a karzatokig, a legénység ült. 16-án került sor *Luxemburg*om előadására. Mindenki a legnagyobb lelkesedéssel játszott, telt ház előtt. Egy piano-helyen géppuskaropogást lehetett hallani, jelezve, hogy ellenséges gép köröz a város felett. Előadás után megtudtuk, hogy lelőttek egy angol gépet. Éjszakánként rendszeresen feldübörögtek a lövegek, közben egyhangúan kattogtak a gépfegyverek. A láthatáron vörös villámok cikáztak, aztán világítóbombák tűntek fel az égen. Ottlétünk alatt hangversenyt adtunk egy kórházban is. A lipcsei színház művészei elénekelték a Fritz Löhner szövegére írt ellenállási dalomat

129

(*Trutzlied*), melyet a német császárnak ajánlottunk, továbbá dalokat adtak elő az *Évából* és a *Luxemburg grófjából*...

Mielőtt elutaztam, meg kellett ígérnem, hogy ősszel újra eljövök, és eldirigálom az *Évát* és a *Cigányszerelmet*. Visszautaztomban megálltam Brüsszelben is, mivel megtudtam, hogy egy elsőrendű társulat éppen a *Luxemburg grófját* játssza, francia nyelven. A minden ízében párizsi minta szerint rendezett előadás igazán dicséretre méltó volt." (154)

Willner, Lehár barátja, mindenáron el akarta érni, hogy az év vége felé előadják a *Csillagok bolondját*. Az átdolgozást 1916 őszén tűzték műsorra a Theater an der Wienben, ám 1918 tavaszáig csak hetvenhétszer adták elő, azután soha többé.

A sajtó kutatta a kudarc okát. „Lehár, a kereső, a tapogatózó ember, aki szívesen megreformálta volna az operettet, és aki minden bizonnyal a legalkalmasabb volna erre a feladatra, a jelek szerint alulmaradt a szerzők, igazgatók és kiadók támasztotta igényekkel szemben." (155) Holott „Lehár muzsikája egyre előkelőbb. Vonzó melodikája, sajátosan felépített hangzatai és lenyűgöző hangszerelése megörvendeztet minden zeneértőt, ám ugyanő nem fojthatja el sajnálkozását afölött, hogy ez a muzsika nem jobb, nem méltóbb szövegkönyvek köré fonódik." (155)

Akadtak persze más vélemények is. Szó esett a „tehetséges dr. Fritz Löhner"-ről meg dr. Willnerről, aki „már oly sokszor bevált", magáról a kompozícióról pedig ez volt olvasható: „Mindenekelőtt a finálékat sikerült pompásan lekerekíteni s új, kiváló tartalommal megtölteni. Ebben s a varázslatosan szép hangszerelésben tárul fel a komponista elsőrendűen művészi tehetsége: ezerszer több muzsika és művészi tudás lakozik benne, mint nem egy nagyképű, ám tehetségtelen opera-komponistában, aki úgy véli, szánakozva lenézheti a könnyű műfaj e mesterét." (156)

Nem nagyon szerencsés ötlet persze a magas művészetet képviselő operett- és a tehetségtelen operaszerző összehasonlítása, s Lehár maga is tiltakozott az opera- és operettzene állandó szembeállítása ellen: „Igen különös úgy elképzelni az operát és az operettet, mint két harapós ebet, amint az udvarban, a kutyaházhoz láncolva, vicsorogva megugatják egymást, mihelyt egyikük megkísérli, hogy valamicskét közeledjék a másikhoz." (144)

Az sem vitás, hogy a napi eseményeknek is része volt a *Csillagok bolondja* gyenge fogadtatásában: „1916 szeptembere óta Bécsben hetenként háromszor tilos volt a hús.'... A fokozódó élelmiszerhiány miatt zsírjegyeket kellett kibocsátani... Újabb árakat maximáltak. ... aminek következtében kiürült a bécsi piac. Ha egy parasztcsak néhány fillérrel is túllépte a maximált árakat, súlyosan megbüntették, mire ő visszavonult a piacról. A nagy konszernek ezzel szemben elfogadtatták a kormánnyal felemelt áraikat." (133) „Mivel a közigazgatás nem volt képes Ausztria tartalékainak egyenletes elosztására, az ország két osztályra hullott szét: a jóllakottak és az éhezők osztályára. Az éhezők pedig sok milliónyian voltak." (157)

Két hónappal azután, hogy a Theater an der Wienben bemutatták a *Csillagok bolondjá*t, 1916. november 21-én, Schönbrunnban meghalt Ferenc József, a császár és király. A Habsburg-monarchia intézménye csak két esztendővel élte őt túl, ám ez az idő is a lassú haldoklás ideje volt csupán.

A *Csillagok bolondja* 1916. januári bemutatója és a következő operett között két esztendő telt el, s ez az időszak Kálmán-, Fall- és Eysler-művek sorozatos előadásai jegyében telt el. Lehár neve ritkán volt hallható Bécsen kívül is. 1916-ban előadtak a Deutsches Volkstheaterben egy magyar vígjátékot, s abban felcsendült egy Lehár-keringő dallama. A zeneszerző olykor vezényelt ugyan, de nem túl gyakran, s akkor is idegenben, így például 1917 áprilisában. Paul Guttmann, az *Éva* bécsi rendezője, Konstantinápolyban – a mai Isztambulban – szervezett operett-vendégjátékokat, s Lehár ott vezényelte az *Éva* előadását a Vörös félhold – a Vöröskereszt törökországi megfelelőjének – javára.

Vendégszerepelt továbbá Zürichben és Budapesten – erre még vissza fogunk térni –, s aztán ismét megindult a pergőtűz Lehár és az operett műfaja ellen. Ahogy nőtt az operett sikere, úgy sokszorozódtak a támadások, s olykor a sajtó is megszólalt ez ügyben: „Lehár Ferenc a modern operett-komponista típuspéldája. Az ő nevében testesül meg a műfaj, szinte csak az ő keblére irányul mindaz a mérgezett nyíl, amiket a vakmerő tudatlanság lődöz szét biztos fedezéke mögül. Nem kell éppen egyetérteni a mai operett szerkezetével, nem kell helyeselni a kinöveseit, s egy Lehár-keringő mégis jelentősebb lehet nagyképű kortárs muzsikusaink nem egy vigasztalan szimfóniájánál, akik talán csak azért borítják megvető haragjuk kelyhét Lehár fejére, mert neki pont az jutott az eszébe, amire ők hiába is törekednek." (158)

Éppen e háborús időkben vetette magát Lehár különleges hévvel az operett körüli vitákba. Erről tanúskodik az a nyilatkozata, melyet 1918. január 14-én adott a *Sonn- und Montagszeitung*nak: „Nem akarok a műítész szerepében tetszelegni, s azt sem állítom, hogy mindaz, amit operettnek hívnak, valóban jó. Az ellenkezője igaz: igen sok a rossz operett. Az azonban igazságtalanság, hogy mindent egy kalap alá vesznek. Ha egy szabó elszab egy nadrágot, nem mondjuk azt, hogy mindegyik szabó rossz szabó, hanem azt, hogy ez vagy az a szabó rosszul varrt meg egy nadrágot. Tulajdonképpen csak az a kérdés, hogy miért is rohan a közönség az operettekhez... Nemcsak azért, mert az emberek jobban szeretik ezt a műfajt, mint a többi színházi előadást. Az operettelőadás lényegesen különbözik a más színházi előadásétól. A színházak a hosszan tartó siker reményében gondosabban készülnek, több a próba, gazdagabb a kiállítás, általában vadonatújak a kosztümök és a díszletek, s igen intenzív az előzetes reklámozás; gondoskodnak mindazokról az előfeltételekről, amelyekkel felkelthető a közönség érdeklődése. Ha aztán valóban nagy a siker, akkor elsősorban maga a közönség népszerűsíti az operetteket. Városszerte muzsikálják és éneklik a dallamokat, lemásolják a színésznők ruháit, terjesztik a hallott vicceket, bár ez utóbbira csak ritkán adódik mód. Prózai műveknél minderre nincs lehetőség." (159)

A zeneszerző talán azért is vetette bele magát az operett körüli vitákba, hogy elterelje a figyelmét a háborúról és annak következményeiről.

A háború utolsó hónapjaiban Bécs már korántsem volt szép. „Minden területen fokozódott a nyomor. Piacra került a karalábé; másról sem esett szó, mint arról, hogy összeomlott a közlekedés, nem kapni cipőt, nem kapni krumplit ... a tejárusítást még jobban meg kellett szorítani, s korlátozni kellett a közvilágítást, még az utcai órákét is ... Hogy valamiképpen bővítsék az élelmiszerválasztékot, felhívták a lakosság figyelmét a csalánra, gyermekláncfű-levélre, vadsóskára, cickafarkra és más effélékre..." (133) Ám a gyomnövények aligha pótolhatták a hiányzó zöldséget, főzeléknövényeket és a gyümölcsöt: a bécsiek rászorultak a feketekereskedelemre.

Bizonyos, hogy Lehár boldog volt, ha csak kis időre is elhagyhatta Bécset. Budapesten élt egy régi barátja: dr. Martos Ferenc, aki mutatott neki egy operett-tervezetet, s az tetszett is a zeneszerzőnek. A darab olyan környezetben játszódott, melyet Lehár jól ismert: Magyarországon. Bármilyen nehezek voltak is a körülmények, Lehár az egész őszön át komponált, ám a Theater an der Wienben való előadással nehézségek adódtak. 1918 elejére még nyomorúságosabbak lettek a viszonyok. Januárban már tisztán kirajzolódott a Monarchia végének kezdete. Január 18-án kitört Ausztria-Magyarországon az általános sztrájk, mely azonban egyes szociáldemokrata vezetők gyávasága és opportunizmusa miatt, valamint a rendőrség brutális terrorja következtében hamar véget ért. Február 1-jén fellázadtak az osztrák–magyar hadiflotta matrózai a dalmáciai Cattaróban (ma: Kotor, Jugoszlávia). A katonák lázadoztak vagy dezertáltak: tovább mélyült a nyomor, holott aligha látszott tovább fokozhatónak.

Az események közvetlenül is befolyásolták a következő mű színrevitelét. Az ősbemutatóra nem is Bécsben, hanem – Martos Ferenc összeköttetéseinek köszönhetően – Budapesten került sor, pontosan két héttel azelőtt, hogy a sztrájk hullámai elérték ezt a várost is. A januári napokra következő mozgalmas hetekben az operett aligha válthatott ki bárminő visszhangot. Az 1918. március 3-án megkötött breszt-litovszki béke révén legalább Keleten megszűnt a háború. A bécsiek fellobogózták a várost, a Stefansdomban ünnepélyes Te Deumot celebráltak. Márciusban megkezdődhettek a próbák a Theater an der Wienben. Willner, Lehár barátja, és a fiatal Heinz Reichert lefordították a szövegkönyvet, s március végén sor került a Pacsirta bécsi bemutatójára – a nagyközönség tudatában a tulajdonképpeni ősbemutatóra.

A bécsi közönség már annak is örült, hogy néhány órára megfeledkezhetett a valóságról. „Új Lehár-mű! Önmagában is szenzáció, melyet nyomon követ a kíváncsiság, az izgalom: egybegyűlnek a kedvelt zeneszerző barátai, tisztelői és mindazok, akik úgy érzik: ott kell lenniük." (160) Az izgalom hamarosan lelohadt, legalábbis a szövegkönyvet illetően, hiszen nem volt nehéz rájönni, honnan is merítette Martos a librettóját: „Birch-Pfeiffer asszony Falu és város c. könnyfakasztó drámájából. A Fekete-erdőben fekvő falu áttelepült a pusztára, a Reinhart nevű festőből Sándor lett, Lorlé-

Pacsirta – Kosáry Emmy és Király Ernő (1918)

ból, a Hársfa-vendéglős leánykájából pedig egy Margit nevű parasztlány. A teljesség kedvéért átkerült a műbe az előkép démoni Kirkéje, ezúttal Vilmaként, aki énekesnő, s a lábfejet szabadon hagyó ruháival, selyemharisnyáival s a nagyvárosi kultúra más efféle eszközei latba vetésével megzavarja a festő és a parasztleányka idilljét. Akárcsak Birch-Pfeiffer asszony által megalkotott kollégája, Sándor is addig festegeti a parasztleányka portréját, míg fel nem ismeri benne az ideált. Sőt: elszereti őt bicskázásra hajlamos, ám egyebekben aranyszívű vőlegényétől, s nagypapástul, pacsirtástul és némi mezőgazdasági szerszámmal egyetemben elviszi magával Budapestre. Ott aztán nagy műgonddal munkálkodik a leányka mondén neveltetésén s portréján; ám amikor a képpel elnyeri az első díjat, előbukkan önző művésztemperamentuma. A néző hiába reméli, hátha egyszer csak megjelenik Birch-Pfeiffer asszony a színen, s majd elboronál mindent. Szó sincs róla. A dolgok menete szigorúan követi az operett szabályait, van itt minden, ami csak kell: forró lemondás és megtört szívek. A festő megkapja a selyemharisnyás boszorkányt, a parasztlány a bicskás vőlegényt. A modern szövegkönyvírók kérlelhetetlen pszichológusok, s a harmadik felvonásvég érdekében könyörtelenül átgázolnak akár hullákon és pacsirtákon is." (161)

Vagyis megint a maró irónia dominál, ha a kritika a librettóval foglalkozik. Ez volt az első olyan operett, ahol a párok végül nem lesznek egymáséi. Innen már csak egy lépés Lehár kései műveiig.

Az igazi kifogások a *Pacsirta* ellen azonban más természetűek voltak: „Bármennyire s bármily őszintén érdeklődjék is a rosszul táplálkozó nagyvárosi ember a falusi-paraszti viszonyok iránt, mégis meglehetősen kimerítő három teljes óra hosszat e mezőgazdasági szívügyekre figyelni. A három felvonás olyan, mint valami rosszul megszervezett szalonparaszt-bál, minden csupa mesterkélt naivitás, kimódolt egyszerűség; szentimentálisak, édeskések és pajzánkodók, igen hosszúak, nem szórakoztatóak – röviden: roppant unalmas az egész." (161)

A zenét – szokás szerint – megdicsérték. „Lehár nemcsak ötletgazdag művész, ráadásul vérbeli muzsikus is, hangszerelése a legtökéletesebben kidolgozott; s így a melodikus gondolat bármily könnyen érthető is, összhangzattanilag érdekes alapokon nyugszik; olyan művész, akinek alkotó tehetségét a hangszerelés is bizonyítja, aki magasröptű fantáziával alkot ott is, ahol általában csak az iparosmunka szokott elterpeszkedni." (158)

Ám ahogy szaporodtak a művek, úgy lopódzott be az általánosságban tartott dicséret közé valami árnyaltabb kritika is. Íme egy példa: „Lehárt alighanem a magyaros paraszti, primitív környezet csábította ennek a szövegkönyvnek a megzenésítésére. Legfőképp az első felvonáson érződik a törekvés, hogy zenei kifejezést adjon a parasztemberek és azok érzései egyszerűségének. Ami azonban a zenekarban felcsendül, nem más, mint roppant művészien hangszerelt, rafinált és gondosan ápolt primitivitás. Az uralkodó elem a pusztai elégia, szinte mindent elborít valami mindig egyforma, enyhén fakó kolorit: egyre-másra szót kér az epekedő, koncertáló hegedű, a zokogó fuvola s a lehári zenekar többi jól ismert eleme." (161)

Akár jó volt a kritika, akár mérsékelt, a *Pacsirta* iránt óriási volt a kereslet, s változatlanul óriási maradt. 1918 vége felé, de még inkább 1919-ben hetenként kétszer zárva maradtak a színházak, s annak ellenére, hogy más műveket is elő kellett adni – mindenekelőtt a munkások számára rendezett különelőadásokon –, a *Pacsirta* 1919 nyaráig háromszáznyolcvanszor került színre; a német nyelvű színházakban pedig összesen kerek 1500 előadást lehetett összeszámlálni.

Alig egy évvel az ősbemutató után a berlini Theater am Nollendorfplatz is műsorára tűzte a *Pacsirtá*t. Nem egy kritikus felismerte, hogy miért is vált ki ez az idillikus történet ekkora visszhangot: „Ahol a pacsirta dalol, ott béke honol, oda nem érnek el a kor vad viharai. Ott, az isten háta mögött feltárul az a boldogság, melyre annyira vágyik a hajszolt életű nagyvárosi ember." (162) S alighanem ugyanerre a közérzetre vezethető vissza az olyan művek hatalmas sikere is, mint a *Das Schwarzwaldmädel (A Fekete-erdei kislány)* meg a *Három a kislány.*

Weisskirchner, Bécs városának főpolgármestere a nyilvánosság előtt jelentette ki 1918. július 17-én: „Elérkeztünk a dráma utolsó felvonásához", s ez igaz is volt. Júniusban összeomlott az olaszországi offenzíva. Hiábavaló volt az egyes emberek vitézsége, többek között Lehár Antalé is, aki 1918 augusztusában megkapta a katonai Mária Terézia-rend lovagkeresztjét, s ezzel együtt a magyar bárói rangot. (Ennek felel meg a német Freiherr cím – a ford.)

Károly császár – a magyarok IV. Károly királya – október 17-én megkísérelte, hogy némi bizonytalan ígéretekkel feltartóztassa a Monarchia közelgő összeomlását. Ám csehek és szlovákok, magyarok és lengyelek, szerbek és szlovének boldogok voltak, hogy végre kiszabadulhatnak az osztrák államiság kötelékéből. Ami ezután következett, többé-kevésbé logikus volt: általános sztrájk, ideiglenes nemzetgyűlés, választások, a katonák hazaszivárgása, munkásés katonatanácsok létrehozása... Viharos idők jártak a háború befejezte után Ausztriában, Magyarországon, magában Bécsben, s persze Lehár Ferenc életében is. Másfajta Ausztriában élt ezután, mint amelyikben felnőtt. A régi kettős monarchiából hatmilliós lélekszámú, kicsike ország maradt meg az Alpok hátán, kétmilliós „vízfejjel", ahogyan akkoriban Bécset nevezték. S erre a kis országra rátört a fékezhetetlen infláció. A háborút úgy finanszírozták, hogy nekieresztették a bankóprést. A háború kitörésekor alig több mint kétmillió korona volt forgalomban a Monarchiában. Az állami bank aranytartaléka 1918 októberére a réginek egyötödére csökkent, ám 31 milliárd névértékű bankjegy volt forgalomban! Egy évvel a háború befejezte után száz koronát adtak egy dollárért, 1920 végén már ezret, 1921 végén ötezret. 1922 volt a legszörnyűbb esztendő: márciustól szeptemberig 7000-ről 70 000 koronára ugrott a dollár árfolyama. Csak 1922. november 18-án állították le a bankóprést, s a pénzt akkorra már értékállónak lehetett tekinteni. Igaz: a korona a háború előtti értékének már csak tizenötezrednyi részét érte.

Az infláció nem csupán a készpénzt érintette: hatással volt a takarékbetétekre is – a Lehár Ferencét sem kivéve. Ó, azok a háború utáni első évek! Bécs didergett, szén nem volt kapható, akkor kezdték el a mesélő bécsi erdő fáit is kivágni. Hidegek voltak a színházak, s Lehár lakása is fűtetlenül maradt. A zeneszerző alaposan megfázott, az orrán nőtt furunkulussal még a sajtó is foglalkozott.

Lehár tehát 1920 januárjában kényszermegoldáshoz folyamodott. Mivel senki nem állt melléje, egymagában lépett a nyilvánosság elé. Álinterjút írt egy meg nem nevezett beszélgetőpartnerrel, s meg is jelentette a *Wiener Allgemeine Zeitung*ban. Nem létező partnerével „mesternek" szólíttatta magát, s elmondatta vele, hogy ő – Lehár – „Bécs legnagyobb operettkomponistája". Mivel a cáfolat köztudomásúan a közlés legdiszkrétebb formája, Lehár cáfolta azt a rémhírt, hogy el akarja hagyni Bécset. Abban reménykedett, hogy e fenyegetésnek szánt álhír révén javíthat valamit szorongatott helyzetén. Hiszen nem csak arról volt szó, hogy lakását nem tudta fűteni; éjszakára még a villanyt is kikapcsolták! Márpedig Lehár éjszaka dolgozott, s e korlátozás az elevenébe vágott. „Egyelőre mégis Bécsben maradok – közölte a képzelt riporterrel –, elvégre megszerettem ezt a sárfészket. Akkor is, ha az utóbbi időben roppant barátságtalanul néz ki, s ha a körülmények egyre vigasztalanabbak is; akkor is, ha a bécsiek, az alacsonyrendű giccs alapján ítélkezvén, még mindig nem tekintik az operettet művészetnek; akkor is, ha a szellemi munka valutájának értéke napról napra csökken! Mindaddig, amíg Bécsre nem potyognak mennykövek az égből, s amíg akad a munkástanácsnak olyan tagja, aki az én melódiáimat fütyüli, addig itt maradok. Külföldön persze…! Micsoda csábos ajánlatok érkeznek onnan, a földi paradicsomot kínálják a fűtetlen lakás helyett, kitüntetéseket és sok más egyebet. Egyelőre Bécsben maradok…" (163) Az „egyelőre" arra szolgált, hogy nyitva tartsa a távozás lehetőségét, a „maradok" meg a maradásét. Lehár egyetlen olyan ajtót sem akart végleg becsapni, amelyiken egyszer még talán át kell mennie. Az álinterjú során szót ejtett későbbi terveiről is, s néhány egyértelmű figyelmeztetéssel arra igyekezett rábírni Karczagot, hogy a *Pacsirta* mellett műsoron lévő, más szerzőktől származó operetteket igyekezzék minél hamarabb átvinni a Raimund-Theaterbe, hogy jusson hely Lehár következő műve számára.

Ezt írta többek között: „Készen áll *A kék mazur*. Hogy hol fogják játszani? Egyelőre még bizonytalan. Netán Bécsben? Vagy előbb még valahol máshol? Akárcsak a *Pacsirtát* annak idején Budapesten! Mindenesetre jön, jön, jön az új Lehár, *az* operett, nem egyszerűen *egy* operett… S van még egy kínai operett is, amelyet már csak hangszerelni kell. Meg egy spanyol tárgyú, amelynek készen van a zongorakivonata." (163)

Persze az *Allgemeine Zeitung*ban közölt nyilatkozat nem sokat segített. Bosszantó baleset történt: a szedő az álriport végére odatette a kéziraton olvasható „F. L." monogramot. Lehár nem tehetett egyebet, mint hogy még egyszer meginterjúvoltassa magát – ezúttal persze komolyan. A *Neues Wiener Journal* elküldte hozzá egyik munkatársát, aki persze sokkal jobban fogalmazta meg mindazt, ami Lehárt nyomasztotta, mint ő maga: „Ha könnyelműen hitelt adtunk volna a híreszteléseknek, akkor az utóbbi hónapokban többször is el kellett volna mennünk Lehár Ferenchez búcsúlátogatásra. Például akkor, amikor Bécs valamennyi színházának előcsarnokában arról folyt a szó, hogy Lehár nagyhirtelen felfedezte kebelében a cseh szívet, s arra gondol, hogy feladja bécsi illetőségét – melyről amúgy sincs papirosa –, s észak felé orientálódik, Kramář koronabankjegyeinek területe felé." (164)

Mert ilyesmiket beszéltek Bécsben; 1919 ősze óta „itt is, ott is elhangzott ellenem a vád, hogy elhagyom Bécset, és felveszem a cseh állampolgárságot. Légből – még hozzá nem is valami jó levegőből – kapott szemrehányás, hiszen jómagam sohasem dédelgettem ilyesfajta terveket." (164)

Az sem volt titok, hogy „nem vagyok bécsi, hanem Komáromban születtem, Prágában jártam a konzervatóriumba, s apám révén német–cseh vagyok. Soha életemben nem törödtem ezzel a hivatalos illetőséggel; a legtöbb ember osztráknak tekintette magát, s ott volt otthon, ahol dolgozott; jómagam, jócskán véletlenszerű cseh illetőségem ellenére, húsz esztendeje meglehetősen jó bécsi polgárnak tekintettem magamat... Abból a tényből, hogy megváltozott körülöttünk a világ, s hogy apám révén olyan okmánnyal rendelkezem, amelyik egyik napról a másikra külföldit csinált belőlem, aligha lehet vádat kovácsolni ellenem. Már csak azért sem, mert sohasem titkoltam, mily sokat köszönhetek Bécsnek, s mily jól érzem magamat itt; még olyan körülmények között is, amelyek éppenséggel nem könnyítik meg annak a szándéknak a megvalósítását, hogy bécsi legyek s az is maradjak." (164) A *Neues Wiener Journal* másféle szóbeszédről is hírt adott: „A színházi verebek most már jóval nagyobb aranytartalommal rendelkező dallamokról csicseregnek a háztetőkön – egyelőre ugyan nem azon a Theobaldgasse-i háztetőn, mely alatt Lehár úr elégedetten s költözködésre tulajdonképpen sem készen üldögél, s ahol a rémhírterjesztőknél nyugodtabban figyeli, vajon valóban nem élhet-e békésen itt a jó ember, ha – megtetszett a gazdag szomszédnak. Jelen esetben Amerika ez a szomszéd, s mivel Amerika éppen Ausztria kiárusításával foglalatoskodik, bátran kinyújthatja dollárral bélelt mocskos kezét a nemzet legszentebb javai után. Elvégre érthető, ha Ameri-

*A kék mazur
– Madányi
Antal és
Latabár Árpád
(1921)*

*A kék mazur
– Péchy Erzsi
és Nádor Jenő
(Király
Színház,
1921)*

kának arra támadna gusztusa, hogy egy régi Tintoretto-kép helyett inkább a jobb állagú Lehár urat válassza ki magának az ország csődtömegéből." (164)

Mire célzott itt az újságíró? Lehár neve rajta volt a bécsi operett-komponistáknak azon a listáján, akiket egy terepszemlére érkezett New York-i impresszárió ugyancsak szívesen elvitt volna magával Amerikába.

„Ami ennek az úrnak a tárgyalásait illeti: nem tudtam, mire szánták el, mire kötelezték el magukat a kollégáim. Csak annyit hallottam, hogy szó esett Oscar Straus, Leo Fall és Kálmán Imre amerikai turnéjáról. Nekem is felajánlották, hogy odaát vezényeljem el a műveimet, s hogy ebből a célból utazzam egyelőre New Yorkba, ami az itteni több évi idegeskedés után korántsem tűnhetett nemkívánatos változatosságnak. Kötelező megállapodásra azonban nem tudtam rászánni magam... Soha eszembe nem jutott, hogy feladjam bécsi otthonomat; mivel azonban a háborús viszonyoknak addigra többé-kevésbé vége volt, a külföld pedig érdeklődött a bécsi zeneszerzőknek az elmúlt években keletkezett művei iránt, érthető, ha mi is vágytunk arra, hogy ennyi idő után ismét körülnézzünk kissé a nagyvilágban. Úgy hírlett, odaát a háború idején is volt érdeklődés a bécsi operett iránt, méghozzá nem is csak plátói érdeklődés. Jómagam – akkoriban, 1920-ban – nem tudtam, előadtak-e valamit a munkáim közül Amerikában, s ha igen, mit. Nem is volt ellenemre, hogy az amerikaiak nem bojkottálták a zenémet. Annyira megörültem minden egyes művem előadásának, hogy nemigen fájdítottam a fejemet az odaátról esetleg elmaradt tantiemek miatt. S valószínűleg a kollégáim sem igen vélekedtek másképp erről, elvégre elégtételül szolgálhatott az a tudat, hogy legalább a bécsi zene nem került a világháború veszteséglistájára. Meglehetős szükségünk is volt erre az elégtételre, hisz bármekkora sikerünk volt is édes hazánkban, mégis nap mint nap azt hallottuk, hogy a bécsi operett-műfaj művészi szemszögből nem veendő komolyan, mert csupán néhány spekuláns fércműve... Bizony jól jött nekünk, mind a zeneszerzőknek, mind a szövegkönyvíróknak, ha a külföld rehabilitált bennünket, s újjáélesztette öntudatunkat. Mert hát olyan nagyon művészietlenek, ötlettelenek és minden szellemnek híján valók mégsem lehettek azok a művek, ha az egész világon kiharcolták maguknak a jóakaratú megítélésre és figyelemre való jogot." (164)

Sokszor és sokan értették félre Lehárt és műveit, nem utolsósorban más zeneszerzők is. Az egyetlen kivétel Giacomo Puccini volt, az az olasz zeneszerző, akihez igazi – bár nem túl hosszan tartó – barátság fűzte Lehárt. „Találkoztam én a közélet nem egy nagyságával... mégis, eltekintve a Puccinihoz fűződő meleg barátságomtól, mindig is magányos maradtam." (10)

Lehár 1913-ban ismerkedett meg Puccinival, aki *A Nyugat lánya* c. operájának bemutatójára érkezett Bécsbe, s óriási ünneplésben részesítették. Lehár révén sok olyan emberrel is megismerkedett, akik kissé távolabb álltak az opera-műfajtól; többek között Sigmund Eisenschützcel, a Carl-Theater akkori igazgatójával, aki rábeszélte őt: komponáljon operettet a Carl-Theater számára. Operett helyett azonban egy vígopera jött létre, amelyet, tekintettel a háborús helyzetre – Olaszország és Ausztria akkor már ellenfelek voltak – Monte Carlóban adtak elő. Lehár, már a háború után, valami kéréssel fordult Puccinihoz, s a válaszlevélben ilyenek olvashatók: „Drága, nagyhírű Maestro! Nagyon köszönöm kedves levelét... Birtokomban a *Pacsirta* c. operettje, s csak ennyit mondhatok: bravó, maestro! Üdítően friss, zseniális, csupa ifjonti tűz! Ó, mennyire emlékszem az 1913-as bécsi napokra!... Vajon visszatérek-e valaha oda valami új muzsikával, új művel? Legalább azt szeretném remélni, hogy teljesül a vágyam, és viszontlátom Eisenschütz barátomat és Önt, kiváló, kiváló mester – s ehhez csatlakoznak legszívélyesebb és legtiszteletteljesebb üdvözleteim – Giacomo Puccini." (165)

Puccini kívánsága csak 1920 őszén teljesült, ám Lehár már ezt megelőzően felkereste őt Olaszországban. Bécsben mindjárt két művének bemutatójára is sor került. Október 9-én mutatták be a *La Rondinét (A fecske)*, s október 20-án, az Operaházban, a *Triptichont*. Mindez rengeteg izgalommal járt, főképp, mivel a *La Rondine* nem aratott tartós sikert. Ám Lehár és Puccini mégis többször összetalálkozott ezekben a hetekben. Lehár Antal később így írt erről: „Ferenc engem és feleségemet egyszerű vacsorára hívott meg. Csak egy vendég volt még ott: Puccini. Ferenc elég jól beszélt olaszul, Puccini csak néhány szót tudott németül. A két mester már vacsora közben is szinte kizárólag műveikből vett idézetek segítségével érintkezett egymással: halkan dudorászva jelezték s azután megmagyarázták őket. Aztán mindketten a zongorához ültek. Szorosan összeölelkeztek, s hol Puccini játszott a jobb kezével, hol Lehár a bal kezével, hol meg egymást kísérték. Káprázatos harmóniák keletkeztek, puccinis és leháros hanghatások és fordulatok vetekedtek egymással. Felejthetetlen este volt, s emléke vissza-visszatért Puccininak Ferenchez írott leveleiben." (170)

Puccini hazatért Torre del Lagóba, onnan írta 1921 elején: „Kedves Barátom! Visszatérve kicsiny, csendes fészkembe, Magához száll első gondolatom. Még mindig a csodálatos Bécs lenyűgöző benyomásainak hatása alatt állok, a városénak, ahol minden ember lelkében ott vibrál a zene, s ahol még a lélektelen tárgyaknak is mintha ritmikusan lüktető élete lenne. Kedves Maestro! Meg sem mondhatom, mennyire boldog voltam, hogy egészen közelről megismerhettem, hogy megcsodálhattam az ön emberi jóságát és világszerte ismert muzsikájának dallamait. Teljes szívemből mondok köszönetet mindazért a jóért, amivel elhalmozott, mind a magam, mind a feleségem nevében. Fogadja kérem barátjának legszívélyesebb kézszorítását – Puccini." (171)

Mindez persze már 1921 elején történt. *A kék mazur* premierjére még 1920 májusában került sor. *A kék mazur* az a lengyel tánc, melyet a rendszerint már kékellő hajnalban végződő ünnepségek utolsó táncaként járnak. (166)

A darab mindazonáltal nem Lengyelországban játszódik, hanem Bécsben. A szövegkönyvírók kifürkészhetetlen akaratából Olinski lengyel gróf ősi kastélya ugyanis nem Lengyelországban, hanem Bécs környékén található. „Az operett ott kezdődik, ahol a legtöbb operett véget ér: az esküvő napjának estéjén. Egy lengyel gróf bécsi lányt vesz feleségül, majd egy nem túl ízléses beszélgetés során megvallja barátjának, mennyire fél a házasságtól; előkerül egy elhagyott szerető a balettkarból, a menyasszony mindent hall, felháborodik, megszökik, mégpedig boldogult anyjának ifjúkori barátjához. Ennek az úrnak van egy unokaöccse; nappal igen derék ember, este viszont az a jóbarát, aki a férj partnere volt az éjszakai kalandozásokban, vagyis kettős életet él. Előrelátható, hogy a sokféle intrika – hosszú fokozatokon át ugyan – végül meghozza a mindenki által remélt befejezést, s a szép, szerelmes (házas)pár az utolsó mazur után egymás karjaiba omlik." (167)

Ellentétben a *Pacsirtá*val, az első olyan operettel, ahol a szerelmesek nem lesznek egymáséi, *A kék mazur*ban kétszer is egymás karjaiba omlanak: először a házasságkötéskor, azután az utolsó fináléban, ahol az ifjú pár ugyan még mindig nem jut el a nászéjszakáig, de legalább megéri házassága második napját: mire eltáncolják a kék mazurt, a szövegkönyv kifürkészhetetlen akaratából felkel a nap! A vidámság, mely a darab kezdetét, az esküvő napját jellemezte, nagyjából az egyetlen. A librettó arra kényszeríti a grófnét, hogy az esküvői ünnepség után erkölcsi felháborodása és mélységes csalódása miatt elmeneküljön, és hogy olyat tegyen, ami nincs arányban tette kiváltó okával.

A kritikának sajnos megint alkalma nyílt arra, hogy rámutasson a librettó és a zene között tátongó szakadékra. „Elképzelhetetlen, hogy egy muzsikus ellenállhatatlan vágyat érezzen olyanfajta szövegek operaszerű megzenésítésére, mint: 'hallottam a beszélgetéseket, nem szándékosan, csak véletlenül, ott álltam a balkonon, meg se bírtam moccanni, mintha földbe gyökerezett volna a lábam'" (168)

Nemcsak a dialógusok, de számos dalszöveg is ingadozik a banalitás és az akaratlan komikum között:

> Heimlich süsse Händedrücke,
> trunken heisse Feuerblicke
> künden mit verhalt'nen Gluten
> den Liebessturm dir an...

Vagy:

> Einmal muss ein jeder Jüngling frein!
> Lass die fremden Schürzen,
> ich allein will würzen
> dir das Leben wunderfein!

(Titkos édes kézszorítás, részegítő forró pillantások elfojtott lánggal jelzik neked a közelgő szerelmi vihart...

Egyszer minden fiatalembernek meg kell házasodnia. Hagyd az idegen szoknyákat, egyedül én legyek életed fűszere, de az aztán igazán!)

Persze nem minden volt ennyire dagályos, ám mégsem akadt egyetlen magávalragadó refrén – még a zenében sem. „Lehár ezúttal nem ajándékozott meg minket nagy slágerrel, de annál értékesebb zenei mozzanatokkal. ... A zene a lengyel környezetnek megfelelően elégikus-lírikus hangvételű, valódi hangulati ereje van, nemcsak felületesen illusztrál, hanem érzelmeket fejez ki, és a zenekarban is van mondanivalója. ... Egészében technikai szempontból is különleges, érdekes zene, rengeteg ötlettel és szellemességgel, olyan zene, melyet nemcsak táncos lábak, hanem igényes fülek számára is komponáltak, s mely csak hellyel-közzel vájkál túlságos részletességgel önnön finomságaiban." (169)

A szövegkönyvet egy Lehár számára új librettista írta: Jenbach Béla. Egy évvel volt fiatalabb Lehárnál, s valaha a Burgtheater színésze, aki már több librettót írt, többek között Kálmán Imre *Csárdáskirálynőjé*ét is. Leo Stein mutatta be őt Lehárnak, 1919 őszén.

Mivel Lehár 1920. április 30-án ünnepelte ötvenedik születésnapját, ezen a napon akarták bemutatni *A kék mazurt*. Ám a bécsi ünnepi zenei napok rendezvényei miatt kissé eltolódott a bemutató időpontja, Karczag viszont mindenképp ki akarta aknázni a kettős ünnepi alkalom adta reklámlehetőségeket, s így vélekedett a sajtó is. „Bár ugyanannyi volt a virág, a frakk és a szmoking, s ugyananynyiszor éltették Hubert Marischkát is, mint máskor, volt ebben a premierrumliban valami különös szívélyesség, s ez Lehár Ferencnek szólt. Karczag, az igazgató, egy kis beszédet is tartott, melyben üdvözölte azokat az entente-vendégeket és külföldi igazgatókat is, akik a háború óta „első alkalommal jelentek meg egy bécsi operett-premieren – baráti és személyes hangú szavak, valutáris mellékzöngével." (169)

Meg kell említeni, hogy *A kék mazur* a Theater an der Wienben egy esztendő alatt háromszáztizenhárom előadást ért meg. Amikor 1921 áprilisában rövid időre levették a műsorról, már egy hónapja játszották Berlinben, igaz, némi változtatásokkal. A cselekményt Lengyelországból Horvátországba helyezték át. Németország és Lengyelország viszonya akkoriban nem volt éppen barátságos, s az igazgatóság el akart kerülni minden incidenst a nagyközönség lengyelellenes érzületű részével.

Bécsben még három évvel a háború befejezte után sem voltak normálisnak nevezhetőek a viszonyok. Azután, hogy Ausztria 1920. szeptember 10-én, Saint Germainben megkötötte a békét, s hogy 1920. december 15-én felvették a Népszövetségbe is, a bécsiek jobb idők eljövetelében reménykedtek, ám azok sehogysem akartak bekövetkezni. A mértéktelen pénzromlás persze ugyanúgy érintette Lehárt, mint mindenki mást.

A gondok-bajok megnehezítették az életét s a munkálkodást; nem látott más kiutat, mint azt, hogy megint egyszer álinterjút készítsen, hogy felhívja önmagára a nyilvánosság – vagy legalább a hatóságok – figyelmét. „Mit lehet a nyilvánosság előtt elmondani? Ha az ember elmondja, hogy az entente egyik országában sikerrel játsszák a műveit, bizonyos lehet afelől, hogy valamelyik hivatalnok élvezettel kiollózza ezt a hírt s átküldi a tiszteletre méltó adóhivatalnak... Még nagyobb a veszély, ha az ember közhírré tenné, hogy eleget kíván tenni ama számos külföldi meghívásnak, melyek a legkülönfélébb országokból érkeztek, s netán el is vezényelné egyik-másik művét Angliában vagy Amerikában. Ezt persze nem úgy minősítenék, mint a bécsi operett propagandáját, hanem mint az adócsalás szándékának cáfolhatatlan bizonyítékát. Engem tárt karokkal fogadnának, minden országban igyekeznének olyan kellemessé tenni ott-tartózkodásomat, amennyire csak lehet." Sajnos azonban „a magamfajtában hatalmas adag lokálpatriotizmus lakozik, s nem akar Bécstől megválni!" Holott „a nemzetközi hírű művész végigvesződi mindazt, ami ráméretett, annyi adót fizet, hogy belekékül, s él azzal a kitüntetéssel, hogy minden este más és más jótékonysági ünnepélyen szerepelhet, hogy így hasznosítsa drága idejét. Mindezért az a hála, hogy a múltkoriban valamely egyén felcsöngette a házmestert s azt üzente általa, hogy nem szabad éjszaka a villanyt égetni." (172)

Nemigen tehetett semmit a *Drámaírók és Zeneszerzők Uniója* sem, az a szakmai szervezet, melynek tulajdonképpen a tagok érdekeit kellett volna képviselnie. Aligha foglalkozhatott már terjesztési és pénzbehajtási kérdésekkel. Az Unióban folytatott tevékenységén túl Lehár 1919-ben tagja lett még egy berlini szervezet – a *Német Színiírók és Színikomponisták Uniója* – elnökségének is. Eleinte kissé magányos volt a sok író közepette, ám hamarosan más zene-

147

szerzők is csatlakoztak az unióhoz, Richard Strausszal és Eduard Künnekével az élen.

Magától értetődött, hogy azokban az években egyre szorosabb lett a kapcsolat a német nyelvű Berlinnel. Az operettpiac lassanként egyre inkább erre a városra figyelt, s ebben a bécsi városatyák nem voltak éppen vétlenek. „Az operett iránti szeretetéről tett tanúbizonyságot nemrég a városi közigazgatás pénzügyi osztálya. Nehogy az operett túl kényelmesen elterpeszkedhessék Bécsben – amitől isten óvjon –, az a kitüntetés érte az operettszínházak igazgatóit, hogy kétszer annyi vigalmi adót fizethetnek, mint az összes többi színház. Ez arra volt jó, hogy egyértelműen kitűnjék: a bécsi operett nem műfaj, hanem giccs. Gyakran voltam különböző üléseken, ahol az akkori pénzügyi tanácsos kioktatott, hogy túl sok operettet játszanak Bécsben, amiért is ajánlatos volna, ha néhány operettszínház végleg bezárná kapuit!" (172)

S ehhez valóban közel is álltak. Igaz, hogy „ennek a korszaknak szinte valamennyi operettje igen magas előadásszámokkal dicsekedhetett, ám e számok csak ritkán fedték a valódi értéküket. A színházak tovább játszottak, amíg csak félig-meddig is lehetett, gazdasági szempontú üzemvezetésre azonban alig volt módjuk... A tegnapi és a mai bevétel mára meg holnapra semmit nem ért. A telt házak látszatát szabadjegyek és mértéktelenül leszállított jegyárak segítségével lehetett csupán szimulálni." (173) Zavaros állapotok uralkodtak.

Ezekben a hónapokban az szerzett Lehárnak némi örömet, ha felbukkant barátja, Steininger, aki így üdvözölte: „cukor kellene, meg liszt? Nekem van! Átadhatok neked még néhány doboz sűrített tejet, két üveg Coty parfümöt, hat doboz szardíniát, két kiló rizst meg valódi angol mustárt. Ugyanis éppen most kaptam egy csomagot Svájcból, benne mindenféle jóval..." (172)

1921 márciusában adta elő a berlini Metropol Színház *A kék mazurt.* „Ez volt Berlin leghosszabban halogatott bemutatója. Egyik operett-énekesnő a másik után bizonyult alkalmatlannak a női főszerepre. Végül kölcsönvették Vera Schwarzot, s kezdődhetett a játék. A bemutató estéjén maga Lehár vezényelt. A berlini kritika nagy zenei sikert állapított meg." (174)

Vera Schwarz személyében olyan énekesnő bukkant fel, akinek igen nagy szerepe lett Lehár későbbi munkásságában.

Az 1921-es év szakmai örömökön túl gondokat is hozott Lehárnak, mégpedig öccsével, Antallal kapcsolatban.

Magyarország 1918. november 16-án független polgári köztársaság lett. 1918. november 24-én megalakult a kommunista párt, de hamarosan betiltották. Amikor aztán az entente 1919. március 19-én ultimátumot adott át a kormánynak, melynek értelmében az ország hajdani területének kétharmad részét át kell adnia – javarészt a szomszédos utódállamoknak –, a kormány nem volt képes szembenézni a kialakult helyzettel, és visszalépett. Ez volt az a pillanat, amikor a magyar szociáldemokraták és kommunisták szövetségre léptek; 1919. március 21-én kikiáltották a Tanácsköztársaságot: győzött a proletárforradalom.

Az új kormányzat számos eredményt ért el a dolgozók réges-régi követeléseinek teljesítésében, azonban súlyos hibákat is elkövetett, melyekbe végül is belebukott.

Ám ez későbbi fejlemény. Egyelőre ott tartunk, hogy az entente igyekszik megfojtani Tanács-Magyarországot. A legtöbb állam nem ismerte el a tanácsköztársaságot, gazdasági blokádot rendeltek el az országgal szemben. 1919. április 16-án megkezdődött a közvetlen katonai intervenció, francia gyarmati csapatok, valamint román és csehszlovák egységek részvételével. A magyar vörös hadsereg ellenállt, majd májusban ellentámadásba lendült. Időközben azonban úgynevezett nemzeti hadsereg jött létre Szegeden, melynek élén Horthy Miklós tengernagy állott, s a francia csapatok fedezete alatt betört Magyarországra. Dúlt az ellenforradalom, legfőképp Nyugat-Magyarországon, a tanácskormány pedig nem tudott elég hatékonyan védekezni ellene, hiszen az északi és a keleti határon minden erejét lekötötte az intervenció elleni küzdelem. Velejükig reakciós tisztek szabadcsapatai garázdálkodtak az országban, főképp a Dunántúlon, s e katonatisztek egyike – meg kell mondani kereken – Anton Freiherr von Lehár volt, Lehár Ferenc bárói rangra emelt Antal öccse.

A román csapatok a Tiszáig nyomultak előre, majd a vörös hadsereg sikertelen offenzívája után elfoglalták a fővárost. Francia gyarmati csapatok védelme alatt 1919. május 30-án, Szegeden ellenkormány alakult, melynek Horthy volt a hadügyminisztere. Augusztus 1-jén megbukott a tanácsköztársaság. A rákövetkező ún. szakszervezeti kormány feloszlatta a Vörös Hadsereget s megszüntette a bankok és az ipar államosítását. A románok kivonultak az országból, s Horthy, oldalán Lehár Antal báróval, 1919. november 16-án bevonult Budapestre. Fehérterror dühöngött a magát továbbra is királyságnak nevező Magyarországon. Tízezrével gyilkolták és vetették börtönbe az embereket. 1920 januárjában Horthy, akinek kormányzata egyre inkább a fasiszta diktatúra felé tolódott el, összehívott egy álparlamentet – a Nemzetgyűlést –, s azzal kineveztette magát kormányzóvá (1920. március 1-jén), tehát a király helyett kormányozta a Magyar Királyságot.

Lehár Antal 1920-ban Nyugat-Magyarország katonai parancsnoka, majd hadosztályparancsnok volt Szombathelyen. Ott bukkant fel nála IV. Károly, Magyarország leköszönt királya 1921. március végén, húsvétkor. Elhitették vele, hogy a budapesti munkásság ellenzi a Horthy-rezsimet – ami hihetően hangzott –, s hogy ezért a király mellé fog állni – aminek igazán nem volt reális alapja. Lehár ezredes úr nem tartóztatta fel Károlyt. Az pedig Budapestre utazott, felkereste Horthyt, aki őt – képletesen szólva – kidobta. Az ex-király igen hamar visszaérkezett Lehár ezredes úrhoz Szombathelyre, néhány napig betegen az ágyat nyomta, s várta, hogy valami kedvező hír érkezzék Budapestről. Ilyen azonban nem érkezett, nem is érkezhetett, elvégre – minden egyébtől eltekintve is – Horthy nem kevésbé szívesen lakozott a budai Várban, a hajdani királyi rezidenciában, mint tette volna Károly – egyéb mozzanatokról most nem is szólva. Az ex-király tehát visszatért a vendégszerető Svájcba.

Ezzel azonban megszámláltattak Lehár Antal nyugat-magyarországi főparancsnokságának napjai is. Budapesten nem felejtették el, hogy Károly legelőszőr is őhozzá kopogtatott be, s 1921 tavaszán elbocsátották a magyar hadseregből.

Hamarosan vita kezdődött Ausztria és Magyarország között Burgenland hovatartozása körül. Lakossága jórészt német ajkú volt, ám Magyarországhoz tartozott.

A békeszerződés értelmében Burgenlandnak Ausztriához kellett kerülnie. Gyenge entente-erők szállták meg 1921. augusztus 23-án, majd megjelentek az első osztrák hivatalnokok. Ám augusztus 28-án magyar szabadcsapatok törtek be Burgenlandba, lezárták a határt, letartóztatták az osztrák közigazgatás embereit, fegyverrel verték vissza az osztrák csendőrséget, s önálló államot kiáltottak ki:

október 21-én Károly, az ex-császár és -király bérelt repülőgépe leszállt egy Sopron melletti krumpliföldön. Amit márciusban nem sikerült politikai naivitással elérnie – mármint a magyar koronát s a budai királyi vár birtoklását –, azt most erőszakkal próbálta kivívni. S Lehár ezredes volt az, akinek fegyverrel kellett utat törnie királya számára Budapest felé. Károly mindenekelőtt kormányt alakított, Lehár ezredest kinevezte tábornokká, s megbízta a vasúti közlekedés megszervezésével, hogy a szabadcsapatok elérhessék Budapestet. Ám a csapatok még úton voltak, amikor Csehszlovákia már elrendelte a részleges mozgósítást. Budapest határában meg kellett állni, mert a síneket feltépték a pályatestről. A vállalkozás részvevői itt misét mondattak, Isten segítségét kérve vállalkozásukhoz. Ezek után Lehár ezredes támadásba lendült. Horthy mozgósította a rendelkezésére álló erőket, s Károly – rövid golyóváltás után – riadtan lefújta a vállalkozást. Visszamenekült Burgenlandba, ahol őt is, s a puccs számos más részvevőjét is letartóztatták. Mások elmenekültek, élükön a körözés alatt álló báró Lehár. Sikerült egérutat nyernie: október 26-án átkelt a Dunán, Szlovákián keresztül elérte Prágát, onnan Karlsbadba utazott. November 2-án érkezett Münchenbe, menekülése utolsó állomására; királya akkor már úton volt Madeira szigete felé, ott is halt meg, 1922-ben. A nagy akcióból nem lett történelmi esemény; jelentéktelen, tragikomikus epizód maradt. Ilyen furcsa néha az élet. Lehár Ferenc, aki korábban egy bárói rangban lévő ezredes bátyja volt, most egy körözött puccsista testvérének számított. Antal valahogy elboldogult; Ferenc pedig, mint mindig, most is dolgozott.

1921. szeptember 9-én új operettet mutattak be az Apollo-Theaterben. Pontosabban: nem újat, hanem ismét csak egy réginek az átdolgozását. A tangókirálynő nem volt más, mint az 1913-as A tökéletes feleség átdolgozása, mely viszont – tudjuk – az 1904-es Bálványférj átdolgozása volt.

A tangókirálynő, Brammer és Grünwald átdolgozásában, számos új dialógussal, néhány új zeneszámmal s némi aktuális mozzanattal gazdagodott, így például a mozi-kettőssel.

Lehár a jelek szerint nem volt igazán megelégedve ezzel a változattal, mert 1937-ben, Zürichben, sok mindent átjavított A tangókirálynőn, s tulajdonképpen visszatért A tökéletes feleséghez.

Ilyeneket lehetett a műről olvasni: „A szövegkönyvet újonnan átdolgozták. Szerencsére ebben a változatban a humor az uralkodó elem, s ehhez némi elmeélet és hangulatot adagoltak!" (175) S szó esett a „művészi operettzenéről", mely „népszerűen csendül, anélkül hogy ellaposodnék". (175) A szöveg helyenként valóban mulatságos, ám a sok ostoba dialógus és a banális dalszövegek jócskán lerontják az élvezetet.

Az Apollo-Theater, ahol a darabot bemutatták, megnyitásakor (1904-ben) varieté volt; később azután a társulat operetteket is játszott.

Amikor 1921 őszén megnyílt az első háború utáni Bécsi Vásár, az Apolló színháznak sürgősen szüksége volt valami látványos, a nemzetközi közönséget is kielégítő darabra. Hosszú huzavona után A tangókirálynőre esett a választás. Ráadásul Emil Guttmann, A kék mazur rendezője, a Theater an der Wien főrendezői posztja mellett elvállalta az Apolló színház rendezői tisztét is. Mivel a Theater an der Wienben hamarosan ki kellett jönnie egy spanyol témájú Lehár-operettnek (a Frasquitának), ajánlatos volt más színházat keresni A tangókirálynő számára; sok minden szólt tehát amellett, hogy az Apolló színházban kerüljön színre, annál is inkább, mivel pompás díszleteinek és színpadi kosztümjeinek amúgy is nagy híre volt, s ez igencsak javára vált A tangókirálynőnek. Különösen megbámulta a sajtó Ida Ruszka ruháit: „Bájos, türkizkék estélyi ruhában ismerkedünk meg vele, hozzá ivoár (azaz elefántcsont színű) csipkekeppet visel, mely szárnyakhoz hasonlóan omlik hátrafelé, s látni engedi az ovális, lapos zafírokkal díszített nyakkivágást s az ugyanilyen kövekből összeállított széles övet. S ő, a sötét hajú Manolitta, később egy crèpe satin-nel bélelt csodaszép coboly-keppel is elkápráztatja a nézőt" (176) ... és így tovább. A vásár külföldi látogatói mindenesetre láthattak valami szépet. A tangókirálynő híre s neve később persze elsorvadt.

1922. január végén a Pokolkabaré (Kabarett Hölle) bemutatta Lehár egy egyfelvonásosát. Tavasz volt a címe a kellemes, csak néhány zeneszámmal tarkított művecskének.

1922. május 11-én aztán sor került a Frasquita bemutatójára a Theater an der Wienben. Hogy mi a véleménye a szövegkönyvről, azt Lehár elmondta egy, a Volkszeitungnak adott interjúban: „Jól tudom, nem lesznek megelégedve a Frasquita szövegkönyvével.

Megint egyszer a szememre fogják hányni, hogy túl tragikus vagyok, hogy a téma drámai mozzanatai szétfeszítik az operett természetes kereteit; hogy ez már egyáltalán nem is operett! Arra kérem azonban önöket, vegyék figyelembe az én álláspontomat is. Egyszerűen zenét írtam egy librettóhoz, amely zeneileg érdekelt, gazdagon megtermékenyítette a fantáziámat. Ezután zeneművé fogtam össze a jeleneteket és a szövegeket. Ha a Theater an der Wien igazgatósága előadja a darabot, és üzleti megfontolásból azt írja ki: Lehár Ferenc operettje, akkor ez Karczag direktor úr dolga, nem az enyém." (177)

Természetesen azonnal akad egy ironikus kritikusi vélemény is az új operett szövegkönyvéről: „Nehéz időket élünk. Ám az operettek sem vidámak. Kíméletlen, brutális időket élünk. S az operett sem akar tőlük elmaradni. Lehet, hogy éppen a szövegkönyv harsogó, erős színei – a cigányromantika és a mondén züllöttség e keveréke – csábította Lehárt a megzenésítésére. A librettisták alaposan megnyomták a ceruzát. Az általuk kreált cigánylány, Frasquita, haszonnal hallgatta a Carmen című operát, s mindjárt első megjelenésekor óva int a szerelmétől, mely őt mindeddig nem érintette meg. A parasztlegényekkel szóba se áll, ám az elegáns párizsi Armand Mirabeau első (lángoló) pillantásra megtetszik neki. E fiatalembernek ellopták az arany cigarettatárcáját, s Frasquitát gyanúsítja, persze tévesen. A lányt kis híján letartóztatják, s így becsületében és szerelmes érzéseiben megbántva, boldogan megragadja az alkalmat, hogy a gyakorlatban mutassa be, hogyan gyűlölnek, hogyan állnak bosszút a cigányok. Mivel bájos kis gyilkossági kísérlete nem sikerül (azzal a tőrrel, melyet apart díszként visel a harisnyakötőjében), legalább lelkében óhajtja megsérteni Armand-t, s elhatározza, hogy erotikus bűvkörébe vonzza, majd fölényes mosollyal visszautasítja őt; az olvasásban jártas Frasquita ezt az ötletet alighanem egy teljes polcnyi kölcsönkönyvtári regényből merítette. Hogy nagyobb hatásfokkal gyakorolhassa démoni varázshatalmát, elmegy sztárnak az Alhambra nevű éjszakai lokálba, ahol is Armand egy – inkább rózsacsokrokkal, semmint cselekménnyel teljes – fülledt éjszakán elfelejti menyasszonyát, őrjöngő szerelembe esik, amire Frasquita félmeztelen táncosnők és vonagló ifjak társaságában táncorgiát rendez, majd a már említett gúnyos kacaj kíséretében visszautasítja a kesergő Armand-t. Annak szerelme, akárcsak fenyegetései, leperegnek a lányról, s az sem hatja meg, hogy Armand addig fojtogatja, míg hörögve el nem nyúlik a padlón; ennek okán csókot kér egyik szakmai kollégájától, amire Armand 'szajha' felkiáltással távozik, Frasquita pedig reménytelen szerelemmel bámul utána. Ily módon adva van minden szükséges feltétel a konstruált s ugyanakkor magától értetődő gyengéd egymásratalásához a harmadik felvonásban." (178)

A sajtó megvádolta a szövegírókat: „A bécsi operettben egyre kevésbé örvendetes a közbiztonság helyzete, s elgondolkodtató mértékben növekedik a bűnözés." (178) Míg a *Pacsirtá*ban még csak késelésről és verekedésről volt szó, addig itt „már nem adják tőrdöfési kísérletnél és fojtogatásnál alább". (178)

A *Neues Wiener Journal* pedig így tájékoztatja olvasóit: „Humor helyett mélabús erotikát és mázsányi tragikumot kapunk, ami csak akkor volna indokolt, ha erre a téma okot adna... Willner és Reichert urak szeme előtt alighanem valamiféle Carmen lebeghetett. Ám ez a Frasquita csak végszóra lesz démoni és csak a fináléban lesz elvetemült." (179) A muzsika igyekszik emberileg hitelessé tenni a *Frasquita* pszichológiailag és karakterológiailag félresikerült konstrukcióját. Azon van, hogy kápráztató szertelenségével s rábeszélő képességével hitelesként tüntesse fel a szövegkönyvet. Ám a *Frasquita* zenéje az igazságnak csupán az illúzióját nyújtja.

Ám legalább „megtalálható itt mindaz, ami egy verisztikusra modernizált könnyfakasztó operetthez kell: cigányszerelem és késelés, spanyol éjszakai élet vidékies-erkölcsös kabaré-varázzsal s megzavart meztelen táncosnőkkel, s végül Párizs, az isteni város, hátterében a farsang tumultuózus vigalmaival! Lehár mindezt igen komolyan és lelkiismeretesen fogja fel; szinte látjuk, mily kényszeredetten iktatott be vidám dallamokat, ahol a cselekmény mellékszála ezt megköveteli." (180)

„Nagy művészetének teljes nagysága a helyzetek zenei aláfestésekor tűnik elő. Drámai hangzatokat talál a színpadi szenvedélyekhez; különösen a javára írandó, hogy kerüli a harsogó *Carmen*-ritmusokat és a túlzó szilajságot. Ismét azt tapasztaljuk, hogy fölényes tudással uralja az összes zenei formát. ... Művészi tudása kiéli magát egy lassú keringő-ritmusú, nagy, lírai motívumban, akárcsak a lendületes tuttikban s egy kulturált líraiságú elbűvölő dalban." (179) Az utolsó megjegyzés Armand dalára vonatkozik:

Schatz, ich bitt' dich,
komm heut nacht!
Alles ist bereit gemacht
für ein Stelldichein
beim Ampelschein.

(Kicsikém, ne tétovázz,
szük utcában kicsi ház
oly régóta vár,
hogy jössz-e már.)

Itt tehát megint felbukkan ama bizonyos ámpolna. Ezen is lemérhető, mennyi minden vált fokozatosan klisészerűvé az operettben, például „az ábrázolást illetően. Mindig ugyanaz a profil, ugyanazok a gesztusok, ugyanaz a jellemrajz; csak a kosztümök változtak. Egyfajta megmerevedés fenyegetett, amin az operettel foglalkozóknak, különösképpen az igazgatóknak és a rendezőknek végre egyszer el kellett volna gondolkodniuk." (179) A közönségnek nyilván nem tűntek fel a hiányosságok: „Éljenzés, virágok és ajándékok minden felvonás után. Lehár sikert aratott. Nem szenzációs sikert: a szenzációk arattak sikert." (178)

Bécset éppen ebben az 1922-es évben elhalmozták a szenzációk, persze javarészt negatív előjelűek. A pénz elértéktelenedése, a lakáshiány, a munkanélküliség, a kormányátalakítás aligha számított szenzációnak, ezt már régóta megszokták. A kormány lázas igyekezettel próbálta bevételeit növelni. A bérlők védelmét célzó rendelkezések hatására sztrájkba léptek a háztulajdonosok. A városi közigazgatás azt követelte, hogy a víz- és a gázdíjat előre fizessék, amire számos háztulajdonos lezárta a víz- és a gázcsapokat (akkoriban még gázzal világítottak!).

A bécsi színiigazgatók szövetsége és „az előadóművészek, zenészek, alkalmazottak munkaközösségbe tömörült szervezetei között tárgyalások kezdődtek a munkaközösség által követelt 33 ⅓ százalékos béremelésről, ami a szeptemberi reálbér elérését biztosítaná. Az igazgatók szövetsége közölte, hogy az igazgatóknak nem áll módjában ezt a reálbért kifizetni, s hogy a szeptemberben fizetett béreket október első két hete viszonylatában húsz százalékkal fogják csökkenteni... A szervezetek tiltakoztak. Sor került a bécsi színházak gyűlésére, ahol a következő határozatot hozták: amennyiben az igazgatók szövetsége és a szervezet képviselőinek a Munkakamara közvetítésével létrejött közös ülése eredménytelenül végződnék, akkor másnap este megkezdődik a színházakban a passzív rezisztencia! Stärk főrendező, a színháziak egyesülésének elnöke el is magyarázta egy kérdésre válaszolva, milyen hatással lesz a színházakra a passzív rezisztencia: „A színészek naponta csak egy ívnyi szöveget tanulnak be, a szolgálat időtartama nyolc óra, túlórákról szó sem lehet, a színpadot a legnagyobb műgonddal fogják fel- és átépíteni. Hiszen a színház üzemelése már akkor is akadozik, ha nem folyik rendes munka a próbákon." (181)

Az akció tulajdonképpen már előző este megkezdődött a Theater an der Wienben, a *Frasquita* előadásán. „Sűrűn telt házunk volt, Richard Tauber, a drezdai állami operaház tenoristája énekelte Armand szerepét", és Lehár vezényelt. „Teljesen gyanútlanul mentem a zenekarba. A második felvonás előjátékáig semmi különös nem történt. Felemeltem a karmesteri pálcát. Az első ütem – a zenekarnak egy fortisszimóval kellett volna kezdenie – csupán pianisszimó hangzott. Néhány ütemmel tovább vezényeltem, s halkan megkérdeztem a koncertmestert, hogy vajon mi történik itt. Ám nem kaptam rendes választ, amire lekopogtam a zenekart. A közönséghez fordultam, és így szóltam: itt valami van, ami vagy ellenem irányul, vagy az igazgatóság ellen. Így nem mehet tovább az előadás! Akkor mondta nekem az egyik zenekari tag, hogy az üzemi tanács megbízottja passzív rezisztenciát rendelt el. Felszólítottam őt, legyen tekintettel a fizető publikumra, és engedje meg, hogy az előadás baj nélkül tovább menjen. Hangosan vitatkoztunk, úgyhogy a közönség mindent hallott. Számos néző odasietett a zenekar korlátjához, s erélyesen felszólították a muzsikusokat: játszszanak tovább. A közönség felé fordultam, és azt mondtam: bérkérdésekről van szó; a muzsikusok pedig elmagyarázták, hogy a bérüket huszonöt százalékkal akarják csökkenteni. Értesüléseim szerint ez nem felelt meg a valóságnak, hiszen az ezzel kapcsolatos tárgyalások még be sem fejeződtek! A zenészeknek meg ezt mondtam: a közönség fizetett, joga van hát a tisztességes muzsikára! Csak akkor vagyok hajlandó tovább dirigálni, ha az üzemi tanács kijelenti, hogy a szokott módon, rendesen fognak muzsikálni.

156

Rendben van, felelték, a zenekar játszani fog. Így válaszoltam: ez nem elég, jól is kell játszani! A közönség tapsolt, hevesen szidták a zenekart, és határozottan követelték, hogy játsszanak tovább! Erélyes fellépésének hatására a zenekar bizalmija beleegyezett, hogy az előadás baj nélkül menjen végbe; s a zenekar valóban jobban játszott, mint valaha." (181) A következő napokban sikerült elsimítani a konfliktusokat, s a pénz stabilizálása is hatással volt a rendeződésre. Ám még sokáig nagy volt a nyomor, s ezzel kétségtelenül mindenkinek szembe kellett néznie így vagy amúgy – még Lehár Ferencnek is.

Lehár, mint minden más alkalommal is, a munkához menekült. Már amennyiben ez menekülésnek volt nevezhető, hiszen Lehár tulajdonképpen csak a zongora vagy az íróasztal mellett volt igazán eleven. Most is egyszerre több témával foglalkozott, különböző időpontokban, más és más intenzitással. Egyszer, még a világháború éveiben felmerült az az ötlet, hogy kellene valami Kínában játszódó történet. Ezt mondogatták a barátok, köztük Léon is. Elvetették az ötletet, de újra és újra felbukkant; a világháború végére Lehár már fel is jegyzett mindenféle dallamot. 1920 táján már elég sok minden összegyűlt. Léon meghozta az expozét és egy csomó dalszöveget; elkészült a mű, amely *A sárga kabát* címet kapta.

Az ötlet valahogy a levegőben volt, bár az indítékok nem voltak zenei természetűek. Úgy *A víg özvegy* ideje táján számos olyan diplomata dolgozott a Madergasse-i kínai követségen, akik bizonyos szerepet játszottak Bécs társadalmi életében is. „Hszüeh Csi-Csong, a bécsi kínai nagykövetség első attaséja, házasságot kötött bizonyos, charlottenburgi illetőségű Zenoth kisasszonnyal. Az ifjú diplomata korábban Berlinben élt, ahol atyja a keleti nyelvek szemináriumában lektorként tevékenykedett." (183) S bár az ilyenfajta vegyesházasság nem ment ritkaságszámba, mégis minden egyes alkalommal nagy feltűnést keltett. Bizonyos társasági körökben ugyancsak kedvelték a kínai követségen működő urakat; minden hölgy, aki valamicskét is adott magára, a fogadónapjain feltálalt valamilyen egzotikus, körülrajongott embert. Bőven akadt ilyen összeállítású szerelmi kapcsolat, sőt házasság is. Arról általában nem esett szó, hogy ezek a házasságok hogyan sikerültek; az érintett kínai urak apósainak-anyósainak nem állt érdekében, hogy – kudarc esetén – nagydobra verjék a „blamázst", ahogyan ők érzékelték a frigy kudarcát.

Nos, a Léon által kitalált cselekmény éppen egy kínai diplomata és egy bécsi hölgy között létrejött házasságról szól. A Theater an der Wien 1923 februárjában mutatta be *A sárga kabát*ot; a darabnak eleinte nem volt különösebb sikere. A következő év májusáig alig kilencvennyolc előadást ért meg, márpedig egy Lehár-operettől jóval többet vártak el, hiszen már szinte két évtizede egyfolytában „az operett-évad nagy, érdekes eseménye volt Lehár Ferenc egy-egy új műve". (184)

A kritika kissé zavartan fogadta ezt a művet, nemigen tudott mit kezdeni vele: „*A sárga kabát* egy bécsies–kínaias operett, s ebből a kissé furcsa keverékből adódik ezúttal a probléma." (184) „Egy kissé merész erotikus kísérletről szól a darab, hősei különböző rasszokhoz tartoznak. Szu-Csong Csuang, a bécsi kínai követséghez beosztott fiatal diplomata beleszeret egy tisztes polgári házból származó világszép bécsi lányba. A második felvonásban a hölgy az immár miniszterré előléptetett Szu-Csong Pekingben élő neje; ám mindaz a különösség és szokatlanság, ami Bécsben még érdekesnek és egzotikusnak tetszett, most már untatja őt." (185)

A második felvonásban szokásos konfliktust az ország néhány – egy bécsi lány számára érthetetlen – szokása váltja ki. A harmadik felvonásban Szu-Csong Csuang már nagykövet, Bécsben, „kifogástalan európai öltözékben. A szerelmesek egymásra találásának tehát mi sem áll útjában. Megoldódott a rasszista és az operettprobléma." (184)

A kritikus megállapítja: „Részleteiben ez a librettó-kísérlet roppant csinos és gondosan kivitelezett. Ám sem a szerelmi, sem az emberfajták közötti konfliktus nem különösebben meggyőző, s dramaturgiailag sincs kidolgozva; a környezet és a kultúrák különbözőségeiből alighanem több humort és szatírát lehetett volna meríteni. A komikus részletekben ez a Középső Birodalom valójában a középszerűség birodalma... Annál érdekesebben dolgozza ki a zene a kontrasztot. A kínai jelleg számára Lehár Ferenc valami roppant sajátos melodikájú és ritmikájú stílust alkotott; lehet, hogy eredeti forrásokból merítette, ám minden üteme magán viseli Lehár rafinált, behízelgő muzsikájának bélyegét." (184)

Szinte magától értetődik, hogy a kritika dicsérte a kompozíciót, külön kiemelt bizonyos részleteket, ám egészében a sajtó megnyilvánulásai kissé visszafogottak voltak. A mű fokozatosan eltűnt a repertoárokról, később azonban *A mosoly országa*ként új életre kelt; látható, hogy a kritika nem véletlenül habozott az első változat esetében, a mű nem véletlenül tűnt el a süllyesztőben. Ernst Decsey ugyan így nyilatkozott 1923-ban: „A második felvonás után diadalt ült *A sárga kabát.* Viharos volt az ünneplés, példátlanul sokszor hívták a függöny elé Lehár mestert, a dirigenst, Karczag direktort, Guttmann rendezőt s a főszereplőket, s e vihar hullámait csak egy kínai fal tartóztathatta volna fel. Csekélységünk úgy véli, hogy a tiszteletre méltó operett tízezer esztendeig élni fog!..." (186); ám e tréfásan kifejtett remények ellenére semmi sem lett *A sárga kabát* tízezer esztendejéből.

Másfél hónappal később Bécs újabb Lehár-operettet láthatott, *Libellentanz (A három grácia)* volt a címe. Nem volt ez ősbemutató. Egy milánói színigazgató látta annak idején Bécsben a *Csillagok bolond*ját, s megkérte a zeneszerzőt, hogy komponáljon az olasz előadás számára néhány modern számot, szerezzen új librettót: így jött létre *A három grácia.* Az operett több európai országban aratott sikert – a legvégén Bécsben is. Ám nem a Theater an der Wienben került színre, hanem a Stadttheaterben, a Skodagasséban.

Karczag 1917-ben, egy árverésen szerezte meg ezt a színházat. 1921-ben felmondta a Raimund-Theater bérletét, így most már csak a Stadttheater volt – a Theater an der Wien mellett – az övé.

Érthető, hogy felmondta a Raimund-Theater bérleti szerződését. Csak hatvankét esztendős volt ugyan, de három színház igazgatása mégis túl nagy megterhelést jelentett. Első feleségének – Victor Léon Lizzi nevű lányának – halála után (1918) Hubert Marischka Karczag direktor úr lányát, Liliant vette feleségül. Karczag bevette erélyes és intelligens vejét az igazgatóságba, az pedig ezentúl Marischka–Karcag néven mutatkozott be. 1922-ben ő vette át a színház vezetését, és a Stadttheaterben újfajta, költséges, erősen a revü felé hajló stílust honosított meg.

Érezhető volt ez *A három grácia* előadásán is. Mivel azonban Lehár csupán mellékterméknek tekintette ezt az operettet, nem sokat törődött a Marischka-féle „feldúsítással".

„A harmadik felvonás végén megtudjuk, miért *Libellentanz* a

*A három grácia – Biller Irén a Fővárosi Operettszínház
1923-as előadásán*

darab címe. A herceg nagyon utálja a nőket, de végül mégis feleségül veszi az őt körültáncoló három szitakötő egyikét." (187) Körítésként valóban sok minden szerepelt az előadásban: „A hölgyek számtalan toalettje és hálóköntöse pompás divatbemutató volt. Lenyűgözően bájos színpadképet alkottak a korcsolya-balett résztvevői, az eleven lámpaernyők s a modern színpad egyéb csodái. A nagyrevü tarkaságát fokozza két amerikai táncos, Jolly és Jackson eredeti és groteszk betétje. Viharos tetszésnyilvánítás követett minden felvonásvéget, a népszerű zeneszerzőt nagy szeretettel ünnepelték." (188)

Nyolc hónappal A sárga kabát bemutatója után meghalt Karczag Vilmos. Lehár és Karczag között a Bécsi nők bemutatója, vagyis 1902 óta igen szoros munkakapcsolat alakult ki. Hubert Marischkával már nem értették meg ennyire egymást. Marischka ugyan csak tizenkét évvel volt fiatalabb Lehárnál, ám másképp állt a dolgokhoz, mint Karczag. Négy esztendőnek kellett eltelnie, míg a Theater an der Wien színpadán újabb Lehár-művet adtak elő.

Néhány nappal Karczag halála után ünnepi keretek között mutatták be Puccini Manon Lescaut-ját. A zeneszerző fia, Tonio társaságában érkezett Bécsbe. Meglepetést keltett, hogy autóval keltek át az Alpokon. Ez volt Lehár és Puccini utolsó találkozása.

A következő Lehár-ősbemutatóra ismét más színházban került sor: a Vordere Zollamtstrasséban, a Stadtpark közvetlen közelében álló Bürgertheaterben. Jenbach Béla az előző esztendőben felhívta a zeneszerző figyelmét egy vidám témára. Lehár maga is ilyesmit keresett, hiszen megígérte Louise Kartouschnak, a nagyszerű szubrettnek, hogy komponál valamit, amiben egész estét betöltő főszerepet kap. Tetszett neki az anyag, átkomponálta az egész telet, s 1924 márciusában megvolt a Clo-Clo (a kötőjel később kikopott a két szótag közül) ősbemutatója.

A darab valóban igen mulatságosra sikeredett, s ennek nemcsak Louise Kartousch örült, hanem a sajtó is. „Lehár Ferenc, az elégikus operett ősapja ismét vidám. Azt kell mondanunk: hála istennek!" (189) „Rég volt – akkor, amikor még jóval vidámabb volt a világ. Akkoriban nagyokat nevettek két bécsi szerző, Alexander Engel és Julius Horst elképesztő, ám mégis vicces bohózatán, aminek címe Der Schrei nach dem Kinde (kb. „Ide nekem a gyereket!") volt. Ama gyerek most ismét felbukkant, ezúttal Clo-Clónak hívják, s ebben a minőségben Lehár új operettjének vidám főszereplője, aki a bemutatón viharos-vidám sikert aratott. A szövegkönyvet Jenbach Béla jegyzi egymagában, az eredeti bohózat szerzőit meg sem említi a színlap. Az operettek színlapjai rendszerint roppant diszkrétek az ötletek eredetét illetően. Annál erőteljesebben bukkan elő Engel és Horst bohózata a szövegkönyvben: nemcsak a párizsiasan mulatságos alapötlettel találkozunk benne, de visszatér a legtöbb humoros helyzet és szöveg is, méghozzá változatlan ifjonti hatással. A néző örömmel kukkant be újfent a kis párizsi félvilági hölgy mozgalmas mindennapjaiba, bár a leány az erkölcsre többet adó, kemény valutával rendelkező országokba történő exportlehetőségre való tekintettel jószerivel zárdaszűz lett. Clo-Clo papának becézi az öregecske vidéki urat, akinek szabad őt kitartania, de mást aztán nem! Ebbe az ártatlan idillbe robban bele a Papa felesége, aki úgy véli, hogy Clo-Clo az ő titkos, házasságon kívül született lánya, s nem sokat teketóriázva elviszi magával Perpignanba, ahol is a kétségbeesett papa egy leánygyermekkel ugyan gazdagabb lesz, ám elveszíti a szeretőjét. Jenbach ezt a mintaszerű bohózat-ötletet ügyesen, nagy színpadi érzékkel, tiszta, poénre kihegyezett szövegekkel és egy eredeti harmadik felvonás segítségével valódi operett-bohózattá formálta." (190)

A zenéről ez volt olvasható a *Neue Freie Presse*ben: „Zenei szempontból figyelemre méltó már csak azért is, mert Lehár Ferenc ezúttal minden erővel igyekszik a könnyű műfaj felé fordulni. Tudvalévő, hogy nem könnyű egészen könnyű zenét írni, s az olyan lelkiismeretes, igényes művésznek, mint Lehárnak, még annál is nehezebb. Szellemes vígjáték-zenét írt a vidám és szemtelen bohózathoz, bár az ezúttal sem mentes attól a szentimentalitástól, mely legvidámabb pillanataiban sem hagyja el a szerzőt. Így hát, a burleszkszerű események bohózat-tempójával mit sem törődve, helyenként szinte önmagának komponál a maga bájos, szellemes módján, a zenei vájtfülűek nagy örömére. Ám egy operett-bohózat mindenekelőtt bohózat-zenét követel, fessen pergő, gondtalanul dallamos és pajkos tánc- és énekslágereket. Nagy tudása ezzel is megbirkózik ... ám akkor a legbehízelgőbb a muzsika, ha igazi, édes Lehár-zene szólalhat meg, mint az első felvonás elragadó keringőjében." (190)

S a kritika mindig újra meg újra rámutat a mű vidám jellegére: „Bármily hihetetlen is, ez az operett-bemutató valóban vidám volt, s a végén, más alkalmakkal ellentétben, nem megtört szívvel hagyjuk el a színházat. ... A bemutató estéjének igazán komikai szenzációja Gisela Werbezirk volt, aki szinte meghatóan komikus vidéki anya mivoltában, falrengetően mulatságos kalapkájával, fanyar hangvételével és drasztikus mozdulataival egyetemben átköltözött a Josefstadtból a Landstrasséra, s ráadásul azzal is elbűvöli a közönséget, ahogyan a kuplékat előadja." (190) „Landstrasse" Bécs III. kerületének a neve, ahol a Bürgertheater állott.

Az 1923–24-es színházi szezon jelentős volt Lehár életében. Karczag halála megpecsételte egy operettkorszak végét, mely – nem utolsósorban – az ő jegyében is állott. S mintha pontot akarna tenni e korszak végére, éppen ekkor jelenik meg Ernst Decsey tollából az első Lehár-életrajz.

„Kellemes érzés – nem akarom adni a fölényest –, ha az ember ilyen szép könyvet lát, mely mások hasznára és okulására, megint mások bosszúságára írja meg az egész élettörténetet, s az ember azt mondja magában, ez a te regényed, a te életed, a műveid, a muzsikád regénye. Nem hiába éheztél, nem hiába fáztál fiatal korodban Prágában, érdemes volt éjszakákon át gyakorolni a hegedűn, és tíz krajcár vacsorapénzből megélni. Nem hiába koptattad lyukasra a cipőd talpát, hogy valami álláshoz, valamiféle szövegkönyvhöz jussál, nem hiába előszobáztál az igazgatói irodákban – a sors megtette, amit emberek oly ritkán tesznek: meghálálta fáradozásaidat." (191)

Sokat, és sok mindent írtak Lehárról az első újságkritika óta; ám mégis más, ha az ember kézbe veheti az első életrajzát. „Franz Lehár! Ha felütöttem a könyvet, az arcképemet véltem látni, s mégis egy más, egy ismeretlen Lehár volt az, aki rámkacsintott: egy olyan Lehár, aki bennem rejtőzött, s akit az életrajz írója fedezett fel. A magunkfajta ember ki tud találni egy dallamot vagy egy gyújtó hatású ritmust, fénylővé teheti a zenekart, de hogy mindez miért, mitől és hogyan történik – azt nem tudjuk. Szükségünk van hát az életrajzíróra, arra az emberre, aki nem röstelli a fáradságot, hogy megmagyarázza! Most már persze tudom, micsoda remek fickó ez a Lehár, honnan veszi a ritmusokat és a zenekar fénylő hangjait; s hogy miért voltak éppen a nők – szerencsétlen, hallgatásra ítélt nők – azok, akik megbecsültek engem, s kiknek elhallgatott érzelmeinek hangot adtam a Lehár-keringőkben! Azt is kiolvastam a könyvből, hogy életem kalandjai tulajdonképpen olyanok, mint egy operett vagy egy film. Hogy elbámultam! Istenem, mi minden is történt! Mennyi tűz, mennyi hamu!..." (191) Decsey könyve 1924 elején jelent meg. Ugyanebben az évben halt meg Giacomo Puccini, s vele sírba szállt egy jóbarát. Másfél évvel Puccini halála után mutatta be a milánói Scala a zeneköltő utolsó operáját, a *Turandot*ot. Lehár a világ minden kincséért sem mulasztotta volna el, hogy ott legyen. A darabot befejező kettőst Puccini már nem írhatta le. A karmester, Arturo Toscanini, ennél a pontnál letette a karmesteri pálcát, s a közönséghez fordulva így szólt: Itt ér véget a Mester műve!

„Toscanini szavai után néhány másodpercig csönd volt. Azután percekre kitört a zokogás. Mindenki sírt, aki csak ott volt a Scala hatalmas nézőterén – sírtam én is..." (110) A második milánói előadástól kezdve aztán teljes egészében adták elő az operát; Franco Alfano fejezte be, Puccini vázlatai alapján.

Az életrajzot közvetlenül megelőző és a közvetlenül rákövetkező évek valamiféle cezúrát jelentettek Lehár életében. 1921-ben meghalt Leo Stein, A víg özvegy szövegkönyvének társszerzője; 1923-ban meghalt Karczag, 1924-ben Puccini, 1925-ben Leo Fall, akivel egészen fiatal kora óta volt jó barátságban. Az életrajz megjelenése idején Lehár negyvenöt esztendős volt: olyan életkorban, amikor az ember elgondolkodik eddigi élete felől.

Fölösleges azon töprengeni, mit is akart Lehár zeneszerzőként elérni: operett-komponista volt, és az is maradt.

„Az a szokatlanul kifejlett muzsikus-temperamentum, mely Lehárt megkülönbözteti a legtöbb konkurensétől, korántsem indítja őt arra, hogy túllépjen az operett területén. Ha akarná, semmi nem állná útját, hogy sinfoniettával, szimfóniával vagy más abszolút zenével kísérletezzék. Ám ő megmarad az operettnél, csak éppen olykor kissé szétrombolja az operettnek azt a kevéske maradék stílusát is." (168) Gondoljunk csak A kék mazurra, arra az operettre, melynek „első felvonása több mint két óráig tart, vagyis hoszszabb, mint az Istenek alkonya első felvonása. S melynek kezdeti háromnegyedes ütemét hamarosan félresöpri a muzsikus türelmetlensége, hogy helyet adjon a verismo lármás drámaiságának, *Elektra*-szerű fokozásoknak, nehéz kórustételeknek, bruckneri fúvósegyütteseknek a színpad mögött, rafinált zenekari intermezzóknak a felhőfüggönyös színváltozások alatt. S mindez mégis csak operett akar maradni, hisz ezután, a második felvonásban, szinte már csak táncszámokkal találkozunk." (168)

A nem operettszerű zenei eszközök használatáért alighanem Lehár ifjúkori élményei is felelősek. Gyermek- és ifjúkorát át- meg áthatották a hangverseny- és operai élmények. Ha hihetünk a szóbeszédnek s Lehár saját állításának, akkor valóban a *Bécsi nők* – saját műve – volt az első operett, amelyet életében látott. S az úgynevezett komoly zene iránti vonzalma élete végéig megmaradt. „Moritz Rosenthal, a nagy pianista, egy napon meglátogatta Lehárt bécsi lakásán. Bekísérték a zeneszobába, s várakozás közben belelapozott a zongorán tornyosuló kottahalomba. Csupa olyasmit talált, amiket az ember nem várt volna egy operettszerző műhelyében: Richard Wagner összes művei, Liszt, Brahms, Bruckner, Csajkovszkij, Mahler szimfóniái, Weber, Lortzing, Verdi s legfőképp Puccini operái, néhány Schumann-, Debussy-, Ravel-, Stravinsky-, Szkrjabin-kotta, egy füzetnyi Schönberg, a *Salome,* az *Elektra* és *A rózsalovag* zongorakivonata." (168)

Lehár intenzíven foglalkozott a kortárs zenével is. Jelen volt Arnold Schönberg *Gurrelieder*ének ősbemutatóján 1912 februárjában. Óriási siker volt. Február 24-én ezt írta levelében Antal öccsének: „Rengeteg erő, tudás és tehetség lakozik ebben a kompozícióban. Ám nem adatott meg neki, hogy közvetlenül megérintse szívünket – mint ahogyan Wagner értett hozzá, hogy hasson ránk, megragadjon, és soha többé el ne eresszen bennünket. Talán csak azért van ez így, mert a forma jóval ridegebb: mindig csak egy-egy énekhang vagy a hatalmas zenekarhoz kapcsolódó kórus. Mindenesetre rendkívül érdekes este volt." (141)

Az opera, a „nagy" muzsika iránti reménytelen szerelme újra meg újra arra csábítja a zeneszerzőt, hogy aránytalanul nagyszabású eszközökkel zenésítse meg a jelentéktelen operettcselekményt, s ezt a kritika is szemére vetette.

„Lehár rangos operett-komponista, s kétségtelenül jogos az a dicséret, mellyel szokatlan bőséggel mindig is elhalmozták. Igen erős artisztikus képességekkel rendelkezik, öröme telik a muzsikálásban, vannak dallam-ötletei, s mindenki másnál inkább arra lenne hivatott, hogy siker tekintetében is túltegyen a többieken. Érdekes módon azonban a többiek mindig lekörözik... Lehárt szeretik Bécsben, népszerű ember, nevének személyiség-értéke van. ... Másutt több kritikával fogadják, kevésbé elnézőek vele, s korántsem hajlamosak arra, hogy csupán a neve kedvéért magukra sózassanak olyan operetteket, melyek nélkülözik a siker valamennyi kellékét. Lehár stílust szimuláló operettjeiben nincs semmi egység, összekeveredik bennük a nagyopera, a vígopera meg a bárzene. Nagy drámaiságra törekednek, ám tulajdonképpen csak zajt csapnak; az ember gyakran megriad, ha a zenekar a legközönségesebb és legjelentéktelenebb alkalmakkor óriási mozgásba lendül, hogy aztán duplán örüljön, ha Lehár, igazi muzsikus kedvében, valami fürge keringőre vagy ügyes modern táncra vált át... Ám Lehár esetében még másról is van szó. Aki figyelemmel kíséri az operettjeit, tudja, hogy a lehető legszerencsétlenebb kézzel választja meg a librettóit... Már pedig ahhoz aligha férhet kétség, hogy a szövegkönyv a legfontosabb: az, hogy többé vagy kevésbé izgalmas-e, hogy ügyesen van-e megszerkesztve, hogy eredeti-e vagy hétköznapi... ez határozza meg egy operett színpadi értékét. S minél szerencsésebben illusztrálja a zene ezt a szöveget – hogy felemeli-e, vagy netán túlszárnyalja: ez dönti el az egész mű értékét, azt, hogy a mű tartósan fennmarad-e. Ám Lehár vagy nem érti ezt a tapasztalatokon nyugvó aranyszabályt, vagy fikarcnyit sem ért a szövegkönyvekhez." (192)

Jó volna persze egyszerűen azt mondani: ha Lehár jobb szövegkönyveket választott volna, máris csupa olyan mestermű keletkezett volna, mint *A denevér* vagy az *Orfeusz az alvilágban*. Ám nem lehet csakis a librettók minőségére hárítani a felelősséget sem a sikerért, sem a bukásért. Így például „a csak-muzsikus Lehárra jellemző, hogy zenéjét le lehet választani az egyik szövegről, s egy másik fölé lehet ragasztani. Ilyet az *Egy éj Velencében*nel vagy *A cigánybáró*val nem lehetett volna megtenni – igaz, *A víg özvegy*gyel sem." (187)

Lehár operett-kompozíciói arról tanúskodnak, hogy valami kettősség húzódik egész életén. Ez persze öccséről, Antalról is elmondható: együtt és egyszerre volt kötelességtudó és álmodozó, rendkívül kemény katona, aki ugyanakkor megvalósíthatatlan politikai utópiákat kergetett. A legkeményebben a saját testével bánt (sebesülése után), s a legnagyobb elnézést az álmai iránt tanúsította.

Hát Lehár Ferenc? Ugyanolyan kérlelhetetlen volt ő is, ha a saját „katonai szabályzatáról" volt szó: a zenei mívességről, melyet olyan fölényes tudással birtokolt, mint kevesen rajta kívül; ám vágyálmokat kergetett, ha kitűzte az elérendő célokat, ha szövegkönyvet kellett választania.

Érdekes megállapításokra jutunk, ha megvizsgáljuk a Lehároperettek közegét, s a bemutatott alakok lelkiállapotát. Azok a hangulatok, amelyek kedvéért Lehár érdeklődést tanúsított egyik vagy másik alakja iránt, a XIX. században gyökereznek: a Makartkorszakban. Makart halálakor Lehár tizennégy esztendős volt. Johann Strauss művei közül még sem a *Simpliciust*, sem a *Pázmán lovagot* nem mutatták be; teljes pompájában tündökölt, amit Egon Friedell „a nemvalódiság élvezetének" nevezett. (72) Hadd idézzünk Egon Friedell *Kulturgeschichte der Neuzeit* (Az újkor kultúrtörténete) című művéből – ebből talán kiviláglik, miről is van szó: „A szobabelsőkben valami borzasztó túlzsúfoltság, túldíszítettség, túlbútorozottság irritálja a szemlélőt. A szobák nem lakóhelyiségek, hanem zálogházak és műkereskedések."

Megértjük, mire is gondolt Friedell, ha megnézzük a Lehár ischli villájáról készült fényképeket. Friedell arról ír, milyen fontos volt ama kor embereinek „a selyem, az atlaszselyem, a lakkbőr, az aranyozott képkeret, az aranyozott stukkó dísz, az aranymetszés... Az ágy fölött imbolygó fülledt, rózsaszín ámpolna ugyanúgy a díszlet része, mint a meghitt fahasáb a kandallóban." (193)

Valami hasonlót láthatunk még ma is az ischli villában: „Gótikus és barokk szobrok mellett dúsan trébelt ezüstholmi, egy szenesláda, melynek előképe egy Rembrandtnak tulajdonított festményen látható farakás. Keleti festett faliszőnyegek előtt meisseni és nippfiatalemberek másolatai. Figyelemre méltó festmények között babérkoszorúk a falon. Francia empire-asztalkába szőkefürtös leánykák képeit applikálták... Minden történelmi korszakból s nemzetközi méretekben szedték itt össze a valahol a művészet és az iparművészet között elhelyezkedő giccset." (194)

Ne higgyük, hogy Lehár úgy döntött: mindhalálig csak giccseket fog vásárolni vagy gyűjteni. Korántsem. A villát ifjúsága ízlésvilágának megfelelően rendezte be. Lényében s felfogásában megmaradt az előző század utolsó harmadában élő embernek. Ehhez társult a zene szakmai részének fölényes ismerete, valami hatalmas szorgalom, az új zenei irányzatok tanulmányozásakor pedig valami hihetetlen lekiismeretesség. A *Frasquita* idején így írtak róla: „Lehár persze teljességgel modern. Nagyjából levált Pucciniról, most mintha Richard Strauss lenne az istene. Ilyen magas polcra még sohasem ácsingózott a bécsi operett!" (195)

Persze az sem igaz, hogy Lehár valamennyi művében múlt századi érzéseket és érzelmeket ábrázol modern zenei eszközökkel. *A víg özvegy* és a *Luxemburg grófja* megragadja a lényeget, eltalálja az adott korok bizonyos társadalmi rétegeinek hangvételét; érvényes ez bizonyos megszorításokkal még *A drótostót*ra is. Ez utóbbiban is, akárcsak valamennyi más művében, annak a zenének lenyűgöző, csillogó, legsajátosabb példáival találkozunk, melynek elnevezését – a „szórakoztató zene" megjelölést – mindennél jobban gyűlölte. Két évtizednyi megfeszített munka, két évtizedre való remek ötletek sora, két évtizednyi áldozatos odaadás az operettszínpad érdekében – és mégis: ha kritikai viszonyt teremtünk a kompozíciói és a hozzájuk tartozó szövegek között, ugyanazt mondhatjuk, amit ő – más értelemben bár, ám mégis átfogó érvénnyel – mondott: Mennyi láng, és mennyi hamu...

IV. fejezet

1925–1930

A soknemzetiségű osztrák államból az első világháború következményeképpen kialakult az első osztrák köztársaság. Fejlődéséről a következők olvashatók egy korabeli Bécs-prospektusban: „A mai Bécs a szanálás és az értékálló pénz jegyében áll. Ha érezhetőek is az átmeneti kor elkerülhetetlen utóhatásai, mégis töretlenül halad előre az újjáépítés. E tények már kívülről is szembeszökőek. Számos magán-, városi és ipari építkezés tanúskodik a megélénkült építkezési lázról; a városi közlekedés villamosításának hála nagyvároshoz méltó, gyors közlekedési rendszer van keletkezőben; a porveszély hatásos leküzdésére olajozzuk a legfontosabb útvonalakat; folyamatosan javul a közúti világítás, s még a szemetes is áldozatául esett a szemétszállítás motorizálásának. Visszatért a külföld bizalma az osztrák köztársaság életképességébe, s ez természetesen kihat a társadalmi életre is." (198)

Ennyire problémamentes azért nem volt ez a fejlődés. Akkoriban vezették be fizetőeszközként a schillinget: tízezer korona ért egy schillinget, illetve száz groschent.

Ám számos bank csődbe ment a pénz stabilizálása idején – az emberek túlontúl megszokták a spekulációt –, s ez ismét csak megrázkódtatta a gazdasági életet. Újból meghúzták az adóprést, s Bécsben csakhamar százezer munkanélkülit tartottak számon. A bécsi muzsikusok fele az utcára került, a társulatok nem bírták el a hatalmas vigalmi adót.

Egy évvel korábban, 1924. október 1-jén kezdte meg adásait az osztrák rádió, s nem lehetett még tudni, mivé is fejlődik majd az új médium. Lehár bizakodott, s valóban, a *Frasquita* volt az első operett, melyet rádión közvetítettek, mégpedig Berlinből.

Művei terjesztésével Lehárnak bámulatos szerencséje volt, s ebben osztozott persze a többi, hasonlóképpen hosszú életű zeneszerzővel. Élete során találták fel a hanglemezt, az elektromos hangrögzítést, a filmet és a hangosfilmet, a rádiót és a televíziót.

Mindegyik külön-külön is nagy hatású médium, ám első helyen a hanglemezről kell szólnunk.

Ha Lehárról és a hanglemezről van szó, Richard Tauber nevét kell megemlítenünk, akinek oroszlánrésze volt Lehár műveinek népszerűsítésében. „Barátom, Tauber. Az a hang, amelyet komponálás közben hallok" (199), írta később egyszer Lehár. Néhány éve, hogy összetalálkoztak.

1920 augusztusában, amikor szabadságon volt a drezdai operától, Tauber Berlinben elénekelte a Cigányszerelem Józsijának szerepét, s amikor a salzburgi városi színház 1921-ben műsorra tűzte a darabot, ismét csak ő énekelt. Lehár szívesen nézte-hallgatta saját művei előadásait, így hát Salzburgba utazott. Mélyen megragadta őt az az odaadás, amivel Tauber a szerepet felépítette, mély benyomást tett rá Tauber muzikalitása és hangjának sajátos zengése. Tauber meglátogatta Lehárt Ischlben, kapcsolatuk egyre mélyült, s Lehár felhívta rá Karczag direktor úr figyelmét. Már Ischlben eljátszott neki egyet s mást a készülőfélben lévő Frasquitából. Minthogy az ősbemutató 1922 májusa közepére volt kitűzve, s mivel Tauber júliusban szabad volt, július 15-től 25-ig ő énekelte Armand szerepét a Frasquitában. Tauber révén már nem a cigánylány, hanem Armand lett az operett főszereplője, s szinte hihetetlen, mennyi erotikus árnyalattal énekelte a híres dalt:

Kicsikém, ne tétovázz,
szűk utcában kicsi ház
oly régóta vár,
hogy jössz-e már...

A publikum körében híre ment, hogy itt valami nagyszerű élményben, egy operett-szenzációban lesz része. Tauber persze továbbra is énekelt operaszerepeket Bécsben és Berlinben. Ám a korona a schilling bevezetése előtt még egyszer stabilizálódott, s ekkor egy magánkézben lévő operettszínház többet tudott fizetni, mint egy állami intézmény – egyre megy, hogy miből és hogyan. 1922-ben sztrájkoltak a bécsiek – Tauber éppen akkor énekelte Armand-t... énekelt a Cigányszerelemben is, amikor Marischka – Karczag akkorra már átadta neki a színház igazgatását – az év vége felé egész Lehár-ciklussal rukkolt ki. Néhány héten belül folyamatosan színre került *A víg özvegy,* a *Cigányszerelem,* a *Pacsirta,* a *Luxemburg grófja,* az *Éva* és *A drótostót.* Néhány nap szünettel minden előadás között, hisz másképp nem maradt volna idő a felújítások próbáira. Marischkának sikerült Taubert roppant ügyesen és nagyon barátságosan megnyernie a színház számára. 1923 februárjában került színre *A sárga kabát,* ám Szu-Csong szerepét ekkor maga Marischka játszotta és énekelte, viszont Tauberre osztotta ki Granichstaedten *Bacchusnacht*jának (Bacchus éjszakája), utóbb még Oscar Straus *Búcsúkeringő*jének nagy énekes szerepeit. Karczag meghalt; két héttel később Tauber ismét fellépett a színházban, mégpedig az *Egy éj Velencében* c. Strauss-operettnek abban az átdolgozott változatában, amelyet a zeneszerző Korngold hozott létre Marischka megbízásából. Novemberben Taubernek ismét dolga volt Oscar Straus új operettje, a *Kleopátra gyöngyei* ősbemutatóján. Ám Lehár-operettben soha, semmikor nem akadt feladat számára!

Óhatatlanul feszült lett a hangulat Lehár és Marischka között. A direktornak a színház műsora volt fontos, Lehárnak a saját operettjei. Azután kijött a *Clo-Clo* a Bürgertheaterben, s Lehár nem is bánta, hogy megmutathatta Marischkának: megvan ő nélküle meg a Theater an der Wien nélkül is.

Tauber időközben rájött az operett ízére, s 1924 júliusában a berlini Deutsches Opernhausban fellépett a *Firenzei lány* című Ralph Benatzky-operettben. Tíz előadásra szerződtették, ám a sikerből csak alig egy hétre tellett. S Tauber megértette: semmi haszna, ha olyan operettekben lép fel, ahol nincs hozzá illő, neki való szerep. Lehárnak azonban volt valami a tarsolyában, olyasmi, ami nem volt egyik olyan zeneszerzőnek sem, akikkel Tauber hajlandó lett volna együtt dolgozni, egy olyan operett, amit más el sem énekelhetett volna, csak ő: a *Paganini.*

Az anyag furcsa módon került Lehárhoz: „Egy szép napon betoppan hozzám egy barátom, nála van egy librettó, a szerző neve nélkül, s a kezembe nyomja, holott semmi ilyesmire nem volt szükségem: ha tetszik – mondja –, tartsa meg, ha nem, majd alkalomadtán elviszem! Kivételesen otthon töltöttem az estét, meg rá is értem. Önkéntelenül kinyitom a füzetet, belelapozok, s már az első jelenetre – a távolról felcsendülő lenyűgöző hegedűszóra – megmoccan bennem valami. Tovább olvasok, és zene, zene árad felém minden szereplőből, minden helyzetből." (138) „Annyira

171

megragadott, hogy azonnal íróasztalhoz ültem, s egész éjen át megszakítás nélkül, szinte transzban dolgoztam. Felvázoltam az első felvonás zenei körvonalait, sőt, még a másodiknak egy részét is. Amire reggel felkeltem az íróasztal mellől, halálosan ki voltam merülve – s mégis boldog. Azt írtam akkor a vázlatkönyvembe: születésnapi ajándék a jóistentől – mivelhogy éppen április 30-a volt, a születésnapom!" (62)

Lehár nem tudta, ki írta a librettót, felkereste hát azt a bizonyos barátját – Viktor Wögerer volt a neve –, hogy megmondja: meg akarja zenésíteni a szövegkönyvet. Kiderült, hogy Wögerer önhatalmúlag cselekedett. Bizonyos Paul Knepler, könyvkereskedő, író és műkedvelő zeneszerző írta a szöveget, saját kedvtelésére. Vagy kilenc évvel volt fiatalabb Lehárnál, s rendkívül vonzották a történelmi alakok (Josefine Gallmeiertől egészen E. T. A. Hoffmannig Künneke Die lockende Flamme – A csábító láng – c. operettjében). Lehárnak tetszett a téma és a cselekmény menete, a versekkel kevésbé volt megelégedve. Megbeszélték a dolgot, Lehár eljátszotta Kneplernek, amit eddig komponált. S Knepler volt olyan bölcs, hogy hozzájáruljon Lehár muzsikájához,· még a versezetektől is elállt. Ezeket Jenbach Béla dolgozta át a zeneszerző ízlésének megfelelően, s Knepler librettójából és Jenbach verseiből létrejött a Paganini szövegkönyve.

Ritkán akadt olyan operett-téma, amelyik annyira megragadta volna Lehárt, mint ez. Megszállottan dolgozott, egészen 1924 teléig s azon túl, 1925 tavaszának kezdetéig. Persze a munka elkészültének tengernyi akadály állta útját – hogyan is történhetett volna másképpen!

1925 elején Hollywoodban megfilmesítették A víg özvegyet. A rendezője Erich von Stroheim volt. „A bemutatón felállt, és ezt kiáltotta a közönség felé: Egyetlen mentségem, amiért ezt a vacakot megfilmesítettem, az, hogy gondoskodnom kell a feleségemről és a gyermekeimről." (201) Ám a filmnek, bár némafilm volt, sikere lett. Lehár Párizsba utazott a bemutatóra, ahol mindjárt három „özveggyel" is találkozhatott: May Muray-jel, a filmbelivel, és két amerikai énekesnővel. Onnan Zürichbe utazott, A bálványférj április 18-i bemutatójára.

Ám ezután kissé összebonyolódtak a dolgok. Augusztus 16-án felbukkant Ischlben Saltenburg direktor úr, aki egy esztendeje átvette a berlini Deutsches Künstlertheater igazgatását, operett-színházként működtette, s Ischlben új művek után kutatott. A Hotel Postban összetalálkozott Richard Tauberral, aki beszámolt neki Lehár tervezett *Paganini*jéről, amire mindketten meglátogatták a mestert. Tauber énekelt, Lehár zongorán kísérte, s hamarosan mindhármójuk kezében volt az 1926 januárjára szóló szerződés. Ötven előadásban, s Tauber szereplésében állapodtak meg.

Lehár persze el sem tudta képzelni még akkoriban, hogy műveinek ősbemutatója ne Bécsben legyen, ám még egyre dúlt az idegháború közte és a Theater an der Wien között. Amikor aztán tárgyalásokba kezdett a Johann Strauss Theater igazgatójával, Erich Müllerrel – Leopold Müllernek, a színház 1912-ben elhalálozott igazgatójának fiával –, „valaki" oly híreket juttatott el a sajtóhoz, hogy Müller nehézségekkel küszködik, hogy Lehár nagyobb összeggel szállt be a színházba, feltehetőleg azért, hogy olyan helyet találjon, ahol neki mernek vágni egy Lehár-ősbemutatónak. Lehár kénytelen volt azonnal és táviratilag tiltakozni az illető szerkesztőségeknél: „Kéretik a híresztelést cáfolni, miszerint anyagiakkal óhajtok beszállni a Johann Strauss színházba. Merőben művészi érdekeim fűződnek Müller igazgatóhoz. Ragyogóan vitte színre *A drótostót*ot, *A bálványférj*et és a *Hercegkisasszony*t, ugyanilyen pompásan fogja kiállítani a *Clo-Cló*t és a *Paganini*t. Gond nélkül szeretnék komponálni s eszem ágában sincs feladni művészi függetlenségemet." (54)

Szeptember elején új rendezésben került színre a *Clo-Clo* a Johann Strauss Színházban, s óriási sikert aratott. Müller megrövidített néhány jelenetet, Lehár két sikeres új számot komponált hozzá. A második felvonás egyik parodisztikus betétjének szövegét a fiatal Peter Herz írta.

A nagyérdemű nagyon jól mulatott. „Már az első felvonás is tomboló siker volt. A második felvonás fináléja olyan ovációt hozott Lehárnak és minden szereplőnek, hogy az még bécsi operett-bemutatókon is szokatlan" (202), és így tovább.

Lehár most már ismerte a színház együttesét, és nagy bizalommal nézett a *Paganini* elébe. Igaz, hogy Müller akkori társulatában nem akadt teljes értékű Paganini, és nem volt neki megfelelő partnernő sem. Arra gondolni sem lehetett, hogy Tauber Bécsbe jöjjön, hiszen a híres énekeseknek jóval előre kell programjaikat megtervezni. Lehár tudta, mik Tauber kötelezettségei, mivel az énekes már 1925 februárjában elmondta: „Szeptembertől ismét néhány hónapig operettet énekelek. Ötven estére szerződtem az *Egy éj Velencébe*nre, amivel Sladek szeptember 15-én megnyitja a Berliner Theatert. Utána megkezdődik a szerződésem a berlini Állami Operánál." (203)

A Berliner Theater előadás-sorozatát azonban idő előtt be kellett fejezni; Maximilian Sladek, az igazgató, november 9-én meghalt. Októberben Tauber, szerződésének megfelelően, megkezdte működését a berlini Állami Operaházban, s ott elénekelte – mi egyebet is énekelhetett volna – *A denevér* és *A cigánybáró* férfi főszerepét.

Így hát határidő-problémák miatt nem lehetett a *Paganini* ősbemutatóján Tauberre számítani. Igaz: egy héttel a bécsi premier előtt lemezre énekelte az operett legszebb dalait. Kritikusok olykor aggódva kérdezték meg tőle: „Nem fél attól, hogy sorozatban énekel, ráadásul operettben?" (203), pontosabban: az *Egy éj Velencében* előadásain? Tauber visszavágott: „Aki tisztességesen megtanult énekelni, az győzi minden nap, és több hetes sorozat után talán még frissebb a hangja, mint a bemutató estéjén." (203)

A *Paganini* ősbemutatójára Müller direktor, Lehárral egyetértésben, Carl Clewing kamaraénekest nyerte meg, a berlini Staatsoper tenoristáját. Mindketten úgy vélték: személye garancia arra, hogy tökéletesen megszemélyesítse Paganinit, hiszen mielőtt énekesként csinált volna karriert, kitűnő prózai színházakban lépett fel. Anna Elisa hercegnő megszemélyesítőjeként Kosáry Emmy kínálkozott. A művésznő a húszas évek elején került Budapestről Bécsbe, s 1920–21 telén a Carl-Theaterben vendégszerepelt. 1924 telén Emil Guttmann, Marischka rendezője, a berlini Metropol-Theaterben színre vitte Kálmán Imre *Marica grófnő*jét; a tenorszólamot – akárcsak az ősbemutatón – ezúttal is Marischka énekelte, a címszerepre pedig meghívta Bécsből Kosáry Emmyt. Ő is, akárcsak Clewing, szabad volt az ősszel. Ennek a szereposztásnak persze volt egy bökkenője: a bécsiek egyiküket sem ismerték különösebben. A szerzők is, Müller igazgató úr is számoltak ezzel, ám bíztak a műben, mely végül is október 30-án jelent meg a világot jelentő deszkákon.

30-a péntekre esett. „Premierláz már a premier előtt! Az előcsarnokban sistergő tömeg, izgatott nemzetközi publikum, ötven schilling körüli helyárak a nézőtéren!" (204) Az árak feketepiaci árak voltak, s az akkori átváltási árfolyam szerint harminc márkának feleltek meg! Ennyiért egy fél hetet lehetett eltölteni a Hotel Sacherben, teljes ellátással – persze csak akkor, ha kissé spóroltak a koszttal. A feketekereskedők olyan szemérmetlenül magas árakat kértek az előre felvásárolt jegyekért, hogy végül nem is tudtak valamennyin túladni.

Meséltek egy esetet, mely állítólag néhány perccel a bemutató kezdete előtt esett meg: a színház portása átad Lehárnak egy névjegyet, s azt mondja, hogy ez az úr odakint vár, és még a nyitány előtt gratulálni szeretne Lehárnak. Lehár állítólag falfehér lett, és átadta a névjegyet a mellette álló Kneplernek: „Neked kell vele beszélned, Paul!" (205) Knepler tehát kiment, s a ruhatár bejárata előtt ijedten hátrahőkölt: ott állt mellette egy "talpig feketébe öltözött úr, egyik hajfürtje művészien a homlokba fésülve, akárcsak a híres mesterhegedűsnek, arca sápadt, szeme izzik, s felkiált: Maestro, grazie tante (nagyon köszönöm, mester)!" (205) Az illető összetévesztette Kneplert Lehárral, ő maga pedig valamelyik kései és távoli rokona volt a hegedűművésznek, de valóban Niccolò Paganininek hívták, s gyümölcskereskedő volt Genovában; köszönetet óhajtott mondani, amiért családját a *Paganini*-operettel oly igen nagy megtiszteltetés érte.

Mindenféle furcsaságot rebesgettek később az est további menetéről. Azt írta az egyik lap: „Amint a mester megjelent a pulpitusnál, a lehárianusok hatalmas üdvrivalgással köszöntötték, s ehhez csatlakozott a teljes közönség. Ez volt az est első és utolsó ovációja. A zene belefulladt az est általános apátiájába..." (76)

Az ősbemutató számos visszautasító kritika ellenére sem lehetett akkora katasztrófa, hiszen különben nem lehetett volna ilyesmiket is olvasni a sajtóban, mint: Lehár és valamennyi közreműködő „nagy, helyenként lelkes sikert aratott". (206) Nem lehetett teljesen légből kapott az ilyen írás sem: „Lehár diadalmaskodott melódiaművészként. Paganini dalát

Volt nem egy, de száz babám...

meg a csupa-lélek kettőst:

Nem szeret így téged más...

nem hogy megismételni – háromszor is el kellett énekelni. Diadalmaskodott az érzékenyen reagáló, beleérző, jó ízlésű bécsi közönség, mely felszabadultan érezte: végre ismét szívhez szóló zenét hallhat, olyanfajta ének-operettet, amilyen a Suppéé és Millöckeré volt." (204) Arról pedig, hogy mekkora lehetett az a bizonyos apátia, egy másik lapból vett idézet tanúskodhat: „Nehéz leírni, amit a második felvonás fináléja után műveltek. Virágokból épült falak meredeztek a színpadon, mindenki megjelent, köszönetet mondtak egymásnak és a közönségnek, a közönség nekik hálálkodott, s aztán meg kellett jelennie Lehárnak is. Egymagában állt a színpadon, állnia kellett a hála és a lelkesedés rázuduló viharait... Diadalmas győzelmet aratott: a *Paganini* a legjobb, amit Lehár valaha is írt... A *Paganini* mindenütt diadalt fog aratni, hiszen dallam nélküli világunk közepette valamennyi ország közönsége türelmetlenül szomjazik az igazi melódia csókjára." (204)

Ám Saltenburg, a berlini direktor, mégis szkeptikus volt: nem akarta a melódia csókjára bízni magát. 1924-ben vette át a Deutsches Künstlerhaust, vagyis alig egy bő esztendővel a bécsi bemutató előtt. Más színházak átvétele révén 1925-re színházi konszernt hozott létre, s nem óhajtott semmiféle rizikót vállalni, hiszen az első esztendőben egy sor olyan operettet adott elő, amelyek jószerivel még könnyűnek sem voltak mondhatók, olyanokat, mint a *Tanz um die Liebe* (Tánc a szerelem körül), a *Riquette,* meg a roppant sajátos *Monsieur Trulala.*

Szeptember közepén egyfajta Napóleon-operettet hozott ki, *Teresina* volt a címe; amikor aztán a *Paganini* bécsi ősbemutatója után megértette, hogy ez az operett merőben más, mint amit ő eddig ebben a műfajban bemutatott, s hogy ezen a művön aligha fognak kacarászni, alaposan megijedt. Hivatkozott a gáncsoskodó bécsi kritikákra, meg arra, hogy a *Paganini* más, mint amire az ő színházának szüksége van, hiszen nem humoros. Persze igaz, hogy ebben az operettben „a humor a rövidebbet húzta, de hiszen Paganini környezetében nem is igen lehet keresnivalója a humornak." (206) Saltenburg vonakodott az augusztus 16-i szerződést teljesíteni, hiszen az a bécsi „bukás" következtében tárgytalanná vált.

Lehár panasszal élt a színházi döntőbíróság előtt. Közös intézménye volt ez a Deutscher Bühnenvereinnek – a színiigazgatók tömörülésének – és a német színházi dolgozók szövetségének; Ber-

Paganini – Alpár Gitta Elisa hercegnő szerepében
(Városi Színház, 1926)

linben székelt, a Keithstrasse 11 alatt. Volt némi huzavona, végül a következő megállapodás született: az előadások számát ötvenről harmincra csökkenti, Tauber lemond a gázsija feléről, Lehár pedig a tantiemekről, de a *Paganini*t elő kellett adni Berlinben, még hozzá Richard Tauberrel a főszerepben! Saltenburg a darab rendezésével állt bosszút, amiért alulmaradt a vitában: szerény volt a darab kiállítása, kevés muzsikust szerződtetett, s ott piszkálódott, ahol csak bírt.

Ám a berlini bemutató napját nem lehetett tovább halogatni, s 1926. január 30-án sor is került rá. Nem mondható ugyan, hogy a mű teljes diadalt aratott, de a közönségnek mindenesetre tetszett; egy beszámoló szerint „ujjongva fogadta a művet". (207)

A kritika ezúttal is alaposan foglalkozott a művel, s igen eltérően ítélte meg a zenét és a szövegkönyvet: „Csak ritkán jó, ha történelmi személyiséget állítanak színpadra; ezúttal teljes melléfogásnak bizonyult. Paganini egész életében tragikus figura volt, s színpadon is csak tragikusan volna szabad kezelni. Annak, ami a három felvonás alatt történik, semmi köze az ő lényéhez... Az első felvonásban azt látjuk, hogyan csavarja el hegedülésével egy olasz falu leányainak a fejét, a férfiak nagy bosszúságára, ugyanitt meglátja őt Elisa, Napóleon húga, belé is szeret a muzsikusba, s kierőszakolja a férjétől, hogy visszavonja a Paganini-hangverseny betiltását, a művészt pedig tegye meg Lucca udvari zenemesterévé. A második felvonásban Giretti, a szép énekesnő roppant kétes, ingatag jellemnek bizonyul: könnyedén behálózza a művészt, aki ezzel elveszti a női becsületében sértett fejedelemnő kegyeit, s börtön vár rá. Végül Elisa utoléri a menekülőt a határon, Paganini könnyfakasztóan lemond mindennemű szerelemről és boldogságról, hogy immáron csak hivatásának, a művészetnek éljen. A komikus jelenetek sem képesek feltartóztatni az érdeklődés elapadását e pszichológiai motivációkkal és izgalmas eseményekkel mit sem törődő cselekmény iránt... A mű egyetlen értéke a zene. Lehet, hogy Lehár korábbi műveiben eredetibbnek mutatkozott, hogy több gyújtó hatású ötlettel sziporkázott, ám a Paganini kétségtelenül a legérettebb, legmesteribb partitúrája. Semmi banális nem kerül ki a keze alól, minden – eltekintve néhány kényszermegoldástól a második felvonás fináléjában – rendkívül jól van megcsinálva. Nagyon elegáns és színes a hangszerelés, s ott sem túl tömör, ahol bőségesen él a rézfúvósokkal. Helyenként kissé sajátos, például az utolsó buffo-kettősben, ahol unisono énekel a fagott és a piccolo... A *Paganini* azon áll és bukik, hogy ki énekli a két főszerepet. Márpedig ha ezt a Paganinit Richard Taubernek hívják, s ha Elisaként Vera Schwarz áll a színpadon, akkor eleve biztos a siker." (208) Ám ahol nem ők ketten szerepelnek? Mi marad meg akkor a cselekményből? Paganini már Richard Tauber elővezetésében sem volt „a magas, szikár, keskeny és sápadt arcú, hosszú göndör söré-nyű Paganini". (209) A művész itt „valami kedves fiatalember, aki pompásan hegedül, megszédíti az asszonyokat és véletlenül Niccolò Paganininek hívják. Hívhatnák Vása Přihodának is" (209) – ő az a hegedűművész, akit Toscanini Paganinihez hasonlított.

A hanglemez és a rádió eljuttatta Tauber hangját a világ minden sarkába, hatalmas hírnevet szerzett az énekesnek – s ezzel a zene-szerzőnek is, ha ugyan nála szó lehet még a világhír és a népszerű-ség fokozásáról. Vagyis hát a *Paganini* sikere nagyobbrészt Richard Taubernek volt köszönhető.

„A bemutató jó szereposztása már félig-meddig garantálja a sikert. Csak ritkán esik meg, hogy az olyan operett utóbb sikerre vergődik, amelyet a közönség a bemutatón visszautasított. Ha azonban megvan a siker, akkor a következő színidirektor is meg-mozgat minden követ, hogy ő is előadhassa a darabot. A főszerepe-ket a kedvenc színészekre kell bízni. Mennyire más lett volna a *Paganini* sorsa, ha a bécsi előadás után nem került volna sor a fenomenális berlini estére, Richard Tauberral és Vera Schwarz-cal." (210)

Mivel a berlini *Paganini*-bemutató körüli viharok végül is siker-hez vezettek, s mivel ez az operett a bel- és külföldi színpadokon is sikert aratott, Lehár tulajdonképpen kissé megpihenhetett, csak-is a művei iránt mutatkozó nemzetközi érdeklődésnek örülhetett volna. 1926 végén például Milánóban megint egyszer megpróbál-koztak azzal, hogy – ezúttal *Gigolette*-té átdolgozva – színpadi életet leheljenek a *Csillagok bolondjá*ba.

„A történet egy bretagne-i kislányról szól, akit szerencsétlen véletlenek ki- és elsodornak megszokott életéből, egyenesen egy Port Said-i zenés kávéház deszkáira. Ott partnert is talál, bizonyos Coty úr személyében. A lebuj közönségéből kiemelkedik a breta-gne-i származású Yves: a darab harmadik hőse. Végül előkerül

Amèle, a hűtlen menyasszony, s megvan a második színpadi pár is." (237) Ám a jó öreg *Csillagok bolondja* ebben a változatban sem vergődött nagyobb sikerre, pedig Carlo Lombardo dolgozta át, aki annak idején Willner társaságában másodszor is átdolgozta *A három gráciát*, a szöveget pedig Gioacchino Forzano írta, Puccini *Angelica nővérének* és *Gianni Schicchijének* szövegkönyvírója.

Lehár ebben a vállalkozásban nem vett részt, nem is érdekelte az egész. Mással foglalkozott: egy új művel, melynek keletkezéstörténete a messzi múltba nyúlik vissza. A mű címe: *A cárevics*. Ritkaságszámba ment, hogy valaki megjelenjék Lehárnál, s letegyen a zongorára egy kész szövegkönyvet. A reális szövegváltozatot általában kósza ötletek, gondolattöredékek előzték meg. Lehár valószínűleg olykor tudattalan emlékek nyomán vette elő az egyik vagy másik librettót.

A cárevics története például 1917-ben vette kezdetét, a bécsi Deutsches Volkstheaterben. A *Walzer* című komédiához Lehár 1916-ban néhány számot komponált, s Wallner direktor – aki 1911-ig a Theater an der Wien társigazgatója volt – meghívta Lehárt: nézné meg a színház más előadásait is. Ezek egyike volt az 1917. szeptember 17-én bemutatott *A cárevics* c. darab, Gabrielle Zapolska lengyel írónő műve. A főhős I. avagy Nagy Péter fia – azé az uralkodóé, akiről a *Cár és ács*, Lortzing operája is szól.

Alekszej Petrovics királyfi sorsa inkább komornak, semmint tragikusnak mondható, s ennek javarészt ő maga volt az oka. Huszonegy esztendősen megnősült. Házassága négy esztendeje alatt viszonya volt egy hölggyel, aki elkísérte őt, amikor a cárevics Bécsbe menekült – nem az iránta való szerelem okán, hanem zsarnoki atyja elől. Az osztrák udvar a Lech menti Ehrenberg-kastélyt bocsátotta a cárevics rendelkezésére. I. Péter kémei kiszimatolták tartózkodási helyét, ő pedig egy apródja kíséretében Nápolyba menekült. Az apródról később kiderült, hogy nőnemű... Ám a szökevényeket megtalálták Nápolyban is, a leányt megvesztegették, s ő rábeszélte Alekszejt a hazatérésre. A királyfi szót fogadott, a leány később követte. A tőle kapott információk is hozzájárultak ahhoz, hogy Alekszejt halálra ítélték, ám ő még a kivégzés előtt belehalt a rettenetes kínzásokba. Szeretőjének kifizették a megígért vérdíjat, s I. Péter cár férjhez adta a lányt egyik tisztjéhez, akivel aztán még harminc évet élt békében és boldogságban.

*Lehár Ferenc
az 1920-as
években*

A lengyel írónő fantáziáját inkább a kis apród sorsa indította fel, semmint a történelem brutalitása. S nála nem is Itália az utolsó felvonás színhelye. A szövegkönyvírók előjoga, hogy oda helyezzék a történet szentimentális végét, ahová tetszik; ők pedig nem voltak mások, mint Jenbach Béla és Heinz Reichert, akik mindketten szállítottak már librettót Lehárnak. S Jenbach volt az, aki ráterelte Lehár figyelmét erre a színműre. Mindenekelőtt meg kellett szerezni az új darab jogát a költőnő örököseitől. Ez sikerült is, ám a dolog elhúzódott...

Lehárnak eleinte roppantul tetszett az anyag, ám később mégis habozott. Hirtelen kissé ízléstelennek találta a dolgot. A színmű cárevicse Alekszej volt; ám Jenbach és Reichert librettójának hőse Miklós cárevics, a későbbi utolsó orosz uralkodó. Vajon melyikükre illett kettejük közül a librettó központi cselekménye? Lehár visszaadta a tervezetet, s Jenbach megpróbálta más zeneszerzőknél elhelyezni. 1926-ban Lehár mégis e szövegkönyv javára döntött, ezúttal véglegesen. Jenbach tehát újból átnyújtotta a librettót, melyet azonban időközben „politikamentessé és emberibbé alakított, s megtisztította minden fölösleges történelmiségtől." (109) Olyan címszereplőt alkotott, akire ráillettek mindkét történelmi személyiség életének bizonyos elemei. A középpontba ezúttal maga a szerelmi történet került, szenvedélyes erotikájával együtt, s a librettó „tudatosan mellőzött mindenfajta oda nem illő humort és operettcsacskaságot." (109)

Harcostársává szegődött az évek során – a librettistákon túl – Richard Tauber is. Egy ideje már neki is volt villája Ischlben, s így könnyen meglátogathatták egymást. Amint akadt némi ideje a bécsi Staatsoperben végzett munkája mellett, máris megjelent Lehár lakásán, a Theobaldgassében. Ischlben pedig Tauber órákon át ült Lehár mellett a zongoránál, együtt dolgoztak A cárevicsen, együtt alakították, finomították. Őszre már csak egy valami hiányzott – az, amit mindketten „a" Tauber-dalnak neveztek: olyan zeneszám, amelyik mindenben megfelelt Tauber hangjának, annak lehetőségeinek és sajátosságának.

Lehár eljátszott neki mindenfélét, de egyik változat sem felelt meg neki. Tauber végül azt javasolta, csináljon valami a Paganinihez hasonlót, olyasmit, aminek ugyanaz az eleje és a vége, mint abban a híres dalban, hogy

> Volt nem egy, de száz babám,
> Nem vártam én, míg csókot ád a lány...

s ahol a két rész között egy más jellegű középrész helyezkedik el.

Lehár még aznap este – elég későn, Tauber éppen lefekvéshez készülődött – két dalt vitt át az énekeshez, válasszon közülük. Persze csak a zongoraszólamot, hiszen szöveg még nem volt hozzá. Az egyik dallam rendkívül megtetszett az énekesnek. Mármost Lehár tudta, hogy Tauber mit akar, s tudta, hogy kívánságai – nem úgy, mint annak idején, Girardi esetében – sohasem szeszélyek, hanem mindenkor az ő zenei érzéseiből fakadtak. Ezért tréfásan azt mondta neki: „Nehogy néhány nap múlva megint azt mondhassad, hogy ez nem tetszik neked, igazold a dal elfogadását a vázlatkönyvemben." (211) Tauber tehát, derék ember módjára, híven beleírta Lehár kottafüzetébe: „Elfogadva! Richard." (211)

Ám a Deutsches Künstkertheater próbáin mégis épp e körül a dal körül robbant ki a vita. Egyszerre mindenki úgy érezte: hátha mégsem olyan hatásos. Lehár valami újat akart komponálni, ám Tauber szilárd maradt, s így megmaradt a dal is:

> Willst du? Willst du?
> Komm und mach mich glücklich!
> Willst du? Willst du?
> Frag nicht, ob es schicklich!
>
> – Akarod? Akarod? Jöjj, tégy
> boldoggá, ne törődj az illemmel.

1927. február 16-án került sor A cárevics ősbemutatójára. A mű egyértelműen a komponista Lehár diadala volt, még akkor is, ha nem volt akkora szenzáció, mint a Paganini premierje. Hiszen addigra már nagyjából mindenki tudta, mire számíthat. Taubernak négyszer meg kellett ismételnie a Willst du-t; más zeneszámoknak is kirobbanó sikere volt, így például a buffo-páros one stepje (az USA-ból származó, indulószerű, akkoriban divatos tánc).

A legnépszerűbb persze az úgynevezett Volga-dal lett, mindenekelőtt azáltal, hogy óriási tömegben készültek róla hanglemezek, s mert a rádió is lelkesen terjesztette a dallamot:

> A Volga vizénél őrszem áll!
> Mint fészkét őrző sasmadár!
> A pusztaságon éj és csend,
> Nincs holdsugár, sem csillag fent.

a refrénben ezzel a szemrehányó vallomással:

Nézz rám az égből, teremtőm, Atyám,
Úgy vágyom már én is egy szív után.
Trónod körül annyi angyal virul,
Küldj le egyet az én páromul!

Itt legalább szó esik a Volgáról, s ez emlékeztet arra, hogy az operett színhelye Oroszország; kérdés persze, hogy mi köze ama one stepnek – hasonló zeneszám és hasonló jellegű szöveg még bőven akad a műben – akár Nagy Péter fiához, akár Miklós cárhoz 1894-ben? Ezúttal is azt lehetne mondani, ami olykor filmek vagy tévéjátékok végén olvasható: Minden hasonlatosság élő vagy halott személyekkel merő véletlen műve! Ám a kritikák úgy vélik, hogy a mű valóban tükrözi az orosz jelleget. „A kórusok, a balalajka-dal, a vengerka-dal is nagyon eredeti és nagyon szlávos. Persze a partitúrában mindenütt felcsendül a hamisítatlan lehári hang is, az a lágyan dallamos, belülről kifelé izzó hang." (212) „Mindig újra meg újra megörvendeztet muzsikájának dallamos nyelvezete. Ebben az apart kolorit iránti érzékkel hangszerelt partitúrában semmi nem banális, semmi nem elcsépelt. Cseng és bong, lírája előszeretettel siklik át a széles hárfa-glisszandókon; operaszerűen építette fel és fokozta a nagy együtteseket, legfőképp a második felvonás fináléjában, ahol a viharzó érzelmek tornyosuló hullámai gátlástalanul csapnak össze az énekhangok fölött... A szövegkönyv a csúcspontokon bosszút áll a zeneszerzőn: túlságosan is komoly muzsikát kényszerít ki, olyat, mely tulajdonképpen épp oly kevéssé illik a vidám műfajhoz, mint a librettó az operetthez." (213)

A szövegkönyvíróknak tehát megint csak fanyalgó kritikákat kellett zsebrevágniuk. Ezúttal az általuk kitalált „történelmi torzszülött" s annak patológiás nőgyűlölete kerül terítékre, mely éppen az első felvonás fináléjában oly igen kézzelfogható:

Ich fürchte das grosse Geheimnis,
das alle Frauen umgibt...

(Rettegek a nagy titoktól, amit a Nő jelent...)

A sajtó meglehetősen kemény hangot ütött meg: „Lehár régóta hajlik az operaszerű tálaláshoz, s ez az utóbbi évek során egyre veszedelmesebb méreteket öltött. Ez vonzza őt az affektáltan komolykodó szövegkönyvek felé. Ezek a librettók szenvedélyesen igyekeznek konfliktushelyzeteket teremteni, egyre csak drámai mozzanatokra vadásznak, s ha már szerencsésen sikerült mindent úgy összegabalyítani, hogy senki nem tudja, fiú-e vagy lány, akkor otromba operett-pszichológiával szétbogozzák azt a gordiuszi csomót, amit nem is volt érdemes összebogozni. *A cárevics* ennek mintapéldája. Elképesztő, mi mindent meg nem engednek maguknak a szövegírók, hányféle emberileg lehetetlen és kínos szituációt agyalnak ki. Buzgón igyekeznek azon, hogy a vidámságnak még az árnyékát is elkerüljék, s ezzel azt érik el, hogy az operett csak úgy hemzseg a tragikus eseményektől. Az a néhány szerény tréfa, amelyet egy komikusnak vélt pár időközönként feltalál, eltörpül a boldogtalan szerelem e hallatlan pocsékolása közepette. Ebben a darabban ugyanis a hősök nem lesznek egymáséi. A cár fia – megrögzött nőgyűlölő – végül mégiscsak beleszeret egy táncosnőbe, sőt komolyan és mélységesen szereti. Amidőn diplomáciai okokból el kellene vennie valami bájtalan hercegnőt, különböző veszekedések után megszökik a szeretőjével, s meg sem áll Nápolyig. Ott értesül felséges papája haláláról, népe iránti kötelességeire való tekintettel elhagyja azt a nőt, akit szeret, s elfoglalja ősei trónját. Mindez három ügyetlenül diszponált felvonáson keresztül zajlik, egy hamis és ügyetlen pszichológia alapján és akkora hősiesség bevetésével, hogy ezen legalább elszórakozhattunk." (214)

Szövegkönyvei megválogatásakor Lehár soha nem volt túlságosan ügyes. Hol valamilyen részlet csábította, hol jelentéktelen mozzanatoktól hatódott meg. Így történhetett, hogy még *A cárevics* előkészületei közben sikerült felkelteni az érdeklődését egy újabb téma iránt.

„Felkeresett két szerző, átadtak egy kész szövegkönyvet, s felkértek, hogy komponáljam meg a zenéjét. A cselekmény középpontjában az ifjú Goethe áll, s be kell vallanom: megriadtam a gondolattól. Goethe mint operetthős – ez talán túlságosan is merész elgondolás, s szerelme az ifjú sesenheimi Friderika iránt túl banális téma egy operettnek. Megkértem a két szerzőt: hagyják nálam a librettót; időt akartam nyerni, hogy kitalálják valami kifogást. Ők azonban mindenáron máris fel akarták olvasni. Ráálltam, s már az első jelenettől meghatódtam: el voltam ragadtatva. Amikor befejezték, így szóltam: uraim, állok rendelkezésükre!" (215) A szerzők Ludwig Herzer és Fritz Löhner voltak, s amit hoztak, a *Friderika* szövegkönyve.

Lehár 1927 folyamán, egy drezdai szállodában összeismerkedett bizonyos Alfred Rotterrel, aki Fritz nevű testvérével együtt igazgatta a berlini Metropol-Theatert. Valami szenzációt kerestek a színház számára, s Alfred Rotter úgy vélte, Lehár szolgálhatna ilyesmivel. S ez nem is volt egészen véletlen: mivel Lehár hajlandó volt megzenésíteni a *Friderikát*, arra is szükség volt, hogy egy színház bemutassa. S miért is ne a berlini Metropol-Theater?

A Rotter-fivérek a szakma ítélete szerint kissé gyanús alakok voltak, ám Lehár mégis szerződést kötött velük az ősbemutatóra. Igaz: a Rotter-fiúk úgy váltogatták a színházaikat, mint más az ingeit, ám 1928-ban mégis éppen ők álltak a Metropol élén!

Lehár 1928 februárjában vezényelte ott a *Luxemburg grófját*, akkor ismerkedett meg a színházzal. A sajtó – kevés kivételtől eltekintve – igen pozitívan fogadta a művet: „Ez a nemes veretű operett, a bájjal, tragikus második fináléval és sok olvadékonyan édes keringővel megtűzdelt bécsi nagyoperett megint egyszer győzedelmeskedett a zeneszerző, Lehár elsimító, átmenetekre ráérző vezetése alatt. Úgy dirigált, ahogyan Richard Strauss: a végsőkig letisztultan, a kedélyek legnagyobb fokú megnyugtatásával. Ha a szép, mélyen átérzett keringők hatni képesek ebben a diszkrét, finom megfogalmazásban, ezzel az aszketikus hangszereléssel és harmonizálással, akkor ez önmagáért beszél. A rengeteg ötlet és valami szeretetreméltó emberiesség fogja frissen tartani a *Luxemburg grófját* még akkor is, amikor már az utolsó oszlop is ledőlt." (216)

Ám akkoriban még korántsem ez volt a helyzet, Lehár márciusban Párizsban járt, amikor a *Paganinit* mutatták be a Théâtre de la Gaîté-Lyrique-ben. „Hogy a közönség hogyan vélekedett a műről, tisztán kivehető volt a szünetekben. Mintha a megkönnyebbülés sikolyát hallottuk volna mindenütt, amiért egy párizsi operett-színházban végre megint egyszer igazi zenét lehetett hallani." (217) *A cárevics* az év közepén érte meg bécsi bemutatóját a Johann

Strauss-színházban, Kosáry Emmy énekelte és játszotta Szonját – amiből kitűnik, hogy talán mégsem volt olyan rossz Anna Elisaként a *Paganini*ben, mint ahogyan néhány kritikus állította.

Májusban előadták Berlinben, a Neues Theater am Zoo-ban az 1922-ben keletkezett egyfelvonásos, a *Tavasz* háromfelvonásos változatát. A színházat 1921-ben nyitották meg, a Charlottenburg városrészben. Nem volt nagyon nagy, csak nyolcszáz ember fért el benne, vígjátékokat és kisebb operetteket mutatott be. 1928-ban Rudolf Eger, az egyfelvonásos hajdani librettistája lett a színház főrendezője és igazgatóhelyettese. Valami jóval akart bemutatkozni, s megkérte Lehárt, építené ki az egyfelvonásos három képét három teljes értékű felvonássá. A zeneszerző szívesen tett eleget a felszólításnak, hiszen igencsak a szívéhez nőtt ez a szeretetreméltó darabocska. Meglehetős sikere is volt, de nem sokáig tartotta magát: a színpadokon sorra-rendre szorította ki az egyik Lehár-mű a másikat, s ebben a folyamatban a bájos, rövid egyfelvonásosok húzták a rövidebbet, hiszen ezek előadásához megfelelően kis színpadra vagy valami különleges alkalomra volt szükség. A *Frühlingsmädel* – Tavaszi álom – most már kitöltötte az egész estét, mégis megmaradt „kis" műnek.

Lehár javarészt Ischlben töltötte 1928 nyarát: a *Friderika* befejezésén dolgozott. A színházi világba lassanként beszivárgott az új mű híre, s a Rotter-fivérek minden erejükkel azon voltak, hogy kikürtöljék, mire készül a Metropol. Rengeteg pénzért – csak később derült ki, hogy nem a saját pénzükön – a bejárattól a függönyig renováltatták a színházat. „Mindazt, ami egy emberöltő alatt megfakult, beporosodott, megkopott és giccsessé lett, azt a Rotter-fivérek nagyvonalú bőkezűséggel és ízlésesen megújították és kiegészítették." (218)

Ám éppen a szórakoztató művészet eme felújított színháza körül csaptak föl a „néplélek" hullámai! Mindenekelőtt a nácik és más hasonló csoportok – azok, melyek azt tervezték, hogy tönkreteszik Németországot, majd azután az egész világot – tűrhetetlennek érezték, hogy megoperettesítsék az „ő" Goethéjüket. Már a bemutató napján – 1928. október 4-én – plakátokkal ragasztották tele a várost, melyek felszólítottak „minden kultúratudattal rendelkező németet", hogy este tömegesen tüntessen a kultúrbotrány ellen. A csőcselék, mely aligha ismert mást Goethétől, mint a *Götz von*

*Berlichingen*ben elhangzó nevezetes felszólítást (a hadvezér azt üzeni ellenfeleinek, nyalják ki a fenekét – a ford.), persze közönyösebb volt annál, semhogy „ennek a Goethének" a kedvéért tönkretegye az estéjét, s így a premiert nem zavarta meg semmi.

Mindenki ott volt, aki akkoriban úgy vélte: számít valamit a városban. Mindenki a kultuszminisztertől a nagy újságkonszernek vezéreiig, a rendőrfőkapitánytól az utolsó színiigazgatóig, nem is szólva a film csillagairól, akik közül megjelent többek között Henny Porten, de ott volt Vera Schwarz is, aki látni – no meg hallani! – akarta Käthe Dorsch-ot, Tauber új partnernőjét. A Rotter-fivérek valóban teljesítették a zeneszerző minden kívánságát, s szerződtettek is mindenkit – kerül, amibe kerül –, akit meg lehetett szerezni egy ilyen előadás számára: mindenekelőtt Richard Taubert és Käthe Dorschot.

Azt mondottuk: Richard Tauber, és ezzel valami döntőt mondtunk ki. A daljáték – ebben a műfaji megjelölésben állapodtak meg végül a szerzők – főhőse tulajdonképpen nem Goethe, hanem Tauber. Nem Goethe volt a fontos, nem Goethe szerelme a sesenheimi Friderika iránt, s nem kettejük találkozása és búcsúja. Csupán a darab alapszituációja volt fontos, mely módot adott Tauber hangjának, hogy csattogjon, amikor szerelembe esik, s varázslatos mezzavoce és olvadékony fejhangokat leheljen, amikor válni kell. A komponista tehát „alkalmat adott Taubernak, hogy ötször, s mindenkor más-más eszközökkel építse fel a slágerek slágerét:

> Ó lányka, ó lánykám, imádlak én.
> Te drága, te drágám, te légy enyém.
> Tiéd az életem, légy a hű szerelmesem,
> Add a szádat engedelmesen."

Ámde mit ér egy szerelmi vallomás olyan cselekményen belül, amelynek mégiscsak dramaturgiailag zártnak kellene lennie, melyet ötször megismételnek – hol így, hol amúgy –, vagy amelyet meg is kell ismételni, hiszen „egy Taubert" szerződtettek erre a célra, s a nagyérdemű a beléptijegy áráért őt akarja minél többször hallani? A kritika mégis írásban adta, hogy a Goethe-sztorit sikerült ízlésesen feldolgozni. „Az a mód, ahogyan a költőt bemutatják, teljességgel méltó hozzá; mint ahogy az ellen sem lehet kifogást emelni, hogy a sesenheimi szerelmi álmoknak valójában nem az vetett véget, hogy Goethét magához hívta a weimari herceg. Mindazonáltal" – és ebben rejlik a legfőbb oka annak, miért bukott meg végül is a mű, miért tűnt el végképp ez a daljáték, melynek akkor is színpadképesnek kellett volna lennie, ha nincs hozzá kéznél egy Tauber – „túl kevés történik három felvonáson keresztül. Vontatottan halad előre a kifejlet, s legfőképpen az hiányzik belőle, ami akár az egész daljátékot is megtölthette volna az élet melegével és életközeliséggel: az eredeti elzászi színezet." (218) A komponista „még csak meg sem kísérelte, hogy illusztrálja, amire szövegkönyvírói még jelzésszerűen sem utaltak. Az a mód, ahogyan megzenésítette a témát, mélyen a szív érzelmeiben gyökerezik, leleményét a szerelmi idill bensőségessége szikráztatja fel, s e tekintetben a szív mélyeiből fakadó muzsika teljességgel német." (218) S alighanem éppen ez volt az, amit Lehár akart: „Meggyőződésem, hogy 1927 óta, amikorra túljutottunk az infláció utóhatásain, hatalmas változás ment végbe a közép-európai lélekben. Azt mondhatnók, s joggal, hogy a kedélyek stabilizálódtak. Az emberek kezdtek újra hinni egymásban, s kezdtek arra is építeni, hogy ez holnap is így lesz. Újból foglalkozhattunk önmagunkkal, volt időnk, hogy kiépítsük belső világunkat. Ilyen korszakok jótékony hatással vannak a zenére... Akkoriban sem megszövegezni, sem megkomponálni nem lehetett volna egy operettet úgy, mint húsz évvel azelőtt. Érettebbek lettek az emberek, nem tűrték többé a felületeskedést. Ám a nagy témák megragadták őket, ezektől engedték magukat lenyűgözni. Erre vezetem vissza – ha most már szólhatok a magam munkájáról – *Friderikám* világsikerét, melynek motívumát egy igen nagy, történelmi mércével mérhető ember életéből merítettük." (220)

Ám Lehár itt alighanem összetévesztette az okot az okozattal. Attól ugyan még nem lesz automatikusan jó és hatásos egy színmű, hogy egy jelentős személyiséget kíván bemutatni! Ez éppen Goethe esetében kétszeresen is nehéz. „Elismerjük: csábított ugyan, hogy Goethét megtesszük egy daljáték főhősévé, de nehéz is volt. Csábító volt, mert nem kellett üggyel-bajjal szimpátiát ébreszteni a főhős iránt, hanem ezt egyszerűen, ám bombabiztosan fel lehetett tételezni előre. S ugyanakkor nehéz is, mert minél jobban ismert a cselekmény, annál kisebb a feszültség. Hiszen még mielőtt felgördülne a függöny, minden diák kiszámolhatja az ujjain, hogy az első felvonás: Goethe beleszeret Friderike Brionba, a második: a szerelmesek könnyek között elszakadnak egymástól, a harmadik pedig a nagy szerelemre való fájdalmas visszaemlékezésnek van szentelve." (219)

Mindazonáltal a siker – legalábbis Berlinben, legalábbis azokban a hetekben – egyszerűen lehengerlő volt. Ezt ki kell jelentenünk, ha igazságosak akarunk lenni. Az énekesek, a színészek, a cselekmény és a dalszövegek egyetlen egységet alkottak. Hogy ez a jövőben is így lesz-e, más körülmények között is, azt a műnek kellett bebizonyítania.

A bizonyítás nem sikerült, s talán sajnálható is egy kissé, hogy ez a zene eltűnt a színpadokról. A daljáték csak a rádió meg a televízió révén él mindmáig.

Ám már a Metropol Színházban is meg voltak számlálva a napjai. Richard Tauber megbetegedett általános ízületi gyulladásban; a hosszadalmas kezelés hónapokig tartó kényszerszünetre kárhoztatta. Käthe Dorsch-nak egyéb kötelezettségei voltak, így hát az év végén Lehárt becserélték Lehárra. A *Friderika* eltűnt, ám egy régi ismerős diadalmas feltámadását ünnepelhette: *A víg özvegy*, Eric Charell revürendező elővezetésében. „Nem nagyon sok maradt meg Victor Léon és Leo Stein szövegkönyvéből. Schanzer és Welisch teljességgel átgyúrták a szöveget, anélkül persze, hogy valami lényegesen jobbat hoztak volna létre... Glavári Hannából, a Balkán leányából Hondurasból származó amerikai hölgy lett, s Hannah Glawariosra keresztelték át. Megváltozott „néhány alkalmi ritmusváltáson túl a hangszerelés is, melyet helyenként a jazz-band hangzásaival, bendzsóval és szaxofonnal dúsítottak." Új volt „a revüjeleneteken kívül néhány szám, amelyet Lehár ehhez a változathoz komponált; lelkesen ünnepelték azt az egyveleget, melybe Lehár beleszőtte az utóbbi évek kedvenc slágereinek kezdősorait, mint például az *Eine kleine Freundin* (Egy kis barátnő), *Im Liebesfalle* (Szerelem esetén) és *Ich küsse ihre Hand, Madame* (Csókolom a kezét, hölgyem), s persze nem feledkezett meg a *Friderika* elsőrendű slágeréről sem, bár az *Ó lányka, ó lányká*ból *Ó bubi, ó bubi* lett" (221) ...

Alig két héttel azután, hogy a *Friderikát* Berlinben levették a műsorról, a mű a bécsi Johann-Strauss-Theaterben „fergeteges sikert aratott. Lea Seidl mélyérzésű Friderikát alakított, Hans Heinz Bollmann a maszkja és játéka tekintetében kiváló Goethe volt. Walter Slezak szimpatikus, félénk szerelmes ifjút alakított. A közönség lelkesen üdvözölte a vezénylő Lehárt." (222) Bár a *Friderika* a Metropol-Theaterben csak rövid karriert futott be, mégis ott került sor a következő ősbemutatóra is. A címe *A mosoly országa.* Richard Tauber volt az, aki rábírta Lehárt *A mosoly országa* megkomponálására. „Meglátta nálam *A sárga kabát* partitúráját, elmélyedt benne, s közölte, hogy feltétlenül énekelni kíván ebben az operettben." (223)

Herzer és Löhner szövegkönyvíró urak készek voltak a könyv átdolgozására, s a közel hetvenéves Victor Léon áldását adta rá. Lehár és Tauber megbeszélték a legfontosabb zenei változtatásokat, majd kapcsolatba léptek Rotterékkel Berlinben, hiszen – a *Friderika* betanulásának tapasztalatai szerint – alighanem ott kínálkozott a legjobb lehetőség az új terv megvalósítására. „Nem tudom, hogy a *Friderika* olyan világsiker lett volna-e, amilyen, ha nem készítették volna elő azzal a nemesen művészi munkával, amit a Metropol-Theater az előadásra fordított… s Alfred és Fritz Rotter, valamint hűséges segítőtársuk, Friedmann-Friedrich minden részletre fanatikusan ügyelő rendezői energiája nélkül. Nekem mint alkotó művésznek valóságos ünnep volt, amikor újból beléphettem a Metropol Színházba, hogy eme harcostársaimmal együtt, akikhez hozzá kell számítanom a nagyszerű Vera Schwarzot is, előkészítsem új művem premierjét. A világ semelyik színházában nem találkoztam ehhez fogható áldozatkész szeretettel, rendíthetetlen energiával, mely csak egyre törekszik: hogy a lehető legjobbat hozza létre. Remek direktorok, remek művészek, remek város!" (220) Boldog zeneszerző, aki így nyilatkozhat ősbemutatója színházáról!

Még a sajtó is használta a „boldog" jelzőt *A mosoly országa* ősbemutatója kapcsán: „Lehár, a jelenkor operettszerzőinek legboldogabbika, sikert sikerre halmoz. Akár vidám, akár szentimentális, akár tartózkodó, akár ízléstelen, mindenkor utat talál a hallgatóság szívéhez. Nagy énekesek, akik – akárcsak ő – a közönség kegyencei, teljes erőbedobással küzdenek műveiért, segítenek alakjait népszerűsíteni. Elvégre *A mosoly országa* nem teljesen új mű, hanem *A sárga kabát* átdolgozása, melynek 1923-ban volt az ősbemutatója Bécsben. Lehár sok mindent megváltoztatott, több mindent hozzákomponált, s mindenekelőtt lényegesen retusálta a hangszerelést. Egzotikus koloritot kevert a bécsi hangzatokhoz, a bécsi keringő dallamaihoz, kínai szerelmes dalok gyengéd melódiáihoz a keleties tánczene topogó ritmusai társulnak; mindezek felett lebeg egy tarka színekben csillogó, virágos és érzéki hangzatokban dúskáló hangszerelés."

A cselekményt már ismertettük *A sárga kabát* kapcsán, az alakok az átdolgozás során felértékelődtek, új neveket, új rangokat kaptak, hogy az új művet egyértelműen el lehessen határolni a régitől. Az a tény, hogy a műben nincs happy end, megfelelt a zeneszerző és munkatársai új irányvonalának. Ez már korábbi műveiben is megmutatkozott, s a sajtó is tudomásul vette: „Lehár új szövegkönyvírói úgy vélik, hogy a mesternek sokkal jobban megfelelnek a szerelmi lemondással teljes felvonásvégek, s hogy Lehár túl van a happy end-perióduson." (225) Lehár így indokolta meg ugyanezt: „Korunk közönségének lelkiállapota módot ad az operettnek is arra, hogy elálljon a hazug happy endtől. A költői alap a maguk valóságosságában hagyja kicsengeni a megpedzett konfliktusokat, a zeneszerző az operettől az operáig emelkedhet, s nem kell visszariadnia a bonyolult zenei kifejezéstől." (220)

Ilyenfajta nyilatkozatokkal Lehár persze néhány olyan tézist állít fel, melyek nem maradtak megválaszolatlanul: először is azt, hogy minden happy end hazugság; másodszor, hogy egy konfliktust csak akkor lehet a maga valóságosságában felmutatni, ha nem zárul happy enddel; harmadszor pedig, hogy a zeneszerző egy operával az operett fölé magasodik, hogy tehát az operett az alacsonyabb rendű műfaj – ami saját korábbi nyilatkozatainak is ellentmond; s negyedszer azt, hogy csak komoly színpadi helyzetben lehet zeneileg bonyolult kifejezési formákat alkalmazni. Abban persze nem téved nagyot, hogy a happy end hazug, s áll ez akkor is, ha az unhappy end tömény felhasználásával maga ellen fordította az összes vígjáték- és bohózatírót, többek között Alexander Engelt, aki a *Clo-Clo*ba is besegített: „Mindig, mindenkor igényelték a megbékéltető befejezést. Az emberek nem akarnak úgy hazamenni, hogy az egyik szemük sír, a másik nevet. A színpadi szabályok legfőbbike, nemcsak a 'Hamburgi', hanem minden nemzetközi 'dramaturgiáé', hogy amire legördül a függöny, a szerelmes párok egymáséi lesznek." (227)

Persze minden általánosítás sántít egy kissé. Abban a két operettben, melyek mindmáig és elvitathatatlanul a legjelentősebbek – az *Orfeusz az alvilágban* és *A denevér* –, szintén nincs ilyen értelemben happy end. Egyik szerelmes párocska sem lesz egymásé, s mégis vidám és mulatságos mind a két operett. Bepillantást nyújtanak bizonyos társadalmi folyamatokba, s nem légüres térben mutatják be a szerelmeskedést; éppen ez az a kritérium, amelyet Lehár saját művei számára is igényelt. Ám ha egy bizonyos szemszögből vizsgáljuk azt a dramaturgiai konstrukciót, a drámai szerkezetnek azt a funkcióját, amelyhez a zeneszámok és a dialógusok igazodnak, akkor a négy utolsó műnél – a *Paganini*nél, *A cárevics*nél, a *Friderikánál* és *A mosoly országá*nál feltűnik, hogy valamennyi egy kaptafára készült, bár a kezdetek már a *Pacsirtá*nál – ahol a szerelmesek melodramatikusan elválnak – és még inkább az *Évá*nál, a főhősnő fülledt álmodozásaiban is felismerhetőek.

Kezdjük a *Paganini*vel: bevezető kórus, a hölgy belépője, Paganini belépője, kettejük duettje az egymáshoz való közelítés céljából, belehintve néhány buffo-szám, finálé; a második felvonásban Tauber elénekli, hogy *Volt nem egy, de száz babám* és így tovább; a végén pedig: lemondás és búcsú! *A cárevics*ben: bevezető kórus, a hölgy belépője, megjelenik Tauber a *Volga-dal*lal, kettejük duettje a közeledés előmozdítása céljából; a második felvonásban Tauber dala, a *Willst du, willst du* – és így tovább, s befejezésképp: lemondás és búcsú! *Friderika*: bevezetés (ezúttal kórus nélkül, helyette orgonaszó), megjelenik a hölgy, elszórt buffo-jelenetek, belép Tauber, a második felvonásban Tauber dala: *O Mädchen, o Mädchen* – Ó lányka, ó lánykám, és így tovább, a végén búcsúzkodással. *A mosoly országa*: belép a hölgy, elszórt buffo-számok, belép Tauber, közli, hogy mindig mosolyognia kell, aztán duett kettejük közeledésének előmozdítása céljából; a második felvonásban Tauber közli, hogy *Dein ist mein ganzes Herz* – Vágyom egy nő után, és így tovább, majd végül – lemondás és búcsú!

Bár mindig más és más muzsikáról van szó, a közeg mindig ugyanaz: egy – mondhatni – Lehár–Tauber közeg. Ha eltekintünk a hangszerelés bizonyos mozzanataitól vagy bizonyos dallamfigurációkról, akár azt is mondhatnók: a dalokat ki lehetne cserélni egymás között. Paganini nyugodtan énekelhetné azt, hogy *Liebste, glaub an mich* –, a cárevics pedig azt, hogy *Du bist meine Sonne* –

ám bármit kifogásoljunk is a dramaturgián, *A mosoly országa* dalai valóban örökzöld melódiák, akár az

vagy

> Egy dús virágzó barackfa ágát, ah...
> állítom kincsem ablakába, a holdas május éjjelén...
> Egy dalt dalolok vágyakozva halkan,
> És cseng a vágy, mint színezüst a dalban...
>
> Ne félj, ne félj, bolond szívem, úgyis tudod már,
> hogy egy nagyon csinos leány csakis terád vár.

„Legismertebb dalom alighanem a *Vágyom egy nő után*... *A mosoly országá*nak ez a slágere már megvolt *A sárga kabát*ban is, igaz, más, de szintén igen kedves szöveggel, ám akkor senki nem figyelt fel rá. Rossz helyen állt a szövegkönyvben, csak az utolsó felvonásban hangzott fel, három perccel azelőtt, hogy a függöny legördül, amikor az emberek már a ruhatárra gondolnak. Most kissé átigazítottam a dallamot, a szám jó helyre került – és ez megtette a hatását." (228)

Aligha kell sok szót vesztegetni arra, hogy ez a dal mennyire hatásos. Körüljárta a világot, ma is eleven, s alighanem az operett történetének egyik legmaradandóbb zeneszáma. A dallam meglehetősen szorosan igazodik a szöveghez, anélkül hogy önállóságát feladná, bizonyára aligha akad zenekedvelő, aki nem ismerné a dalt:

> „Vágyom egy nő után,
> egy nő után kerget a vágy,
> vágyom a két kezét,
> fehér kezét, mely olyan lágy,
> vágyom a mozdulatát..."

S ki ne idézte volna már valamilyen alkalommal azt a – a Szu-Csong mosoly-dalából származó – sort, mely kimondja az igazságot:

> Mosolygó nézés és jólnevelt arc,
> Mögötte fájjon akármilyen harc,
> mögötte könnyezik a szívem,
> de hogy ott benn mi fáj,
> azt nem tudja más.

Az 1930-as év, az az esztendő, amelyben Lehár a hatvanadik születésnapját ünnepelte, olyasmivel kezdődött, aminek a zeneszerző különösen örült: ott adták elő a *Friderikát*, ahol egy része játszódik – mármint Strasbourgban, vagyis Elzászban. Egyelőre ez volt az egyetlen tisztelgés a komponista előtt. Igaz, az adott nap, április 30. előtt már megjelent néhány hír, közlemény a sajtóban, ám a bécsi színházak tartózkodóan viselkedtek. Amikor Lehár arról értesült, hogy a bécsi opera egyáltalán nem vesz tudomást a születésnapjáról, s hogy még a Theater an der Wien is legjobb esetben holmi többé-kevésbé improvizált délutáni előadást tervez, szokott szerénysége ellenére sem türtőztette magát tovább. Levelet írt Marischka igazgatónak, melyben arra kéri: „amennyiben terveztek volna bárminemű ünneplést" hatvanadik születésnapja alkalmából, szíveskedjenek ettől elállni s minden ilyenfajta rendezvényt őszre halasztani. Őszre tervezte a Theater an der Wien *A mosoly országa* bécsi bemutatóját Richard Tauberral és Vera Schwarzcal a főszerepben", (229) s bátran elmondható: a fényes premier éppen elegendő ünneplést garantál. Vagyis: ha nem csinálnak semmit – akkor csupán a kérését teljesítették; ha mégis méltó ünneplésben részesítenék, Lehár örült volna – ám a színház tiszteletben tartotta Lehár kiszivárogtatott kérését.

Berlinben viszont megrendeztek valamit, amit „Lehár Ünnepi Játékoknak" lehetne nevezni. Tiszteletére Rotterék kihozták „műveinek egy ciklusát, benne a *Paganini, A cárevics*, a *Friderika* s az éppen műsoron lévő *A mosoly országa*". (229). Erről a bécsi lapok is hírt adtak: „Valahányszor csak megjelent a dobogón vagy a színpadon, lelkesen ünnepelték Lehárt. A második felvonás végén, amikor arany babérkoszorút adtak át neki, a közönség szűnni nem akaró lelkesedéssel adózott az ünnepeltnek." (230)

Valamennyi osztrák, magyar és német lap, sok olasz újság és rengeteg más lap a világ minden táján megemlékezett a születésnapról, leginkább hosszú cikkekben, de legalább egy rövid jegyzetben. Rengetegen gratuláltak neki ezenkívül is. Lehár adott rá, hogy személyesen köszönje meg mindenki gratulációját, ám ez még egy titkárnő segítségével is több hetes munka volt. „Egy szerencsétlen véletlen folytán valahogy elmulasztották elküldeni a rengeteg barátnak szóló választ. Néhány évvel később több koffer került a kezembe, s legnagyobb döbbenetemre megtaláltam bennük köszö-

nő lapjaim hegynyi tömegét. Azt mondhatnám: biztonságban voltak, még ha ez a műgond tökéletesen célját tévesztette is. Volt azért ebben valami jó is: elgondolkozhattam a földi lét mulandóságán. Amikor ugyanis egyenként átnéztem a lapokat, kiderült, hogy az utólagos postázás igen sok esetben már fölösleges. Sokan meghaltak, mások elkallódtak – ki tudja, hol –, számosan teljesen kiestek a látókörömből, más részük tökéletesen visszavonult a közélettől, és így tovább. Emlékeztem még egyikükre-másikukra, akikkel annak idején összejártam, de évek óta ellenőrizhetetlenül nyomuk veszett. Vagyis levelezésem egy része önmagától elintéződött."
(231)

Végül mégis sor került arra, hogy Bécs városa hivatalosan is lerója tiszteletét: szeptemberben Lehár vezényelte a Bécsi Filharmonikusokat, s csakis az ő művei voltak műsoron. „Jelen volt a polgármester, az állami színházak főigazgatója, az Opera igazgatója – egyszóval mindenki, akinek rangja és neve volt." (232)

A mosoly országa – Baksay Árpád és Hadics László, 1973-ban (MTI Fotó – Tóth István felv.)

A hatvanéves Lehár Ferenc

Két nappal a hangverseny után került sor *A mosoly országa* bécsi bemutatójára a Theater an der Wienben – természetesen Richard Tauberral és Vera Schwarzcal, s ezután tovább folytatódott a születésnapi tisztelgések sora.

Lehár október végén Budapesten tartózkodott, s a Király Színház, ahol annak idején a *Pacsirta* ősbemutatója volt, most a *Friderikát* mutatta be. Délelőtt átnyújtották a zeneszerzőnek a Magyar Érdemkereszt második fokozatát, este ő vezényelt. Friderika szerepét a már akkor is híres Honthy Hanna énekelte. Decemberben Lehár ismét Budapesten járt, ezúttal az Operaház adta elő *A mosoly országát*.

Decemberben azzal folytatódott a sorozat, hogy a berlini Metropol-Theater kihozta a *Szép a világot*. A sajtó, s legfőképpen a bécsi sajtó azt terjesztette, hogy a főpróba végén valódi botrányra került sor. Lehár így vélekedett: az ilyesmit „nem kell tragikusan felfogni. Ha az emberek naphosszat próbálnak és még a bemutató napján is hajnali hat óráig tartanak a próbák, hát az alaposan megviseli a színészek idegeit. Mindenki ingerült, és olyan érzékeny, mint egy gyulladt vakbél, senki nem mérlegeli úgy a szavait, mint máskor. Ismeretes, hogy művészi szempontból annyira összeforrtam a művemmel, hogy nekem minden változtatás olyan, mintha megszentségtelenítették volna, ami nekem a legszentebb. Hirtelen észrevettem, hogy valamit változtattak a második felvonáson. Megkérdeztem, hogy ezt ki tette. Amikor megtudtam, hogy a Rotter direktor urak voltak a tettesek, dühömben azt mondtam: de hiszen ez zeneileg... Ha nyugodtan végiggondoltam volna a dolgot, nem tettem volna ezt a kijelentést, hiszen mindenki tudja, aki csak ismer, mennyire nem vagyok agresszív. Ahogyan az már a színházakban lenni szokás, megjegyzésemet továbbadták Rotteréknek, s azok aztán agresszívek lettek velem szemben." (233)

Ám a bemutató estéjére mindenki megbocsátott, mindenki elfelejtette az ügyet. Rotterék azon voltak, hogy a műsorfüzetben is jóvá tegyenek mindent: „Ha Richard Wagner nagy teljesítményének nevezhető, hogy tíz művön keresztül wagneri és mégis minden egyes alkalommal más legyen, akkor Lehár – ezt végre ki kell mondani – az operett Wagnere!" (234)

A mű cselekményét ismerjük már a *Végre egyedül* alapján. Frank Hansen báróból egy meg nem nevezett ország trónörököse lett, Dolly Doverlandot előléptették lichtenbergi hercegnővé, aki hol hegyi vezetőnek, hol nagyzoló szélhámosnak nézi a trónörököst. A zenének megint egyszer sok baja volt a szövegkönyv hiányosságaival, melyet – így a sajtó – „szeretetreméltó igénytelenséggel fogalmaztak meg a szövegírók". (235) De valamennyi kritika ilyen vagy hasonló szavakkal zárult: „Lehárt, aki maga vezényelt, lelkesen ünnepelték." (236)

Ám valamiféle elvárás is hangot kapott: „Merem állítani: ha Lehár úgy döntött volna, hogy az első és a harmadik felvonást úgy kezelje, mint a másodikat, akkor bájos vígopera kerekedett volna ki a műből. A második felvonást ugyanis, akárcsak a *Végre egyedül* idején, szinte teljesen végigkomponálta. Lehár volna a legalkalmasabb arra, hogy ideális opera buffát írjon. Ez a második felvonás kötelez. Reméljük, hogy Lehár hamarosan eleget tesz ennek a kötelezettségnek." (236)

V. fejezet

1931–1945

A színházakat sem kímélte az a nagy gazdasági válság, amely századunk harmadik évtizedében az élet szinte valamennyi területére kihatott. „Katasztrófává dagad az osztrák színházak válsága. A tartományi székhelyeken és egyebütt működő színházak hosszú ideje már a puszta túlélésért küzdenek. Legutóbb Grazban szüntették meg az opera- és operett-előadásokat. A klagenfurti szép új színház csak azért maradt talpon, mert rendszeresen szervez mozielőadásokat. (238) 1931-re tovább romlott a helyzet, mindenekelőtt Bécsben: „Bezárták a Carl-Theatert. Vége a Bürgertheaternek. A Johann Strauss-Theaterből mozi lett, s két másik létesítmény, ahol operetteket is játszottak – az Apollo- és a Ronacher-Theater –, egy ideig zárva volt, most meg a mozi- és a varietéműfaj otthona. Öt színház összeomlott!" (44)

Az operettszínházak elhalásának persze nem csak gazdasági okai voltak. „Egyértelműen felszínre került az a hiányosság, amely mindig is benne rejlett az új operettalkotásokban. Ha Lehár nem állt volna helyt a maga operaszerűen stilizált műveivel, a zenei repertoár sivársága még súlyosabb lenne." (240) Ám a szakmai és egyéb kritikusok továbbra is piszkálták Lehárt. A *Die Musik*, egy zenei szakfolyóirat, ahol Lehár nevét jószerivel soha le nem írták, 1931 farsangján ilyen bökverset közölt:

> „Die Rotters zeigen jedes Jahr
> ein neues Werk von Franz Lehár.
> Was stört es sie, wenn N. N. kläfft –
> es ist ein sicheres Geschäft!
> Isolde und Fidelio,
> die tanzen munter im Trikot.
> Auch Große leiden unter Dalles;
> drum singt man: Rotters über alles!"

– magyarán: Rotterék minden esztendőben kihoznak egy új Lehár-
művet. Mit bánják ők, ha N. N. morog: nekik ez biztos üzlet!
Izolda és Fidelio trikóban táncol; a nagyokat is kínozza a dalesz (a
pénztelenség), s ezért így dalolnak: Rotterék mindenek fölött!
(241)

Nem kevésbé epébe mártott tollal kommentálja Kurt Tucholsky is
azt az angol filmhíradót, amely Lehárt mutatta be „alkotás köz-
ben". („Puccini a kisemberek Verdije, és Lehár a kisemberek Puc-
cinije." – K. T., Gesammelte Werke 9., 272. o.)

Lehár világéletében a kritika pergőtüzében állott, s írásban fej-
tette ki, hogyan is áll a kritikához és legfőképpen a kritikusokhoz:
„A kritikus azt szeretné, ha a mű szebb és jobb lenne, mint amilyen.
Keresi a vezérlő gondolatot, mely az ő bonckése alatt vonagló
művészt uralta, hogy aztán interpretálja. A kritikus lelki szemei
előtt valami ideálisan tökéletes műalkotás lebeg, amilyen a valóság-
ban nincs is, s aztán megvizsgálja, mennyire felel meg az adott mű
ennek az ideálnak. Vagy, hogy mennyire marad el tőle... A kritika
megkülönbözteti és meghatározza azokat a tulajdonságokat, melyek
révén az operett kellemes avagy ellenkező hatást kelt... Ám komoly
oka van annak, ha többé nem fogadjuk el, ha a műítész tanító
bácsinak képzeli magát, aki jó vagy rossz jegyeket osztogat. S kü-
lönben is: az a kritikus, aki a szemem előtt lebeg, ne nyargaljon
valamiféle szabályokon, s ne próbáljon esztétikai elveket diktálni.
Nem a szabályozás a kritikus feladata, hanem az, hogy a dolgok
mélyére hatoljon... Persze minden kritikus másféleképpen látja a
műalkotást, aszerint, hogy milyen a neveltetése, a műveltsége, az
agyműködése és a kedélye. Az egyiket a téma ragadja meg, a mási-
kat a stílus, vagy a felépítés és a kidolgozás, vagy a kifejezés ereje,
vagy valami, ami neki szívügye. Mindannyian ugyanabba a tükörbe
néznek. Ám amit meglátnak benne, az mindig a saját személyisé-
gük, a saját beállítódásuk." (242)

Ez nem azt jelenti, hogy Lehár elzárkózott a kritikától, s különö-
sen nem áll ez zeneszerzői munkássága első esztendeire. Ám mi
mindent össze nem írtak akkoriban! Rengeteg újság jelent meg
Berlinben, s 1912-ben, az Éva berlini bemutatója után, Lehár
imigyen sóhajtott fel: „1. számú recenzió: Mily jelentős haladás a
korábbi művekhez képest... végre egy valódi operett, a megfelelő

engedményekkel a közönséggel szemben! 2. számú recenzió: Sajnos, érezhető a visszaesés a korábbi művekhez képest... merő operai ambíció... Semmiféle engedmény a széles tömegek számára! 3. számú recenzió: Végre egy valóban értékes mű... a zeneszerző szerencsével törekszik a vígopera magasabb céljai felé! 4. számú recenzió: A zene remek, a könyv pocsék. A közönség el van ragadtatva! 5. számú recenzió: A szövegkönyv remek, a zene pocsék, a közönség csalódott! 6. számú recenzió: A librettó és a zene remek! 7. számú recenzió: A zene és a szövegkönyv pocsék! Félretettem a kritikákat, és teljesen tisztában voltam azzal, hogy a muzsikám operaszerű, ám ízig-vérig operettszerű, hogy azzal a sajátos képességgel rendelkezem, miszerint egyszerre lépek előre is, hátra is, hogy a szövegkönyv és a zene egyaránt nagyszerű és pocsék, hogy a lelkes közönséget csalódás érte, míg ezzel szemben a csalódott közönség ujjongott..." (243) S mindaz, amit az *Éva* kritikáinál megfigyelhetett, évről évre megismétlődött valamennyi művével kapcsolatban. Mit tehet a komponista? „Ha komoly zenét írok, akkor túl operaszerű, ha komolytalant írok, akkor túl triviális. Ha slágert írok, azt mondják: a kakasülőnek írok! Ha nem írok slágert, azt mondják: kifogyott az ötletekből! Ha sokat követelek az énekestől, azt mondják: elvégre nem operaénekes! Ha keveset követelek meg az énekestől, azt mondják: régebben persze minden másképpen volt, akkor az operett mesterei még gondoltak az énekesekre is! Ha az énekkarnak adok munkát, azt mondják: merőben fölösleges, senki nem figyel arra, amit azok ott fent hangicsálnak! Ha nem adok munkát a kórusnak, azt mondják: milyen pompásan zengtek a kórusok a régi operettekben! Ha hárfát alkalmazok, azt mondják: idegesítő ez az állandó ciripelés! Ha nem használom a hárfát, azt mondják: hova lett a zenekar fénye, ma oly üresen kong! Ha feltűnő helyen felcsendül egy keringő, azt mondják: egyre csak keringő! Offenbachnak bezzeg nem volt rá szüksége! Ha nem írok keringőt, azt mondják: hol maradt ezúttal a nagy keringő? Ha nyitányt írok, azt mondják: hát az meg mire való? Ez nem modern, az ember belefárad, mielőtt felgördülne a függöny! Ha nem írok nyitányt, azt mondják: ez aztán könnyen veszi a dolgot, még nyitányt sem írt! Ha minden esztendőben kihozok egy új művet, azt mondják: csak irkál és firkál, ez már rég nem művészet, ez már operett-ipar! Ha nem rukkolok ki minden évben egy operettel, azt mondják: Mi van vele? Úgy látszik, már semmi nem jut az eszébe! Ha keresem a kritikusok társaságát, azt gondolják a kritikusok: na, megállj csak, engem aztán nem fogsz behálózni! Ha nem keresem a kritikusok társaságát, azt gondolják: na, megállj csak, te arrogáns fickó, majd még megemlegeted!"(244) E véleménye ellenére – vagy talán éppen, mert ez volt a véleménye – Lehár gondosan elolvasott minden kritikát a műveiről, bár túl sokat nem törődött velük. „Akit soha meg nem kritizáltak, nem tudja, mennyire nem kell törődni a rossz kritikával, s mennyire a jóval!" (243) – hajtogatta: ez volt az életelve. Hozzáállását a legpregnánsabban talán ez a mondat jellemzi: „Ahogyan a kritikusnak is csupán a lelkiismeretére szabad hallgatnia, ugyanúgy a művésznek is csak a saját művészi lelkiismeretére kell figyelnie: az a legfőbb instancia!" (242)

De hiszen a közönség java része sem gondolkodott úgy, mint a kritikusok! 1931-ben a bécsi rádió európai koncertműsort rendezett *Lehár Ferenc alkotásaiból* címmel, mely „azáltal, hogy nem kevesebb mint 113 adó- és közvetítőállomás sugározta szét Európa valamennyi hallgatójának otthonába, Lehár számtalan tisztelőinek ünnepe lett. A Keleti-tengertől a Földközi-tengerig, a breton falvakban csakúgy, mint valamelyik török alattvaló viskójában, örvendezhetett a világ Lehár muzsikájának gyöngyszemei hallatán. *A víg özvegytől*, az első sikeres operettől egészen a legújabbig, a *Szép a világig* összeválogatva. Kiváló művészek vállalták ezt a feladatot Lehár tiszteletére. Soha még nem csendült fel ilyen szikrázóan a *Luxemburg grófja* keringője, az *Arany és ezüst*-keringő, mint a Bécsi Filharmonikusok előadásában, akiknek szárnyakat adtak a zeneszerző dús, szinte részegítő hangzatai; soha még nem énekelték oly tökéletesen az áriákat és kettősöket, mint ahogyan Adele Kern ezüsthangján és Pataky Kálmán, az Operaház művésze hangján felcsendültek." (245)

Ám bármekkora bajban voltak is az osztrák s legfőképpen a bécsi színházak, Hubert Marischka Theater an der Wienje – a jelek szerint – még mindig elég jól tartotta magát. 1924-re az övé és feleségéé, Liliané (Karczag Imre lányáé) volt a színház fele, 1930. január 1-ig megszerezték a másik felét is, így most teljes egészében ők voltak a színház tulajdonosai.

Marischka direktor úr 1931 karácsonyán kihozta a *Szép a vi-*

*lág*ot; Lehár vezényelt, s nyilván megelégedésére szolgált, hogy megmutathatta Rotteréknek: nem szorul rájuk. Az a bizonyos veszekedés a *Szép a világ* berlini főpróbáján alighanem mégis komolyabb volt, mint ahogyan Lehár állította. Maga Richard Tauber volt az, aki még egyszer összefoglalta az akkori eseményeket úgy, ahogyan ő látta. Eszerint kissé másképp estek a dolgok: „Lehár a *Szép a világ* berlini ősbemutatója idején hevesen összekülönbözött a Rotter-féle vezetőséggel, s a helyzet odáig fajult, hogy kijelentette: egyetlen művét sem engedi át többé Rotterék színházainak. Amikor elutazott, igen rossz volt a hangulata és joggal mérgelődött... Jómagam kényes helyzetben voltam: a szívem Lehárhoz húzott, a szerződésem Rotterékhez kötött. S e szerződés szerint (1931) karácsonyán vagy egy Lehár-művet, vagy egy klasszikus bécsi operettet kellett bemutatni." (246) Mivel Lehár nem állt kötélnek, *A szerelem dala* (Das Lied der Liebe), egy Erich Wolfgang Korngold által átdolgozott Johann Strauss-kompozíció mellett döntöttek. Tauber Berlinben énekelt, Lehár pedig Bécsben vezényelte – nos, mondjuk ki kereken – utolsó előtti operettjét. A *Szép a világ* 1932 márciusáig volt műsoron, s több mint 90 előadást ért meg.

Aki kissé odafigyelt a világ dolgaira, alighanem hátborzongatónak találta az operett címét: a bécsi bemutató napján Ausztriában már 400 000 munkanélkülit tartottak számon. 1932-ben választások voltak Bécsben, egyre nőtt a nácik száma, a közéletet mintha megmérgezték volna, legfőképpen 1932 májusa után, amikor Engelbert Dollfuss lett Ausztria szövetségi kancellárja.

A napi események ugyan csak közvetve érintették Lehárt, ám a politikai élet mégis kihatott az ő életére is. 1931-re a világgazdasági válság átcsapott Ausztriára is; az év májusában csődbe ment a Kreditanstalt, Ausztria egyik legfontosabb bankja, s ez további súlyos gazdasági és társadalmi megrázkódtatást vont maga után. Akinek készpénze volt – mint Lehárnak is –, igyekezett a pénzt befektetni.

Lehár már régóta tulajdonosa volt a Theobaldgasse egyik bérházának. Az épület tetőterében számos manzárdhelyiség volt; aki oda belépett, „egy a maga nemében alighanem páratlan világsiker tanúbizonyságait láthatta: képeket, színlapokat, karikatúrákat, okleveleket, értékes kéziratokat, a nemzetközi stagionék plakátjait, melyek szerte a világon ismertették Lehár hírét s nevét. A falakról ránk mosolyogtak két világrész legszebb asszonyai: operettjeinek szereplői! Az elemi iskolai bizonyítvány mellett látható Battistini képe, lelkes ajánlással... Aki ebben a múzeumban jár – gondnoka maga Lehár –, úgy olvas Lehár életében, mintha valami pontosan vezetett naplóban lapozgatna. Sok száz kép varázsolja elénk a számtalan színházi este ragyogó fényét. S a falakon tenyérnyi hely sem akadt a még elkövetkezendő sikerek számára. Halomban áll ott, székekre felstószolva, az a rengeteg fénykép, amit naponta hoz a posta a ház urának a világ minden tájáról. Aggasztóan halmozódik egyre magasabbra világhírének papiroslecsapódása, s Lehárnak e múzeum mellett még egy másikat is meg kellene nyitnia, hogy helyet teremtsen a rengeteg néma papírnak, mely mind az ő sikeréről regél." (247)

Lehárnak tehát kapóra jött, hogy Nussdorfban eladó volt a Schikaneder-palotácska. Emanuel Schikaneder, Mozart *Varázsfuvolá*jának szövegírója, 1802-ben vásárolta meg a Bécs közelében lévő ingatlant. Manapság negyedórai villamosozással jut el az ember Bécs belvárosából Nussdorfba; 1802-ben 12–14 kilométert kellett odafelé kocsizni a Duna folyásával ellenkező irányban. Birtokán Schikaneder palotácskát építtetett, s a legnagyobb szoba mennyezetére odafestette a *Varázsfuvola* alakjait. Az épület többször cserélt gazdát, s amikor az első világháború után amerikai segélyakciót hoztak létre Ausztriában, az igazgató, bizonyos Mr. Anton M. Viditz-Wild megvásárolta a palotácskát. 1931-ben megszűnt az amerikai segélyszolgálat, s Mr. Viditz-Wild kénytelen volt túladni az ingatlanon. Lehár ezzel szemben be akarta fektetni a pénzét, s megvásárolta az épületet. Világsikerének tárgyi dokumentumai most már a nussdorfi épületre is kiterjeszkedtek. Lehár minden bizonnyal nem volt ennek tudatában, de mégis a nemzetközi politika és a gazdasági adottságok indították őt ingatlanvásárlásra. Kortársai találgatták, mi a szándéka a palotácskával: „Nem tudni, el fogja-e hagyni theobaldgassei stílszerű otthonát, s ezentúl egész esztendőben a Duna partján fog-e lakni... Lehet, hogy az a verzió bizonyul igaznak, mely szerint Lehár-múzeum jön majd létre az ősi termekben." (248)

Feltételezhető, hogy Lehárt hasonló érzelmek indították az épület megvásárlására, mint annak idején Schikanedert. Mindkettejüknek az volt a terve, hogy oda vonuljon – ahogyan mondani szokás – nyugalomba. Tulajdonképpen Lehárra is illik az az óda, amit Schikaneder egyik barátja költött, amikor a hajdani színiigazgató és színdarabszerző beköltözött a palotácskába:

„Der du geendet ruhmwoll die Laufbahn und
von schwerer Mühe, menschliche Launen zu
vergnügen, nun ausruhst auf Rosen,
höre mit Beifall mein Lied ertönen!
Nun stehst du froh am Ziele. Geniess der Ruh,
geniess des Glückes, das dein Verdienst ersiegt!"

(Te, ki dicsőségesen befejezted pályafutásodat, s most rózsákon pihened ki fáradozásaidat, hogy felvidítsd az emberek kedélyét, hallgasd örömmel dalomat! Immár vidáman célhoz értél. Élvezd a nyugalmat, élvezd a boldogságot, melyet érdemed kivívott!) (249)
Sok mindent el lehetne mondani erről a palotácskáról; a főbejárat a Hackhofgasséra nyílik, két oldalszárnya kis udvart fog közre. A homlokzati szárny bal oldalán hangulatos kis kápolna található: csúcsíves ablakai az utcára nyílnak. Az udvaron át eljutunk a főépülethez, a tulajdonképpeni palotácskához. Három kapu vezet a pompás lépcsőházba. A palotácska mögött viszonylag nagy kert található, teraszokkal, kőmellvédekkel, fenyőkkel, rózsákkal, ápolt gyeppel, a közepén kicsi tóval, benne aranyhalas medence, melyből szökőkút buzog: csendes, elvarázsolt világ. Lehár mindent megőrzött, mindent gondosan ápolt, s így ma is sok minden emlékeztet itt mind *A varázsfuvola* szövegírójára, mind *A víg özvegy* komponistájára. Lehár egyébként nemcsak a palotácskát és a kertet vette át az előző tulajdonostól, hanem a régi személyzetet is: Amalie és Victor Scaját; mindketten még évtizedekig ott maradtak Lehárék szolgálatában. Lehár tehát ekkorra a theobaldgassei bérház, az ischli villa és a nussdorfi palotácska ura volt.
Szeptemberben Berlinben vezényelte az *A hegyek urá*vá átkeresztelt *Hercegkisasszonyt*, majd Párizsba utazott, *A mosoly országa* bemutatójára, s számára talán még mindig mosolygós volt a világ.
Ám aztán jött az 1933-as esztendő. Németországban Hitler kezébe került a hatalom, a nácik február végén felgyújtották a Reichstag épületét, a fasizmus, a maga kalandor-politikájával, a néptömegek

elleni brutális terrorjával, parttalan sovinizmusával, és hazug nemzeti és szociális demagógiájával megmutatta igazi arcát: a leplezetlen terrorista diktatúrát. (250)

Ausztriában a „mini-Metternich" – így nevezték Dollfusst, nem csupán apró termete miatt, hanem legfőképp reakciós intézkedései és céljai okán – Hitler tanulékony tanítványának bizonyult, ám követőjének mégsem volt mondható: igyekezett megőrizni Ausztria függetlenségét Németországgal szemben. 1933 folyamán stabilizálta a maga sajátos ausztrofasiszta diktatúráját: Ausztria maradjon Ausztria – ámde Dollfuss Ausztriája!

E történelmi tények fényében ismét csak megállapítható, menynyire nem fedte egymást a valóság és a Lehár-operettek szövegeinek álköltőisége. Nézzük csak meg közelebbről azokat a dalokat, amiket Tauber énekelt a különböző operettekben – pontosabban: a Lehár-operettek tenorra írt belépőit. Az eredmény persze nem csak Lehár librettistáinak rovására írandó. A tenorista operettbeli belépőjének régi hagyományai vannak, s ezek a bécsi népszínművekből erednek. E népies bohózatokban és mesedrámákban mindenkor egy-egy kupléval kell színre lépni: a szereplő bemutatkozik a nagyérdeműnek, elmondja, mi a mestersége, a társadalmi helyzete, honnan származik, esetleg azt is, hogy mit szándékozik tenni a közeljövőben. Nézzük például Ferdinand Raimund *A béklyóba vert fantázia* című művét. A főhős lefelé lebeg a szuffiták közül, s közli, hogy ő bizony semmit nem vesz túl komolyan. A közönség tehát azonnal tudja, ki ez a csodalény, s mi a szándéka. Hasonlóképpen mutatkozik be Raimund *A tékozló*jának főhőse, Valentin is: bejelenti, hogy vígan, gondtalanul, a holnappal mit sem törődve éli az életét. S ugyanezt tapasztaljuk Johann Nestroy darabjainál is; fölösleges talán még több példát is idézni. A bécsi klasszikus operett átvette azt a bevált hagyományt, hogy konkrét, a cselekményre utaló belépőkkel mutassa be a főszereplőket. Példa rá Barinkay belépője *A cigánybáró*ban:

Egy vándorcirkusz szekerén
Kerestem kenyeremet én…

A versike kissé ügyefogyott, ám ha figyelembe vesszük a zenéjét is, egykönnyen megtudható, miféle ember ez a Barinkay. Millöcker

*Koldusdiák*jában Ollendorf megjelenik a színen, s úgy jellemzi magát, mint olyan hőst, akit Lengyelországban és Szászországban egyaránt mindenki ismer, s ilyennek ismerjük mind a mai napig. Ugyanígy nyilatkozik önmagáról maga a koldusdiák is (Számos gyengéd kapcsolatot kötöttem...). Máris tudjuk, mi a szándéka, s hogyan férkőzik majd a hölgyek kegyeibe. A postáskisasszony Zeller *Madarász*ában is így mutatkozik be (Postás Milka vagyok, kicsi a bérem, sovány az étkem...)

Talán meglepő – bár szerintem teljességgel logikus –, hogy a zeneszerzők az ily határozottan egy-egy egyéni alakra szabott belépőkhöz írták a legeredetibb dallamokat, s ezek annak ellenére oly rendkívül népszerűek, hogy tartalmukban igen erősen kötődnek a szereplőhöz és a cselekményhez. Az „igazság" szól belőlük, a valóság, az élet maga! A szóban forgó szereplő már a belépőjével integrálódik a szóban forgó cselekménybe. Az ilyen jellegű belépők segítségével sok mindent megspórolhat a dramaturgia is, egyből megismerjük a szereplő fele életét és teljes világnézetét dióhéjban, nem kell a szöveg- és a zeneszerzőknek azzal bíbelődniük, hogy körülményesen bemutassák a szereplőt: amint elhangzik a belépő, a publikum tövíről hegyire ismeri őt mint társadalmilag meghatározott figurát, a jellemével együtt.

Lehár Ferenc művei esetében kitűnik, hogy azok az operettek a legsikeresebbek, ahol a főhősöknek ilyenfajta konkrét, a darabra vonatkozó belépő jutott. Nézzük például a *Bécsi nők*et, Lehár első operettjét. A szobalány, amint belép a színre, hasznos információkkal szolgál: (Híven szolgálom úrnőmet, de uramhoz sem vagyok hűtlen...)

Bemutatkozik ugyan, ám a dolog nem olyan egyszerű: kiderül, hogy csupán *A denevér* Adéljának világosan felismerhető másolata. *A drótostót*-beli Pfefferkorn hagymakereskedő ennél jóval inkább körvonalazott figura.

Belépőjének szövege és dallama révén olyan jellemként áll előttünk, akit nem felejtünk el.

A víg özvegy Hannája is nyíltan megvallja belépőjében, hogyan is állnak a dolgok, Danilo pedig nem átallja felsorolni, miből is áll korántsem kedvelt diplomata-hivatása, s azt is elmondja, mivel vigasztalódik:

Az orfeum tanyám...

– Íme egy dal egy lusta fráter „munkamódszeréről", félreérthetetlen utalással szórakozásának módjaira, s ebből világraszóló sláger lett! A *Három feleség* egyetlen száma sem lett ezzel szemben sláger. A főhősnek nem jutott belépő, mely jellemezte volna a személyét és a környezetét.

Még kevésbé konkrét, még bizonytalanabb a helyzet a *Cigányszerelem* esetében. Igaz: itt nem a helyi patak, hanem – Lehárnál legelső alkalommal – a romantikus giccs hullámai lépnek ki medrükből, messze túl a jóízlés határain. Amire Józsi végre eljut odáig, hogy közölje, miszerint ő cigány, akkorra már késő.

Mintha a Zórika belépőjében megnyilvánuló, ráadásul dagályosan felfújt színpadi szituáció nem volna elég állóképszerű, *A pacsirtá*nak sikerült ostoba együgyűségben erre is rádupláznia:

Akkor vagyok boldog, mikor elbolyongok
erdők sűrűjében, tarka réten
A rigó dallal vár,
öröm az élet, örökös a nyár...

Ez nem egy színpadi figura exponálása, csupán kásás természetábrázolás, s semmivel nem jellemzi a főszereplőt. Tény és való: *A pacsirtá*nak nem sikerült tartós hatást elérnie.

Ugyanígy hatástalan Frasquita erotikus kérkedése is:

Mutassatok egy férfit,
aki engem legyőz...

Nos, eljő egy férfi és legyőzi őt. Hol ebben a vicc?
Ennél is szegényesebb a *Paganini* motivációja. Anna Elisa hercegnő színrelépésekor úgy dicséri fel az udvari élet üresjáratát, mintha az valami rendkívüli volna.

S erről a nőről, akinek egy új ruha vagy egy katonai parádé a nagy szenzáció, csak azért hisszük el, hogy Paganini szereti, mert ez a Paganini nem Paganini, hanem egy szegény fiatalember, aki otthonos a diákbálok világában és ismeri az ottani nyelvezetet is, s akinek Tauberre szabott dala csak azért eleven mindmáig, mert némi bepillantást enged meg Niccolò múltjába:

Volt nem egy, de száz babám,
Nem vártam én, míg csókot ád a lány...

Vagy nézzük Tauber dalát *A cárevics*ben:

Akarsz engem?
Jöjj, tégy boldoggá...

Hát ez aztán végképp nem szolgál semmi információval, s hatástalansága okán később máshová helyezték át, méghozzá duettként; helyére a Volga-dal került.

S a *Friderika* sem azért tűnt el a repertoárokról, mert Goethéről szól, hanem mert az énekelt Goethe-szövegek sápadt lírája nem drámai mozzanat, s nem igazi belépő az „Ó mily szép, mily csodálatos ez a csendes, zöld fákkal övezett házikó..." kezdetű dal, a fenti gondolatmenet értelmében nem hordoz hihető információt. Attól, hogy egy énekes Goethe-szövegekre énekel, még nem személyesíti meg Goethét.

Tauber dala *A mosoly országá*ban ezzel szemben nagyon is „belépő": minden sora közöl valamit arról, aki énekel:

Oly meghatott érzéssel nézek körül,
Szívdobogás vesz elő,
a szívem minden kis tárgynak örül:
itt él és itt lakik ő...
De fajtám, az néma és hallgatag.
Nem beszél a szív, inkább megszakad.

s ez a dal valóban abszolút világsláger lett.

Ehhez képest visszaesés a *Szép a világ*. Az az ifjú, akiről a közönségnek el kellene hinnie, hogy trónörökös valahol, úgy mutatkozik be, hogy „Könnyelmű fickónak tartanak...", s ezt ráadásul valami nehézkes dallamra kell énekelnie: nem hiszünk sem a szövegnek, sem a dallamnak, a legkevésbé pedig a rendezői utasításnak: „Bármily egyszerű embernek mutatkozzék is, e burkon átcsillan magas műveltsége és származása; humorral leplezi szellemi fölényét..." – ám egy színműnek, bármily sajnálatos is (legfőképpen a librettisták számára) nem a rendezői utasításokról, hanem a cselekményről kell szólnia.

Az abszolút mélypontot – természetesen csak dramaturgiai szempontból – a *Giudittá*ban sikerült elérni. Fellépésekor Octavio egyetlen szót sem veszteget sem önmagára, sem önnön helyzetére, hanem oktató tartalmú banális megjegyzésekkel önti nyakon a közönséget: „Barátaim, élni érdemes, minden nap adhat valami szépet, új élményt. Óránként megújul a világ, s ha a nap este lenyugszik is, ragyogva jelenik meg reggel újfent." S bármily káprázatos is Lehár hangszerelése, mégsem tudja feledtetni Giuditta kielégítetlen és kielégíthetetlen kérdéseit: „Hová kerget a sorsom, hová vonz a végzet? Sehol nincs maradásom, mert akkora bennem a vágy..."

Összefoglalva: a szereplők belépői Lehár műveiben is előre jelzik, hol vannak a szóban forgó mű erősségei és gyengeségei. Ha a cselekmény maga homályos, a belépő szövege sem lehet más, mint homályos.

A két utolsó példa már Lehár legutolsó színpadi művéből való: a *Giudittá*ból. Ha a *Szép a világ* ősbemutatója után el is hangzott, hogy végre operát is írhatna (túl a soha be nem mutatott *Rodrigó*n és első színpadi művén, a *Kukuškán*), nem ez volt az első ilyenfajta vélemény: leírták ezt már a kritikusok az első nagy sikerek idején is.

S Lehár valóban kutatott operalibrettók után. 1931 őszén aztán valóban szóba került egy Maria Jeritzára szabott, opera jellegű operett. A művésznő szívesen énekelt volna valamelyik Lehár-műben, s kapott is valami három tucat szövegkönyvet, ezekből hatot át is adott a mesternek „szűkebb válogatásra". (251) Aztán valahogy elaludt a dolog. Nem sokat értek a szövegkönyvek: inkább operettszerűek voltak, semmint operaszerűek, s Lehár nem ezt akarta. 1932-ben aztán, „egy szép ischli augusztusi napon, két öreg barátom, Paul Knepler és dr. Löhner idehozott nekem egy szcenáriumot és egy kész első felvonást, hogy olvassam el. A környezet és a cselekmény annyira megragadott, hogy még az éjjel nagyjából feljegyeztem *Giudittá*m legfontosabb motívumait, ha csak vázlatos formában is." (252)

A jelek szerint elsimult a viszály Rotterék és Lehár között, s így semmi nem állta útját, hogy a mű valamelyik színházukban kerüljön színre. Mégpedig a Grosses Schauspielhausban, melyet 1932 őszén béreltek ki; már folytak a megbeszélések Max Reinhardttal a rendezésről. Ősz táján egyre több álhír röppent fel a *Giuliettá*val – eleinte ez lett volna a mű címe – kapcsolatban, s így Lehár megint egyszer indíttatva érezte magát, hogy cáfoljon: „Nem tudom, mi az értelme, mi a célja a híreszteléseknek, melyek szerint olyan anyagi nehézségek merültek fel, melyek megakadályozzák művem, a *Giulietta* előadását a Grosses Schauspielhausban. Ha ezek a hírek igazak volnának, alighanem tudnék róla. Csak annyit tudok, hogy itt, Berlinben, állandóan lefoglalnak a *Hercegkisasszony* próbái (*A hegyek ura* c. átdolgozott változatról van szó – O. Sch.), melyet a Nollendorf-színházban készülnek előadni. Mind a mai napig ahhoz sem jutottam hozzá, hogy hangszereljem, pláne, hogy befejezzem új művemet. Azóta, hogy Salzburgban tárgyaltam Reinhardttal, semmiféle új szakasz el nem kezdődött... Újra csak azt hangsúlyozhatom: a Grosses Schauspielhausban előbb az *Alt-Heidelberg*-darab amerikai változatát mutatják be, utána pedig a *Giuliettá*t. Minden más híresztelés téves." (253)

Sigmund Romberg *Der Studentenprinz* (A diákherceg) című műve – Meyer-Förster *Alt-Heidelberg* című műve amerikanizált változatának német bemutatójára október 22-én került sor; december 23-án azonban nem a Max Reinhardt rendezte Lehár-mű, a *Giulietta* ősbemutatója került sorra, hanem Ábrahám Pál operettje, a *Bál a Savoyban* – ezután pedig csődbe mentek a Rotter-fivérek és elmenekültek Liechtensteinbe. Ezzel egyelőre füstbe mentek Lehár tervei.

Persze csak egyelőre, mert a *Giuditta* ügyében hamarosan újabb fordulat következett be, mégpedig a bécsi Állami Operaház jóvoltából! Ennek élén 1929 ősze óta Clemens Krauss, a nagy dirigens állott. 1929 őszén bemutatta Johann Strauss *Egy éj Velencében*jét, s ezzel hagyománnyá vált, hogy nagyjából másfél évenként egy operett kerüljön színre: 1931 januárjában Heuberger *Operabál*ja, 1932 nyarán Suppé *Boccaccio*ja, 1934. január 20-án pedig Lehár *Giuditta*ja! „Nagy örömmel és sok szeretettel dolgoztam... és ugyanolyan műgonddal fordultam a hangszerelés felé – amit az Operaház gazdag és nagyszerű zenekara el is várhat –, mint amennyi figyelmet szenteltem az énekhangok hatásos kezelésének és a téma választékosságának. Novotna művésznő Giudittaként megkapta a maga keringőjét – *Olyan forró ajkamról a csók;* Richard Tauber a maga áriáját, s kettejük D-dúr duettje mintegy vezérmotívumként húzódik végig a partitúrán." (252) „Alighanem ez a legnagyobb szabású partitúra, amit valaha írtam. Azt hiszem, elmondhatom: a *Giuditta* a legérettebb művem, s annyi szeretettel dolgoztam rajta, mint talán soha még... Oktalan kérdés, hogy a *Giuditta* vajon opera-e, vagy operett. Egyik sem a szó szokványos értelmében. A *Paganini*, a *Friderika* és *A mosoly országa* óta olyan stílusban írok, melyet zenei alkotásaim számára a legalkalmasabbnak érzek, és soha nem törtem a fejemet azon, melyik műfajba sorolható ez vagy amaz a művem. Vannak a *Giudittá*ban az operára emlékeztető komoly jelenetek, ám akadnak benne a cselekményből adódó vidám képek és mulatságos jelenetek is... boldog voltam, hogy harmincesztendős zeneszerzői munkám után megadatott nekem: művemet a bécsi Állami Operaház klasszikus színpadán mutatják be, s a legkiválóbb művészek énekelnek benne a leghíresebb zenekar kíséretével." (254) „Bármekkora legyen is a feladat, öreg barátom, Marischka – akit megbíztak a darab rendezésével – a rá jellemző lelkesedésnek és fanatikus munkabírásnak hála – megbirkózik vele. Sokszínű az öt kép palettája – az első képben a kikötő tarka világa, a harmadikban a katonai tábor élete, s mindenekfölött a negyedik kép, ahol Giuditta az Alcazarban lép fel, egy nagy észak-afrikai város mulatójában, az egyidejű balettel; a tervezőművészek és az Operaház maga sem fukarkodtak a színekkel. A legmélyebb hálával gondolok mindazokra, akik oly sokat fáradoztak művem érdekében." (252)

Mennél inkább közeledett az ősbemutató napja, annál több szó esett a sajtóban a „nagy Lehár-szenzációról" (255); „hadijelentések" érkeztek az Operaházból, mintha valóban életre-halálra menő küzdelemről volna szó. „Ezúttal semmi nem segít! Hiába ismeri az ember az udvari vagy a kormánytanácsosokat, semmit nem ér, ha az ember akár Richard Tauber nővére szabónőjével van jóban, mégsem lehet már két hete jegyet kapni... Annyira telt a telt ház, hogy – ha hihetünk az Operaház körül burjánzó pletykáknak – sok száz schillinget is megadnak egyetlen ülőhelyért." (256) „A bécsi Állami Operaházban valóban annyira elkelt minden jegy, hogy a legtöbb reménnyel kecsegtető, leginkább bevált kapcsolatok is csődöt mondanak. Régóta nem tapasztaltunk ehhez hasonlót a bécsi színházakban, s a jelenség messze túlmutat az esemény társadalmi jelentőségén. Kifejeződik benne az opera közönségének az az érzése, hogy szokatlan, mondhatni szimbolikus jelentőségű eseményről van szó: Lehár bevonul az Operaházba!... Lehár az életidegen, de udvariasan öntudatos művész alázatával viseli el az Operaház nem remélt kegyeit... Esztétikai és logikai megfontolásból éppen ezekben a napokban ajánlatos visszaemlékezni Lehár udvarias, ám hajlíthatatlan határozottságára, amivel kitart e zenei és lelki forma önmaga teremtette stílusa mellett. A *Friderika* magaslatára érkezvén, be sem vallott vágyakozással, de több mint indokolt igénnyel elvárhatta, hogy megtiszteli őt az Operaház. Így áll hát előttünk a belcanto Lehárja, a csillogó és mosolygós szerelmi melódia alkotója, ama szikrázóan színes tenordallamok mestere, vagy – ahogyan szakmai körökben mondják: a Tauber-dalok mestere. Ez a Lehár, a gyengéden bimbózó dallam, a vágyakozásteli szerelmes dal Lehárja a mai osztrák lélek elidegeníthetetlen része." (255)

Örömmel állapíthatta meg a mester a bemutató estéjén, hogy nemcsak Bécs, Ausztria és Európa, hanem az egész világ odafigyelt azokban az órákban a Bécsi Állami Operaházra: százhúsz adó sugározta az öt földrészen szerteszét a bemutató dallamait. Valóságos diadalmenet volt a premier. A közönség, a köztársaság elnökével és a kormány tagjaival az élen, véget nem érő tapssal követelte a ráadásokat, éltették Lehárt, és elhalmozták virágokkal meg babérkoszorúkkal.

Ám a másnapi meg a valamivel későbbi kritikák nem mindig egyeztek a nagyérdemű véleményével. Nem voltak persze annyira rosszindulatúak, mint ahogyan később többször is állították, de nem vitás: a mű sokfelől volt támadható.

Mert hát hogyan is vélekedjék a kritika a Knepler és Löhner kitalálta cselekményről: „Egy szép madárkalitka-kereskedőné Afrikába szökik egy katonatiszttel, a katonatiszt a szolgálat okán elhagyja őt – máshová helyezték –, a hölgy átnyergel a szabad szerelem mesterségére, egy varietében működik mint sztár és konzumhölgy, majd egy római szeparéban összetalálkozik a katonatiszttel, aki végleg búcsút vesz tőle. Ezt kissé elkasírozzák azzal, hogy ebben a Giudittában többféle emberfajta vére keveredik, s ettől oly vad; vére átkozott, sőt áááátkozott, s tönkreteszi a férfiakat.

A pompás rendezés láttán az ember megfeledkezik erről, nem is veszi igazán komolyan az egészet. Ám végül csak észrevesszük, mennyire talmi az egész: a sláger – a *Du bist meine Sonne* – fölött

Operntheater

Samstag, den 20. Jänner 1934

Bei aufgehobenem Abonnement — Zu besonderen Preisen

Uraufführung:

Giuditta

Musikalische Komödie in fünf Bildern von **Paul Knepler** und **Fritz Löhner**

Musik von **Franz Lehár**

Spielleitung: **Hubert Marischka**   Musikalische Leitung: **Franz Lehár**

Manuele Biffi........Hr. Wiedemann	Professor Martini ...Hr. Zec
Giuditta, seine Frau .Fr. **Jarmila**	Pierrino,
Nowotna a. G.	Obsthändler.......Hr. Zimmermann
Octavio, Hauptmann .Hr. Kammersänger	Anita, ein
Richard Tauber a. G.	Fischermädchen.....Fr. Bolor
Antonio, Leutnant ...Hr. Knapp	Lolitta, Tänzerin ....Frl. Graf
Luigi, Leutnant .. ...Hr. Polcar	Der Wirt ....Hr. Maill
Ein Unteroffizier.....Hr. Szlotan	Zwei Straßensänger { Hr. Wernigk
Eduard Barrymore...Hr. Balberg a. G.	{ Hr. Arnold
Der Herzog von.*₊..Hr. Duhan	Eine Tänzerin.......Frl. Fiedler
Der Adjutant des	Erster Kellner ....Hr. Ebbner
Herzogs ... .Hr. Karl Zeska	Zweiter Kellner ......Hr. Otto Hartmann
Ibrahim, Besitzer des	Ein Fischer ....Hr. Haller
Etablissements	Ein Türsteher ....Hr. Strobl
„Alcazar"..........Hr. Madin	

Offiziere, Soldaten, Bürger, Bürgerinnen, Tänzerinnen, Gäste, Musikanten usw.

Ort der Handlung:

1. Bild: Marktplatz in einer südlichen Hafenstadt
2. Bild: Garten vor Octavios Villa in einer kleinen Garnisonsstadt an der Nordküste Afrikas
3. Bild: Zeltlager
4. Bild: Im Etablissement „Alcazar" in einer großen Stadt Nordafrikas
5. Bild: Gesellschaftsraum in einem mondänen Großstadthotel

Zeit: Gegenwart — Zwischen dem vierten und fünften Bild liegt ein Zeitraum von vier Jahren

In Szene gesetzt von **Hubert Marischka**

Entwürfe der Bühnenbilder: Alfred Kunz — Robert Kautsky

Entwürfe der Kostüme: Alfred Kunz

Choreographie der Tanz- und Gesangnummern von Margarete Wallmann
ausgeführt von den Damen Krauseneder, Werka und dem Corps de ballet

Toiletten der Frau Nowotna: Damenmodenhaus H. Grünzweig, I., Hegelgasse 21

Pianino beigestellt von Gustav Janaz Stingl, IV., Wiedner Hauptstraße 13 — Korbmöbel:
Prag-Rudniker Korbwarenfabrik, VI., Mariahilferstraße 1a — Schmuck: „Perlkönigin"
(R. Fleischer, VI., Mariahilferstraße 81)

Pelze: Internationales Pelzhaus Penižek & Rainer, I., Singerstraße 5

Das offizielle Programm nur bei den Billetteuren erhältlich. Preis 50 Groschen — Garderobe frei

Nach dem ersten und dritten Bild eine größere Pause

Der Beginn der Vorstellung sowie jedes Aktes wird durch ein Glockenzeichen bekanntgegeben

Kassen-Eröffnung vor 6½ Uhr   Anfang 7 Uhr · Ende vor 11 Uhr

Während der Vorspiele und der Akte bleiben die Saaltüren zum Parkett, Parterre und den
Galerien geschlossen. Zuspätkommende können daher nur während der Pausen Einlaß finden

A Giuditta ősbemutatójának plakátja

ez olvasható a zongora-kivonatban: Kedves Richardomnak szeretettel ajánlom ezt a hetedik Tauber-dalt! Ferenc. Sok minden kiderül ebből! A zeneszerző – s ez emberileg a becsületére válik – barátjára, Tauberre gondolt, s nem annyira arra az alakra, amelyet Taubernek ábrázolnia kell. S a cselekmény sem egy katonatiszt sorsát kívánja ábrázolni, hanem egy Tauberre szabott szerepet kíván a nagyszabású női szerep ellenpontjaként létrehozni: a cselekmény ürügy, a cél a Tauber-dal létrehozása." (257) Így vagy hasonlóképpen vélekedett a kritika; az idézet Ernst Decsey tollából való.

Ernst Decsey – 1924-ben ő írta a legelső Lehár-életrajzot – nem tartozott sem a brutális gáncsoskodók, sem az ájuldozó, parttalan feldicsérők közé; nem is akart mást, csak a saját mércéjével kívánta a *Giudittá*t megmérni. „Lehár tehetsége két irányban is elkápráztatja az embert. Kedveli az egzotikus helyszínek aromáját, a szerelem forró tájainak fülledtségét; ezen a hőmérsékleten virágoznak ki a kantilénái: Octavio dala, Giuditta szerelem-motívuma A-dúrban, s Michele, a férj fájdalmas tercekre épülő motívuma, Lehárnak talán legszebb ötlete; aztán Giuditta szinkópa-ritmusú, kromatikusra pácolt átok-motívuma, s az *Olyan forró ajkamról a csók* narkotizáló E-dúr keringője. A partitúra ugyan inkább mozaik, semmint építmény, ám Lehár mégis motívumszerűen dolgozza fel ötleteit s valódi megmunkálásra törekszik; áll ez arra is, ahogyan megteremti a tripoliszi couleur locale-t: arabos melizmákkal, váltakozó harmóniákkal, kasztanyett-ritmusokkal. Érezni, hogy kötelezettséget vállalt, s ezt teljesíteni igyekezett, tehát finomabb technikai eszközökkel élt: olyan komponista módjára, aki érzi, hogy lassan megsápadnak ifjonti ötleteinek üde orcái." Végül közvetlenül és bizalmasan fordul a zeneszerzőhöz: „Elképesztő a melodikai adottságod, legyőzöd vele a hallgatót, s szellemnek híjával lévő ügyekre pazarolod kincseidet. Hiszen éppen az a baj, hogy ezt olyan tehetségesen csinálod; egy tálba öntöd az igazit és a hamisat s olyfajta gyenge kultúrhabarékot hozol létre, melyet megéljenez az a Bécs, mely gúnyolta Anton Brucknert." S a *Giuditta* ügyében erre a következtetésre jut: „Ez bizony operettszínház, ez Theater an der Wien és nem Állami Operaház, oda csak beszemtelenkedte magát. Ez bizony nem zenés komédia! A *Giuditta* operett, szerelmes, nagyszabású, káprázatos, nagyratörő, hol bájos, hol meg ostobácska operett. De hogy zenés komédia lenne? Miért nem azt írt Lehár?" (257)

Ám Lehár nem írt többet: operát sem, de operettet sem. Az a színházi zeneszerző, aki úgy vélte: „A *Giudittá*val a tudásom legjavát adtam!" (54) s aki 1935. április 30-án hatvanötödik születésnapját ünnepelte, már csak vajmi keveset komponált. Lehár úgy érezte: elfáradt.

„Tulajdonképpen imponáló: harmincöt esztendeig várt Lehár erre a pillanatra, harmincöt esztendeig ez a győzelem volt élete célja. Amit első operája, a *Kukuška,* el nem érhetett, bárhogy igyekezett is, azt szinte könnyedén elérte utolsó operettje, a *Giuditta:* meghódította az Állami Operaházat, s megszerezte annak fényes eszköztárát. Több mint harminc operettnyi kerülőt tett meg, míg ideért. A legbiztosabb módja az ideálok megvalósításának, ha az ember túlszárnyalja őket. Lehár írta az operetteket, egyiket a másik után, fokozta, bővítette, finomította a műfajt, külföldön a legtöbbet játszott osztrák szerzőként szerzett hírt s nevet, ő képviselte Ausztriát Párizs és Port Said, az Észak-fok és a Jóreménység foka között – hát be lehetett volna-e csukni előle a reprezentatív bécsi Operaház kapuit? Meg aztán kezére járt a kor is. Mennél több megérthetetlen opera született, mennél több atonalitás eredt vajúdó öléből, annál inkább Lehár kezére játszott ez a kor: mert ő a zsongító, az édes ízű, a dúdolható, a háromszoros újrázást követelő, telt házakat vonzó Lehár-melódiák ura!" (257)

Decsey szavai arra is rávilágítanak, miért is sugároz egyre-másra olyan Lehár-operettekből merített számokat a rádió és a televízió, amelyek már régóta nem szerepelnek a színpadokon: a zeneszámok tulajdonképpen függetlenek a mindenkori színpadi cselekménytől. Persze ugyanabban a szellemben fogantak, ám önálló életet élnek, s csúcspontjukat a „Tauber-dalokban" érik el.

Az utolsó Lehár-operettekben már az volt a helyzet, hogy a színpadi cselekmény tulajdonképpen csak ürügy volt, csupán az énekes sztár szólószámának csomagolása. Ha Lehár valóban komolyan vette volna az operettműfajt, akkor valahol a *Paganini* vagy *A cárevics* idején más szövegkönyvírók után kellett volna néznie. Nem tette: azt kapta, amit kért, miért is változtatott volna? A librettisták pedig gátlástalanul ontották az elcsépelt irodalmi árut. A *Giudittá*val kétségtelenül sikerült az abszolút mélypontot elérni: itt már klisévé merevedett minden. Egyes dalszövegsorok könnyedén vándoroltak egyik operettből a másikba. Liza azt énekli *A mo-*

A budapesti Operaház
– a Giuditta magyarországi bemutatójának színhelye

*soly ország*ában, hogy „Meine Liebe hüllt dich ein" – beborít téged a szerelmem –, a *Giuditta*ban viszont így dalol Octavio: „Ich hüll' dich in Liebe ein" – szerelembe burkollak –, s ez csak egyetlen példa azokra a hasonlatosságokra, melyekből oly bőségesen akad a szerelmi vallomások dagályos árjában.

Tauber oly káprázatos művészettel tagolta a dallamokat, hogy a lehetetlen is lehetségessé vált: a hallgató elsiklott a szöveg ostobasága fölött. Richard Tauber és Jarmila Novotna már egy héttel az ősbemutató után hanglemezre énekelte a Bécsi Filharmonikusok – gyakorlatilag tehát az operazenekar – kíséretével és Lehár vezényletével a *Giuditta* legfontosabb számait. A felvétel alapján képet alkothatunk a premierről, az pedig – tudjuk – nagy siker volt. S a bécsi Állami Operaház ezután, 1938. március 7-ig bezárólag, még száznegyvenszer előadta a művet, ami egy „első osztályú temetéshez" képest, ahogy egy helyütt jellemezték (109), meglehetősen

217

látványos siker. De csak Bécsben, csakis Bécsben... Ma már csupán a rádióban, a televízióban és olykor hangversenytermekben hallani a *Giuditta* melódiáit: könnyűszerrel kibonthatóak a mű szövedékéből. Nem vitás: Lehár „megnemesíteni" akarta az operettet. Ám ez csak műveinek egyes részeire igaz; ugyanakkor fokozatosan megsemmisítette operett-szerzeményeinek azt az igényét, hogy drámai funkciójú színházi zeneként éljék az életüket; az egyes számokat pedig átengedte a rádiónak. A kései művek állítólagos lelki rezdülései, amiket – szándéka szerint – zenei eszközökkel akart megfesteni, nem következnek a látható cselekményből: csupán a szószátyár szövegkönyvek bizonygatják, hogy itt vagy amott megrezdül a lélek.

A víg özveggyel kezdődött Lehár világhíre, s életművének befejezése a *Carmen*-reminiszcenciákból összepancsolt *Giuditta*. Színpadi művekkel, színdarabokkal kezdte, s egyes számok füzérével fejezte be. Szövegkönyvírói felcsalogatták őt a tréfa és a mulatság alföldjéről a „megnemesített" operett magaslataira, ő pedig nagyon is szívesen követte őket. Nagy árat fizetett érte: odaveszett a sajátos, ezüstösen csillogó Lehár-operett.

Ám még sok országban és óriási sikerrel adtak elő Lehár-operetteket. Németországban ugyan ritkultak műveinek bemutatói a Rotter-fivérek bukása után, ám a Metropol új igazgatósága 1933 nyarán ismét előadta a *Friderikát*; ezúttal a Grete Weiser–Erik Ode buffopáros aratta a nagy sikert. Lehár még 1933 kora tavaszán Párizsba utazott, hogy részt vegyen az ottani *Frasquita*-bemutató előkészítésében. Hamarosan ismét odautazott, s a második látogatás, „amikor is *Frasquitám* díszelőadása alkalmával, melyre az Opéra Comique-ban került sor, abban a megtiszteltetésben volt részem, hogy fogadott a Francia Köztársaság államelnöke, s néhány nappal később megkaptam a Becsületrend parancsnoki keresztjét; mindez örökké a legszebb emlékeim egyike marad... Érkezésemkor Cools, a kiadó, és Maupry, a fordító fogadtak, s elkísértek az Opéra Comique igazgatójához, Gheusi úrhoz. Rögtön átmentem a próbához, melyet az opera karnagya, Paul Bastide vezetett... Alkalmam volt megcsodálni Bastide művészi munkáját: ő Franciaország legjobb opera-karmestereinek egyike, aki korábban Bayreuthban a *Tristant* vezényelte. S megcsodálhattam a ragyogó szereplőket is, kik közül ki szeretném emelni Madame Conchita Superviát, akiről

Jeritza Mária találóan jegyezte meg, hogy elragadó énekesnő s ráadásul olyan szép, hogy az már szinte illetlenség... Operettem főpróbáját gálaműsor előzte meg, ahol száz frank körüli áron kelt el minden egyes jegy... Külön ünnepélyességet kölcsönzött az estének, hogy megjelent Albert Lebrun államelnök is. Mint ilyenkor szokás, száz gárdista állt sorfalat pompázatos egyenruhában a színház bejáratától az elnök első emeleti páholyáig, s amint belépett az épületbe, kivont karddal tisztelegtek. Az elnök a második felvonás után jelt adott a tapsra, s ezután Gheusi igazgató által meghívatott a páholyába, ahol hosszasan beszélgettünk." (258)

Lehár május 9-én már Bécsben volt. Éppen akkortájt romlott meg ismét Ausztria s ily módon Bécs gazdasági helyzete. Ausztria az elmúlt években és hónapokban egyre inkább a fasiszta Olaszországnál keresett támogatást, mint ahogyan Mussolini minden erővel igyekezett fokozni az Ausztriára és Horthy-Magyarországra gyakorolt befolyását. Ám Hitler személyében hasonló jellegű vetélytársa támadt Németországban. A német fasizmus Németországhoz akarta csatolni Ausztriát, s egyre fokozta az országra gyakorolt nyomást. Mussolini fegyvert szállított a fasiszta jellegű osztrák Heimwehrnek, s pénzelte is a mozgalmat; Hitler pedig támaszra lelt az osztrák nácikban, és gazdasági háborút indított az alpesi köztársaság ellen. Dollfuss kancellár, akit apró termete és politikája okán mini-Metternichnek csúfoltak, kenyértörésre vitte a dolgot: 1933. június 19-én betiltotta az NSDAP-ot, az osztrák náci pártot.

Válaszképpen sokasodtak a náci terrorakciók, s fokozódott a gazdasági nyomás, ennek éle pedig most már Ausztria messze fénylő képviselője, Lehár Ferenc ellen is irányult. Mint minden más ország, Németország is fizetett neki tantiemeket, s nem is keveset. A porosz tartományi kormányzat náci frakciója most azt követelte a pártsajtóban, hogy „bojkottálják Lehár műveit valamennyi német színpadon". (259)

Mivel senki nem tudott valóságos érveket felhozni, előkerült a rágalom fegyvere: „azzal indokolták a Lehár elleni harcot, hogy a komponista szerződésszegésnek bélyegezte a németek bevonulását Belgiumba". (259) Ez persze csupán ürügy volt, s előtörténete a következő: 1894-ben Bécsben megalakult a *Gesellschaft der Autoren, Komponisten und Musikverleger* (AKM), az osztrák szerzők, zeneszerzők és zenekiadók társasága; ennek feladata volt azoknak a pénzeknek a behajtása, amiket később „kisjogoknak" neveztek. A „nagyjogok" azokra a színpadi előadásokra vonatkoztak, ahol a színházak közvetlenül a kiadókhoz juttatták el a tantiemeket. Ám tantiem-köteles minden más is, ami nem színházban hangzott el, hanem akár zenés kávéházban, jégpályán vagy másutt. Gyorsan haladt az AKM térhódítása, ám hatósugara csak Ausztriát érintette. Ezért számos nagy osztrák zeneműkiadó nyitott fiókot Németországban, hiszen ott összehasonlíthatatlanul többször csendült fel osztrák muzsika, mint német zene Ausztriában. Ez az állapot nem volt kielégítő, több szempontból sem; így hát Németországban létrehoztak egy szervezetet, amely hasonló célokat tűzött maga elé, mint az AKM: ez volt a *Gesellschaft für musikalische Aufführungs- und mechanische Vervielfültigungsrechte* (GEMA), a zeneművek előadását és mechanikus sokszorosítását szabályozó társaság. Idővel „kölcsönösségi szerződés jött létre az AKM és a GEMA között a műállomány kölcsönös használatáról Ausztriában és Németországban, melynek értelmében a két társaság 50–50 százalékban részesedik a németországi jövedelmekből. Ezzel összefüggésben a két társaság létrehozta a német zenevédelmi szövetséget" (260), pontosabban egy olyan szövetséget, melynek feladata volt a zeneművek németországi előadási jogai fölött őrködni; ennek székhelye Berlinben volt. E szövetség egyik igazgatója az AKM-et képviselte, s ez nem volt más, mint Lehár öccse, Antal. Mármost a GEMA 1933-ban azonnali hatállyal fel kívánta bontani az elvileg 1937-ig érvényes szerződést az AKM-mel, mégpedig azzal az indokolással, hogy „az osztrák repertoár kifejezetten zsidós, márpedig Németországban nem adhatók többé elő zsidó zeneszerzők és írók művei". (261) Ám a német szövetségnek nem sikerült érvényt szereznie e követelésnek, s a felek megállapodtak, hogy a szerződés 1937-ig érvényben marad.

„Amikor összeült a GEMA és a GDT (*Gesellschaft deutscher Tonkünstler* – a német zeneművészek társasága) elnöksége az osztrák társaság vezetőségével, az AKM egy kis sörözésre hívta meg a német urakat a *Görög bejzli*be." (261) Jelen volt Lehár öccse, Antal is, mint a német intézmény igazgatója; s ő volt az, aki sörözés közben, amikor politizálásra került sor, valami megjegyzést tett a belgiumi bevonulással kapcsolatban. Senki nem vette komolyan ezt a megjegyzést, az urak visszautaztak Berlinbe. Tizenegy nappal később érkezett egy levél mindkét társaságtól, amelyben azonnali hatállyal felmondanak mindennemű kapcsolatot Lehár öccsével, s felszólítják az AKM-et, hogy csatlakozzék ehhez az eljáráshoz. Okként a Belgiumról esett megjegyzést hozták fel, s ezzel, a testvéreket alighanem tudatosan összetévesztve, teljes egészében Lehár Ferencet vádolták. „Világosan látható, hogy a tulajdonképpen ártatlan megjegyzést – nem utolsósorban – arra is felhasználták, hogy megkárosítsák az osztrák társaság érdekeit Németországban." (262) Így került a Lehár-család szinte észrevétlenül a politikai események sodrába, annak ellenére, hogy a zeneszerző váltig hangoztatta: mit sem törődik a politikával. „Művész lévén, csak az alkotásnak éltem, és nem törődtem a politikával." (262)

1934 februárjában néhány, Ausztria számára fontos döntésre került sor. Dollfuss 1933 márciusában feloszlatta a parlamentet, betiltotta a republikánus Schutzbundot, a Heimwehr alakulatait beolvasztotta a rendőrségbe, betiltotta a tüntetéseket és a gyűléseket. Betiltotta a kommunista pártot is. 1934. február 5. és 7. között a Heimwehr megszállta a szociáldemokrata kiadókat, ugyanakkor letartóztatták a Schutzbund vezetőit. A schutzbundisták védekeztek – a kormány pedig bevetette a katonaságot; Bécsben elkeseredett küzdelem kezdődött. Február 12-én este a Heimwehr és a katonaság nehéztüzérséggel, gránátvetőkkel, páncélautókkal és tankokkal támadt a munkásnegyedre, melynek lakói csupán puskákkal, kézigránátokkal, a legjobb esetben géppuskákkal védekezhettek. Floridsdorf, Bécs egyik peremkerülete tartotta magát a legtovább; hősies ellenállása mindmáig feledhetetlen. Más osztrák iparvárosokra is átterjedt a fasizálás elleni küzdelem, ám a harc túlságosan is egyenlőtlen volt: a Schutzbund február 16-án feladta a küzdelmet. Az antifasiszta ellenállás több vezetője hóhérkézre került, sok száz ártatlan embert lőttek agyon a harcok befejezése után is, sok ezren kerültek koncentrációs táborokba. Májusban Dollfuss átvette Mussolini államának szervezeti formáit, s mivel a kancellár elsősorban a munkásság elleni terrorral törődött, a nácik úgy érezték: nekik kedvez a pillanat. Mozgalmuk és pártjuk betiltására azzal válaszoltak, hogy puccsot robbantottak ki, 1934. július 25-én megszállták a kancellári hivatalt és meggyilkolták Dollfusst. A puccsot sikerült gyorsan leverni. Schuschnigg, Dollfuss hivatali utóda még több hatalmat koncentrált a maga kezében, ám a nemzetközi helyzet nem kedvezett neki. Ahhoz, hogy Etiópiát lerohanja, Mussolininek szüksége volt Hitler segítségére, Hitler pedig Ausztriát követelte. 1936 második felében jöttek létre azok az első osztrák–német kormányközi szerződések, amelyek odavezettek, hogy Hitler nemsokára bekebelezhette Ausztriát.

Kihatottak ezek az események persze Lehár Ferenc munkájára is. Csökkent mindenekelőtt a színházak látogatottsága, s hamarosan az osztrák zenekarok is egyre kevesebb kottát vásároltak. Marischka Theater an der Wienjéről egyszer ezt írták: „Bármilyen rossz idők járnak is, a Theater an der Wienben azért mindig mennek a dolgok, akkor is, ha nem mennek; s ha egy új operettől végképp nem várható semmi, annyi legalább elvárható, hogy este ott lógjon a pénztár fölött a *Minden jegy elkelt* feliratú tábla." (263)

1935-ben azonban ez a színház is kimúlt. Az igazgatóság munkája formálisan csak 1935. március 1-jén szűnt meg, ám az utolsó olyan előadás, amelyért még ez az igazgatóság felelt, január 31-én volt; március 1-re Marischka végképp feladta a harcot, a színház bezárt.

Ám Hubert Marischka tulajdonosa volt a Lehár-operetteket forgalmazó kiadónak is. Lehár idejekorán informálódott, ám az eredmény elképesztette: a cég katasztrofális állapotban volt, hatalmas sikkasztásokra derült fény. Lehár nem fordult a bírósághoz, hanem személyes egyezséget kötött Marischkával: visszakapta valamennyi művének jogait, s ezenkívül mindazt a kottát és más egyebet, aminek bármi köze volt az ő alkotásaihoz. Mindent átszállíttatott a Theobaldgasséba, s február 21-én a bécsi városházán megkapta a zeneműkereskedelmi koncessziót; novemberben kiterjesztették az engedélyt a tulajdonképpeni kiadói tevékenységre is. A kiadó új tulajdonosa természetesen magára vállalta a szövegkönyvírók elmaradt jogdíjainak kifizetését is: legalább ők ne járjanak pórul amiatt, hogy Lehár annyira megbízott Marischkában. 1935. február 25-én tehát megalakult a *Glocken-Verlag* nevű zeneműkiadó, s ennek Lehár Ferenc volt a főnöke. Tulajdonképpen oda érkezett vissza, ahol annak idején, a *Kukuška* idején kezdte: önnön műveinek kiadója lett. Ám most rengeteg munka szakadt rá, s nem csak az említett okok miatt. Mégis ezt írta: „Őszintén bevallom, hogy ez a munka igazi örömet szerzett; mindenesetre új színt vitt az életembe. Igaz, a tárgyalások nem voltak éppen mindig harmonikusak, de végtére is a saját műveimről volt szó." (264)

Hogy miről tárgyalt Lehár? A színházi és a rádióbemutatók jogairól, sőt filmjogokról. Addigra már több operettjét is megfilmesítették. Erről ez volt a véleménye: „Ha egy operettnek fülbemászó a zenéje, ha van benne immár népszerű dal is, akkor megfilmesítés esetén szinte biztosra vehető a közönségsiker. Igaz, az operettek cselekménye legtöbbször alig-alig érdekes, s ez a film adta nagyobb lehetőségek mellett még inkább szembetűnik, ám a közönség – és itt elsősorban a bécsire gondolok – megelégszik annyival, hogy kellemes, fülbemászó dallamokat hallhat... A hangosfilmmel operettjeim megfilmesítése révén kerültem kapcsolatba, nem pedig adott szövegekhez írott kompozícióim révén, bár komponáltam a film számára egyet s mást, többek között dalokat is. Azok a filmek, amelyekben az én zeném szólal meg, megfilmesített operettek, nem pedig erre a célra írt és komponált filmoperettek... A zene feladata a filmben az aláfestés, alkalmazkodnia kell az adott szituációhoz, mondhatnám: érzelmileg kell megkönnyítenie a megértést. A zene az egyes jelenetekért van, s nem a jelenet a zenéért." (265)

Operett-megfilmesítésről vagy filmoperettekről tulajdonképpen csak a hangosfilm feltalálása óta beszélhetünk, hiszen azelőtt minden film néma volt. Ezen a téren néhány találmány Oskar Messternek köszönhető, a német filmgyártás egyik úttörőjének: eredeti szakmája szerint optikus és finommechanikus volt. Ő fedezte fel Henny Portent, az első német filmsztárt. S ő volt az, aki 1910-ben filmre vitte a *Luxemburg grófjá*t, mégpedig – éppen ez volt a dolog pikantériája – hanglemez-kísérettel, vagyis ez a film korántsem volt „néma"; a film pergése s a hanglemez forgása teljesen szinkronban volt. Messter kísérlete azért nem talált követőre, mert a hanglemezek igen rövidek voltak; így a film egyelőre néma maradt.

Filmre vették egynéhányszor még Lehárt és Karczagot is. Megfilmesítették Lehár műveinek többségét – pontosabban operettjeinek szövegkönyveit, hisz muzsikáját csak a hangosfilm reprezentálja majd méltóképpen. Lehár meg volt elégedve a hanghatás minőségével: „Technikai szempontból mára odáig jutott a hangosfilm, hogy bármelyik hangszer tiszta hangzással reprodukálható. Ha az ember a moziban olykor mégis elégedetlen, akkor ennek oka csakis a lejátszó-szerkezet lehet... A filmről és a filmfelvétel lehetőségeiről csak azt mondhatjuk: úgyszólván tökéletesek." (265) Megfilmesítések tekintetében az 1934-es esztendő volt a legsikeresebb. Ebben az évben jött ki a *Frasquita* filmváltozata: Jarmila Novotna alakította a címszereplőt, partnerei Hans Heinz Bollmann és Heinz Rühmann voltak. Ugyanebben az évben forgatta Lubitsch Hollywoodban *A víg özvegyet,* s ez a film is – Jeanette MacDonalddal és Maurice Chevalier-vel a főszerepben – világsikert aratott.

1935-ben Lehár már hatvanöt esztendős volt. Ebben az esztendőben alapította a Glocken-kiadót, sokat vezényelt, újabb műveit filmesítették meg. Ereje nem hogy csökkent volna, hanem a jelek szerint inkább megsokszorozódott. Ismerjük egy látogató beszámolóját arról, hogyan zajlott az élet a kiadónál: „Aki belép az irodahelyiségekbe, azonnal megérti, hogy itt nagyüzemi munka folyik. Emberek várakoznak az előtérben, nehéz paksamétákkal megrakodva jönnek-mennek a csomagkihordók, színiigazgatók és kiadók adják egymásnak a kilincset, másodpercenként felberreg a telefon. Ha kinyílik a főnök – vagyis Lehár – ajtaja, látható, milyen ifjan és fürgén siet egyik telefontól a másikhoz. Akad itt távhívás és városi hívás, két mondat a távoli direktornak, aki a *Luxemburg grófját* akarja előadni, két mondat egy bécsi kiadónak, akinek sürgősen kell a *Cigányszerelem* partitúrája, közben vendégek lépnek be a szobába, Lehár egy levelet ír alá, utasításokat ad, zongorázik – a látogató önkéntelenül jobbra-balra kapkodja a fejét, semmit nem ért, csak Lehár változatlanul kedves és nyugodt: ura a helyzetnek. Most éppen *A víg özvegy* átdolgozott verzióját hangszereli, hajnali ötig-hatig dolgozik, közben saját kezűleg írja meg a többé-kevésbé személyes jellegű leveleket, van egy titkára, akinek diktálni szokott. Eleven bizonyítéka ő annak, mi mindent meg lehet csinálni a nap huszonnégy órájában, mely idő a legtöbb embernek túl kevés. Csak ha zenéről esik szó, akkor hagy – ő, akinek a muzsikálás, a komponálás maga az élet – csapot-papot, s oly belső tűzzel beszél a muzsikáról, ahogyan az ember arról az asszonyról beszél, akit mindenek fölött imád." (266)

Hogyan is bírta ily magas korban még ezt a hallatlanul sok munkát? Alighanem azért, mert világéletében roppant szorgalmas volt. Tulajdonképpen nem is ismert mást, mint a munkát. „Amikor a korábbi években visszavonultam dolgozni Ischlbe, szinte el sem hagytam a villát, s azok, akik hajnali ötkor vagy hatkor tértek haza a mulatozásból, láthatták, hogy a felső emelet ablaka mögött még mindig ég a villany. Amikor 1928-ban a Theater an der Wienben megünnepelték negyvenéves zeneszerzői jubileumomat, az egyik ünnepi szónok ezt mondta: Lehár majd száz év múlva lesz igazán híres, amikor már nem lesz közöttünk, s nem láthatjuk többé a kávéházban! Amire Ischl polgármestere így válaszolt: Lehet, hogy Lehár úrnak van villája Ischlben, de én még sohasem láttam szemtől szembe. Soha nem ül a Zauner-kávéházban, mindig csak az íróasztalnál." (62) Ezt persze tréfának szánták: persze, hogy Lehár olykor fel-felbukkant a Café Zaunerben. Alapvetően azonban mégis az volt az igazság: Lehár rengeteget dolgozott.

S voltak egyéb kötelezettségei is. Tagja volt több szervezetnek, részt kellett vennie az üléseiken, ülésezett a kiadóban is, kongresszusokon kellett részt vennie – olykor Németországban is, így például a zeneszerzők és írók kongresszusán 1936-ban, Berlinben. E kongresszus annál is fontosabb volt számára, mivel azt remélte: mértékadó körökkel tárgyalhat a művei elleni németországi bojkott megszüntetéséről.

Lehárnak szüksége volt a német nyelvű színházakra: más országokból, így például Amerikából bosszantó hírek érkeztek. Ott még nem adták elő *A mosoly országát*, s a hatalmas Schubert-konszern akarta színre vinni. „Ez az operett a legjobb mű, amit valaha is írtam, s színpadi hatás tekintetében felülmúlja még *A víg özvegyet* is. Ez a mű életművem betetőzése. Kétségtelen és elvitathatatlan jogom van arra, hogy éppen ezt az operettemet mindenhol a világon úgy adják elő, ahogyan megkomponáltam" (267), írja egy levelében. Ám mit kellett hallania az USA-ból? „Művemet tudtom nélkül már ötször átdolgozták", s éppen azon voltak, hogy újabb változatot hozzanak létre, azzal az indokolással, hogy az amerikaiak számára elképzelhetetlen, hogy egy amerikai lány összeálljon egy kínaival. No de ördög és pokol: hol szerepel *A mosoly országá*ban amerikai lány? Az első felvonás színhelye Bécs. Bécsi jellegű a muzsikája. Liza belépője egy bécsi keringő. Osztrák környezetben játszódik a darab. Osztrák tisztek állnak a cselekmény középpontjában. Mi keresnivalója van itt egy amerikai lánynak?" Azt írták neki, hogy „Amerikában nem tolerálják a sárga rasszt". Node: „Nem volt-e siker *A mikádó,* a *Gésák,* a *Pillangókisasszony?*" (267) Ám Lehár tiltakozása pusztába kiáltott szó maradt. Újból átgyúrták a művet: az amerikai lányból francia lány lett. Ám a bemutató még mindig késett. Ezért volt Lehárnak annyira fontos, hogy ismét előadhassák műveit német színpadokon. Ám szövegkönyvírói nem voltak a náci-Németországnak eléggé árják, s ez tovább nehezítette a zeneszerző helyzetét. A kongresszuson az ott illetékes urakkal kellett tárgyalnia – azok pedig nácik voltak. Lehár, aki világéletében inkább a zenével foglalkozott, semmint a politikával, persze nem sokat törődött a „fajelmélettel", és sikerült is célját elérnie.

A berlini Nagyszínház, a Grosses Schauspielhaus 1937-ben megszerezte a Glocken-Verlagtól a *Luxemburg grófja* betanulásának jogát. A próbák idejére Lehár tartósan Berlinbe költözött, ahol – mint már korábban is – az Éden-szállóban lakott. Az új változat számára sok mindent át kellett írni, hozzá kellett komponálni, s Lehár késő éjszakáig körmölte a kottákat szállodai szobájában. A karmester, Edmund Nick mindent remekül előkészített, a kórusokat Karl Stäcker tanította be. Ez volt az addigi legszebb *Luxemburg grófja*-előadás.

A bemutatón Lehár maga vezényelt; utána kisebb világkörüli útra indult, s „az utazás miatt május végéig távol voltam Bécstől. Meghívásokat kaptam szinte valamennyi európai fővárosból, s ezeket nem utasíthattam örökké csak vissza. Ráadásul most már nem csak szerzője, hanem kiadója is voltam műveimnek, úgyhogy utazásomat össze kellett kapcsolnom üzleti tárgyalásokkal." (264)

Berlinből Brüsszelbe utazott; a Théâtre de la Monnaie, a brüsszeli operaház új fordításban mutatta be *A cárevics*et, a műnek tehát már két francia nyelvű verziója volt. „Brüsszelből Párizsba mentem, hogy eldirigáljam gyermekoperámat, a *„Péter és Pál Bergengóciában"*-t. Ezután elhagytam Európát, és Afrikába mentem. Algírban tavasszal nemzetközi orvoskongresszus ült össze, s ennek alkalmából bemutatták *A mosoly országá*t, amit én vezényeltem. Algírban egyébként még két hangversenyre is sor került az én műveimből. Nem tartózkodhattam sokáig Afrikában, hiszen április 15-én ismét Párizsban kellett lennem, hogy elvezényeljem a *Giuditta* ottani premierjét. Párizsból Londonba vitt az utam; ott a *Paga-*

ninit mutatták be májusban; ez alkalommal ismét találkozhattam kedves barátommal, Richard Tauberrel, aki a főszerepet énekelte. S ezután, ötéves távollét után, visszavágytam szeretett városomba, Ischlbe. Ennyi ideig nem állt módomban, hogy nyáron felkeressem a szeretett várost, holott szinte már bennszülöttnek számítottam; mindig elszólított valami halaszthatatlan kötelezettség." (264) Ebben az esztendőben azonban minden áron el akart jutni Ischlbe. Azt remélte, kipihenheti a nagy utazás fáradalmait, meg dolgozhat is. Mert Lehár Ferenc ismét dolgozott, bár a zeneszerzőt gyakran háttérbe szorította a kiadó. Éppen ekkoriban kellett egy újabb plágium-affért is elrendeznie. Az AKM igazgatója még jóval a *Giuditta* előtt átadott neki egy szövegkönyvet azzal, hogy nem volna-e kedve megzenésíteni. Szerzője egy hölgy, az igazgató ismerőse volt, a téma pedig egy dramatizált Grimm-mese. Lehár nem akarta megbántani az igazgatót, s megígérte, hogy „majd megnézi". A meglehetősen dilettáns írományt átadta Karlnak, az inasának: rakja ahhoz a kupachoz – hisz olykor tucatszám érkeztek a szövegkönyvek –, ahonnan majd bizonyos idő múlva vissza lehet küldeni a szerzőnek néhány semmitmondó szó kíséretében. Többet aligha lehetett elvárni az agyonterhelt zeneszerzőtől. 1934 tavaszán a hölgy választ kért. Az inas kikereste a kéziratot, s Lehár visszaküldte a szerzőnek. Nos, 1934 márciusától kezdve a hölgy úton-útfélen híresztelte, hogy a *Giuditta* szövegkönyve nagyrészt az ő mesejátékából lett összelopkodva, hisz Lehárnál volt, ő meg nyilván továbbadta a saját szövegkönyvírójának. Ebből persze egy szó nem volt igaz, ám Lehárt mégis irritálta a dolog, hiszen a német színházakban ama bizonyos bojkott okán elő sem adták akkoriban még a *Giudittát*. A még talpon álló színházakban – Grazban, Innsbruckban, Linzben, Salzburgban – még előadták 1934-ben a művet, s bemutatták Csehszlovákiában is: Brünnben (Brno), Brüxben (Most), Egerben (Cheb), Reichenbergben (Liberec), Teplitz-Schönauban (Teplice), Troppauban (Opava) – s persze más országokban is; Németországban majd csak 1937-től kezdve játszanak újból Lehár-műveket.

1934-ben kétségtelenül nagyon kellemetlen volt Lehárnak ez a plágium-ügy, bármilyen nevetséges volt is. S még kínosabb lett, amikor a hölgy hatalmas pénzösszegeket kezdett követelni. Mivel Lehár volt a sértett fél, neki kellett pert indítania, s az ügy elhúzó-

dott egészen 1937 elejéig. A hölgy tizenhét tanút idéztetett meg
annak bizonyítására, hogy a *Giuditta* az ő szövegének plágiuma:
csupa tisztes polgárt, Wilhelm Kienzl zeneszerzővel az élen.
S Kienzlnek – aki az AKM tiszteletbeli elnöke volt, akárcsak Lehár
– a tárgyaláson (amely szinte egybeesett a 80. születésnapjával) be
kellett vallania, hogy soha el nem olvasta a mesejátékot. Pontosan
ugyanezt vallotta a többi tanú is! Lehár ártatlansága fényesen be-
igazolódott, ám a hölgy továbbra sem tágított. Lehár kénytelen volt
tehát rágalmazásért pert indítani a hölgy ellen, akárcsak annak
idején a *Végre egyedül* kapcsán Popescu úr ellen. Ez a per is elhúzó-
dott két esztendeig; végül is elmarasztalták a hölgyet, s az affér
befejeződött.

Ez és egy másik, még megemlítendő per nagyon megviselte
Lehárt. Különösen az rázta meg, hogy tizenhét tiszteletreméltó
bécsi polgár, akik mind jól ismerték őt és életelveit, készek voltak
őt a törvény előtt plagizátornak bélyegezni; a leginkább attól döb-
bent meg, hogy mennyire félvállról vették ezt az urak. Hatvanhét
esztendős korára Lehár úgy érezte: nem érti azt a világot, amely-
ben él.

A másik per a magánéletébe piszkált bele. Sok ideje nem volt
ugyan rá a rengeteg munkája mellett. Ott volt a kertje Ischlben, a
nussdorfi palotácska kertje, ott voltak az állatai, olykor biciklitúrák-
ra vállalkozott – ennyi volt az egész.

Nagy ritkán vidám társaság gyűlt össze, leginkább a színházi
kollégák. Egy ilyen vidám összejövetelen aztán titokban lefényké-
pezték Lehárt. S a tettes nem volt más, mint Paul Guttmann
rendező, Lehár régi barátja, számos művének „keresztapja". Gutt-
mann nyilván úgy vélte, hogy a plágiumper idején megzsarolhatja
Lehárt, s 1935-ben, amikor a per sorsa még nem dőlt el, kerek
50 000 schillinget követelt azért, hogy nem teszi közzé a fényképe-
ket és hallgat az estély részleteiről. Lehár nem engedett a zsarolás-
nak: feljelentette Guttmannt, akit le is tartóztattak. 1918-ban vette
át a czernowitzi (ma Csernovcij, Ukrán SZK) színház igazgatását,
s amikor a város Bukovina megszállása során román kézre került,
nyilván rengeteg pénzt vesztett. Különben is nyugtalan szellem
volt, magánélete enyhén szólva bonyolultnak volt nevezhető, ren-
dezői stílusa idővel elavult, sehol nem bírt sokáig megmaradni.
1934 márciusában meghalt Emil nevű testvére, akihez nagyon ra-

gaszkodott. Alighanem kicsúszott alóla a talaj, s kétségtelenül anyagi gondokkal küszködött. Alighanem így támadt az a szerencsétlen ötlete, hogy megzsarolja Lehárt. Lehár pedig arra gondolt, milyen jóban is volt valaha Guttmann-nal, s visszavonta a feljelentést: nyilván úgy vélte, hogy Guttmann majd okul a dologból. Hát nem okult. 1937-ben ismét színre lépett, s ezúttal egy dr. Karl Philipp Samuely nevű ügyvéd is támogatta: az volt a feladata, hogy ráijesszen Lehárra. Szinte hihetetlen: ugyanaz a Samuely ügyvéd volt, aki annak idején, ifjú korában Popescu urat képviselte; akkor a rövidebbet húzta, s most bosszút forralt! Lehár első mérgében mindkettejüket feljelentette zsarolásért, s az ügy megindult a maga útján. Megindult az eljárás, dr. Samuelyt még le is tartóztatták, ám három nap múlva szabadon engedték; s ezután egyre csak nyúlt és húzódott az ügy. Mivel dr. Samuely is vádlott volt, mindkettejüknek szüksége volt védőre; bizonyos dr. Max Eitelberg látta el ezt a tisztet. Lehár ingadozott. Egyrészt akarta a tárgyalást, másfelől viszolygott tőle. A tárgyalást 1937 végére tűzték ki; Lehár elhalasztatta, majd ismét elhalasztatta az időpontot. Végezetül 1939 tavaszán félévi fogházra ítélték Guttmannt; Samuely 1939 nyarán meghalt. Kettejük ügyvédjével, Eitelberggel Lehárnak szintén nem volt semmi dolga többé.

Mindeme bosszúság mellett Lehár 1937-ben, utazásáról visszatérve, ismét nekilátott a zeneszerzői munkának. Utolsó művével valami újra készülődött. „Nem operettet, hanem regényt komponáltam, Pierre Benoît francia író művét – az *Odüsszeusz társai* című műről van szó –, s az ötlet onnan eredt, hogy Benoît egyik párizsi tartózkodásom során részleteket olvasott fel nekem legutolsó művéből a lakásán. Annyira megragadott a felolvasás, hogy felkiáltottam: Ezt meg szeretném komponálni! Előbb mindenki elbámult, ám én nem tágítottam. Hazavittem a könyvet, s még azon az éjszakán hozzáfogtam a munkához. Végigkomponáltam a regényt, egyik oldalt a másik után. Kívülről úgy néz ki az új Lehár, hogy minden-kor baloldalt található a könyvoldal, jobbfelől pedig a megfelelő kottalap. Párizsban végképp tisztáztam a dolgot a regény kiadójával, s így tavasszal elő lehetett adni a művet." (264)

1938 elején ismét Lehár-művet játszottak a bécsi operában! A szokásos, másfél éves ciklusok során a *Giuditta* után *A koldusdiák* került színre, újabb másfél esztendő múltán pedig *A mosoly orszá-*

ga, Richard Tauberral és Maria Reiniggel a főszerepekben. A fényes premier láttán szinte úgy tűnt: ismét diadalmaskodik az operettműfaj. Maga Lehár is rendületlenül hitt az operett jövőjében. „Annyiszor költötték már halálhírét! Ám nincs olyan muzsikus, aki megírná a gyászbeszédét, mert az operett él, az operett a szó legjobb értelmében életképes, mert fejlődésképes. Persze ennek a zenei műfajnak is meg kell küzdenie a nehézségekkel. Egyfelől nem sokra becsülik; általában az ortodox kritikusok azok, akik nemcsak az operaházakba vezető utat akarnák előle eltorlaszolni, hanem azt is lehetetlenné tennék, hogy szerényebb színpadokon megálljon; a másik oldalon állnak a barátai, akik azzal, hogy úgynevezett zenés vígjátékokká hígítják, revüvé fújják fel vagy filmmé dzsesszesítik, többet ártanak neki, semmint használnak. Mindazonáltal sem az ellenségeknek, sem a barátoknak nem sikerül megfojtaniuk az operettet. Maga az a tény is önmagáért beszél, hogy a bécsi Állami Operaház most műsorára tűzte művemet, *A mosoly országát.* Igaz, Bécs ezzel csupán Budapest nyomdokaiba lépett. Az a tény, hogy művemet több mint százszor játszották a budapesti Operaházban, azt bizonyítja: nem volt hiba, ha helyet adtak az úgynevezett könnyű műfajnak a repertoárban. Örökké hálás leszek Budapestnek, mert az ottani kezdeményezés nyomán kerültek színre az operettjeim Németország, Franciaország és Belgium legfényesebb operaházaiban; nyugodtan tessék ezt a megállapítást öndicséretként a rovásomra írni... Sem az opera, sem az operett műfajában nem lehet soha sikert elérni korlátolt tehetséggel és fáradságos, kemény munka nélkül. Az operett műfajában a legkevésbé, hiszen itt a művészi mesterség és a technika teljes körű birtoklásán túl más is kell, ami azonban nem megtanulható: az ötletes dallam. Érzésem szerint tehát hibás és igazságtalan, s ráadásul árt a zenének is, ha a legtöbb zeneakadémia alsóbbrendű műfajként értékeli az operettet, legfőképpen a modern operettet. Jó volna felszámolni ezt a káros előítéletet, jó volna, ha a zeneiskolák tiszteletben tartanák az operettet; akkor majd előkerülnének azok a fiatal, zenei tehetséggel megáldott emberek, akik akkor is odaadással fordulnak az operett felé, ha nem számíthatnak azonnali előlegre és sikerre. Nem szabad az operettet alábecsülni, még kevésbé lebecsülni: ellenkezőleg, jóindulatot és támogatást érdemel. A legfőbb támogatás az lenne, ha mód nyílnék az értékes operettek példamutató előadásaira, valóban kiváló erőkkel a szereplők között, elsőrendű zenekarral, rangos karmesterekkel és rendezőkkel. S ha hagynák, hogy az operett az eddigieknél jobban érvényesülhessen az operaszínpadokon, méghozzá teljes lelkesedéssel, s nem csak úgy mellékesen, fél szívvel. Ez a legegyszerűbb módja annak, hogy szétválasszuk a tiszta búzát és az ocsút. Ezzel arra serkentjük a jó muzsikust, hogy ezzel a műfajjal is foglalkozzék, hogy kiismerje és kiépítse a törvényeit. Ez pedig odavezethet, hogy a valóban zenekedvelő és zeneértő hallgató is megváltoztatja az új és a régi operettek iránti előítéleteit, melyek leginkább onnan erednek, hogy csak igen ritkán lehetett része valóban példamutató operett-előadásban. Ha aztán már megtört a jég, ha megszűnt az előítélet az operettműfajjal szemben, ha az operett megkapja az őt megillető helyet a zenedrámai művészet életén belül, akkor majd végre komolyan veszik az operettet, még vidám tartalma ellenére is, akkor majd maguktól eltűnnek azok a rossz művek, amelyek manapság gyakran az operett hamis zászlaja alatt hajóznak." (268)

Persze nem mindenki osztotta Lehár optimizmusát az operett jövőjét illetően, hiszen nem vette figyelembe sem a nagyközönség véleményét, sem a társadalmi viszonyokat. *A mosoly országa* előadása a bécsi Operaházban mindazonáltal nagy siker volt, s a sajtó így ítélt a premier után: „Lehár muzsikája meghódította a világot, s ez a lényege annak, amit e bemutató során érzünk. Hiszen mindnyájan ismerjük ezeket a melódiákat, amelyek mindenütt a világon és legfőképpen Bécsben megjárták a városi és elővárosi színpadokat, a mozikat és a zenés kávéházakat; most aztán áldásukat adták rájuk a Bécsi Filharmonikusok és az Állami Operaház. Egyes melódiák mintha nem igazán illenének ide, mások, így a Puccini utórezgéseit közvetítő *Von Apfelblüten einen Kranz,* éppen ennek a zenekarnak felfelé törő vonóshangzatai nyomán virágoznak ki teljes pompájukban, hogy újra meg újra felragyogtassák az inspiráció szikráit." (269). *A mosoly országá*nak már csak négy előadás adatott meg a bécsi Operaházban, s a *Giudittá*nak e január 30-i bemutató után már csak kettő.

Taubert Olaszországba szólította egy turné. Amikor március 7-én, a *Giuditta* előadása után elbúcsúztak egymástól, egyikük sem gondolta, hogy egyhamar aligha látják egymást viszont.

Sűrűsödtek, egyre egyértelműbbek lettek a rossz előjelek. Hitler

1938. február 11-ére magához rendelte Berchtesgadenbe Schuschniggot, az osztrák kancellárt, s arra kényszerítette, hogy minden Ausztriában bebörtönzött nácit szabadon engedjen, s hogy a legmagasabb rangúakat közülük miniszterré nevezze ki. Schuschniggnak be kellett adnia a derekát. Erről beszélt február 24-én a bécsi parlamentben, s ekkor vált világossá, hogy sem Franciaországnak, sem Angliának, sem az Egyesült Államoknak nem áll szándékában megvédeni Ausztria függetlenségét.

Lehár ekkor még emigrálhatott volna, de nyilván úgy vélte: nincs rá oka. Állampolgársága szerint magyar volt, s ezért hitte talán, hogy egészen biztosan meg tudja védeni zsidó feleségét is. A németországi zsidóüldözésekről akkoriban még nem sokat tudtak; az úgynevezett kristályéjre csak 1938. november 9-én került sor, majd' háromnegyed évvel a márciusi napok után, s csak azután váltak nyilvánvalóvá a zsidóüldözés méretei és borzalmai.

Lehár mély gyökereket eresztett Ausztriában. Bécsben ott volt a kiadója és a palotácskája, Ischlben villája volt: nem tudta magát rászánni, hogy mindennek hirtelen hátat fordítson. Már 1920-ban sem vitte rá a lélek, hogy elhagyja Ausztriát, pedig akkor még 18 évvel fiatalabb volt! Most meg már közeledett a 68. születésnapja. Meg aztán: hová is mehetett volna? Alma Mahler-Werfel, Gustav Mahler özvegye és Franz Werfel felesége, aki már régebben ismerte Lehárt, ezt írta az emigrációban: „A keresetéből Lehár Ferenc itt egy napig sem élhetne meg, mert az USA-ban nincsenek operettszínházak. S ahhoz, hogy ide-oda utazgasson, hogy elviselje a turnékat – ahhoz túlságosan is öreg, meg fáradt, meg beteg." Hírlik, hogy már március 11-én figyelmeztették Lehárt, és meg is hívták Londonba. Ám a zeneszerző az imént felsorolt okokból úgy döntött, hogy marad.

Azután, hogy Schuschnigg beszámolt a parlamentnek a tárgyalásairól, „tiltakozó tüntetésekre került sor az ‚Anschluss', Ausztria Németországba való bekebelezése ellen. Március 7-én összeültek a bécsi gyárak szakszervezeti bizalmijai, s a munkások általános sztrájkot, fegyvereket és szilárd ellenállást követeltek a hitlerfasiszták ellen. Közel egymilliónyi dolgozó írta alá az erről szóló, Schuschniggnak küldendő memorandumot... A republikánus Schutzbund illegális szervezete arra készült, hogy támogatja a kormánycsapatokat a fasiszta hódítók elleni harcban." (270)

Schuschnigg sarokba szorítva, nem talált más kiutat, mint hogy népszavazást tűzzön ki március 13-ára a Németországhoz való csatlakozás vagy a függetlenség kérdéséről. Hitler követelésére azonban vissza kellett vonnia a rendelkezést, le kellett mondania, s át kellett adnia a szövetségi kancellári tisztet egy Seyss-Inquart nevű nácinak. „Az 1938. március 11-ről 12-re virradó éjjel a fasiszta német Wehrmacht 200 000 katonája s velük együtt SS- és rendőrcsapatok törtek rá Ausztriára, előzetes hadüzenet nélkül, s megszállták az országot. Háborús készülődései során a német fasizmus brutálisan megsemmisítette Ausztria függetlenségét; Ausztria állami szuverenitása hét esztendőre megszűnt." (271)

Hitler gazdaságpolitikája szempontjából „kifizetődött" az Anschluss, hisz Németország bekebelezte az osztrák ipar java részét; Ausztriára rátört a borzalmak ideje. Az osztrák nácik már évek óta vezették a feketelistákat, s Himmler SS- és rendőrcsapatai éjjel-nappal vadásztak az áldozatokra.

A körülmények áldozata lett, ha nem is a szó akkori – halálos – értelmében, Lehár Antal is. A „görög bejzliben" történtek után még többször is tett vagy mondott olyasmit, ami nem tetszhetett a náciknak. Theresienfeldben, egy Baden és Bécsújhely között fekvő faluban vásárolt birtokot, ám a nácik bevonulása után, állandó fenyegetéseik és piszkálódásaik okán, eladta, és Hietzingbe költözött; ám ott is állandóan szemmel tartotta őt a Gestapo. A legszívesebben Magyarországra költözött volna, ha régi ismerőse és ellensége, Horthy Miklós, nem emlékezett volna pontosan az 1921-es év eseményeire. Ameddig ő székelt a budapesti Várban, Antal nem mehetett Magyarországra. Lehár Ferenc igyekezett különböző magyar hivatalok útján segítséget szerezni öccse számára, ám Antal megköszönte a fáradozásait. „Ha mindent szép rendesen bediktálok a jegyzőkönyvbe – írta –, amit kívánnak, akkor minden rendben volna. Ha azonban megtagadom a választ – márpedig aligha tehetek mást –, és nem tagadom meg mindazt, amiért tizenhét esztendeje s mind a mai napig emelt fővel helytállok, akkor bizony nem lehet rajtam segíteni, s jönnek a represszáliák. Az én ügyemben csak egy fórum ítélhet: a történelem... Bármilyen fórum elé álljak is most Magyarországon, sehol nem lehet igazam. Hidd el, az a legjobb, ha kivárom, hová fejlődnek az események. Megnyugodhatsz abban a tudatban, hogy megtetted, ami csak tellett tőled." (272) Lehár

Ferenc tehát csupán pénzküldeményekkel segíthette öccsét. Lehár nem egy szövegkönyvírója is azok közé tartozott, akikre a nácik vadásztak: Paul Knepler, Alfred Grünwald, Rudolf Eger. Fritz Löhner-Bedát, aki több olyan operettben működött közre, melyeknek a legnagyobb sikerük volt, letartóztatták. Erről Peter Herz professzor egyik cikkéből értesülünk; a cikk 1973-ban jelent meg, a bécsi zsidó hitközség lapjában: „Lehárnak is tapasztalnia kellett, hogy a náci diktátornál nem sokat ér a közbenjárás. Akkor tapasztalhatta ezt, amikor kizárólag azzal a céllal utazott Berlinbe, hogy Hitlernél elérje munkatársa, dr. Fritz Löhner-Beda szabadonbocsátását a koncentrációs táborból. Hitler csak annyit mondott, hogy majd meghozatja Löhner-Beda aktáját, s ezután majd értesítést küld. Így hát semmi nem lett a mentőakcióból." (273)

Még egyszer figyelmeztették Lehárt, hogy hagyja el Ausztriát: Richard Tauber írta ezt neki. Lehár így válaszolt a levélre: „Kedves Richard! Mélyen megrázott a leveled, de nemigen tudok mit válaszolni. Csak azt írhatom: ha hallom a *Paganinit*, a *Frasquitát*, *A cárevicset*, a *Friderikát*, *A mosoly országát*, a *Szép a világot*, a *Giudittát*, akkor a muzsika elválaszthatatlan a Te hangodtól. Minden hangnál Téged hallak... Mostanában nyilván elmondhatatlanul szép benyomásokat szerzel. Hiszen nekem is mindig az volt álmaim netovábbja, hogy megismerjem ezt a szép, nagy világunkat, ám ez az álom most már soha be nem teljesülhet." (274) Nincs kizárva, hogy Lehár, ha bizonytalanul is, játszott azzal a gondolattal, hogy esetleg emigrál, ám alighanem barátja, Tauber sem volt elég következetes a maga ígéreteiben. Mindenesetre Lehár fenti levelében ez is olvasható: „Mondd, megmondta Neked Diana, mit üzentem Neked annak idején telefonon? Akkor éppen nem voltál telefonközelben. Ugyanis nem kaptam Tőled választ, pedig vártam volna. Most már persze nem aktuális többé a dolog." (274)

1938 szeptemberében Lehár Stockholmba utazott, ott vezényelte a Stockholmi Filharmonikusok zenekarát. Ám még ez a semleges országban tett látogatása sem győzte meg őt arról, hogy jobb lenne, ha emigrálna.

Ehelyett a munkába vetette magát. 1938 szilveszterén a berlini Deutsches Opernhausban vezényelte *A víg özvegy*et. És vezette tovább a Glocken-Verlagot, ahol mindig rengeteg dolga akadt, bármilyen jók voltak is a munkatársai. Egyre több kottát rendeltek tőle! Mégis ezt írhatta – nyilván megkönnyebbülten – Ischl város évkönyvébe 1939. július 22-én: „Boldog vagyok, hogy öt év után végre ismét Bad Ischlben tölthetem a nyarat. Eleddig harminc színpadi művet írtam, s nyíltan meg kell mondanom: mindig Ischlben támadnak a legjobb ötleteim! Ez nyilván összefügg valahogy az ischli levegővel. Nos, ismét itt vagyok, s várom a jó ötleteket!" (275)

Ám mintha elapadt volna az ötletforrás: újabb mű nem született többé.

Ehelyett a politikai események ragadták ki Lehárt szemlélődő nyugalmából. 1939 márciusában Németország annektálta Cseh- és Morvaországot, ugyanebben a hónapban a Memel-vidéket is, áprilisban Olaszországon keresztül lerohanta a kicsike Albániát, s 1939. szeptember 1-jén Hitler csapatai rátörtek Lengyelországra: kitört a második világháború.

Nem kevésbé ádáz háborút viselt Hitler a saját hazája ellen: megvoltak hozzá az eszközei. Ezek egyike volt a később oly nagy hírre vergődött SS-vezető, Otto Skorzeny, akinek csapata 1938. november 9-én módszeresen végigrabolta-végiggyalázta a Bécs III. kerületében lévő zsinagógákat és imaházakat, majd felgyújtotta őket. A „kristályéjszaka" után egyre következetesebben alkalmazták az „Ostmark"-ban, a Keleti végeken, ahogyan Ausztriát a németek nevezték, az antiszemita törvényeket. Talán ez is oka volt annak, hogy Lehár 1939 nyarán egész háztartásával áttelepült Ischlbe. Talán azt remélte, hogy ott lőtávolon kívül lehet maradni.

Ám tévedett. „Egy napon két ember kopogtatott be hozzám; hamarosan kiderült, hogy a Gestapo emberei. Megmutatták a jelvényeiket, és azt mondták: El kell vinnünk a feleségét! A feleségem, aki éppen jelen volt, természetesen elájult. Hirtelen eszembe jutott, hogy felhívhatnám Bürkelt, az akkori gauleitert. Sikerült összeköttetést kapnom a parlamenttel, és felhevülten ecseteltem Bürkelnek a helyzetet. Mire ő: küldje a telefonhoz az egyik embert! Az illető hosszasan beszélt Bürkellel, aztán hozzánk fordult, és azt mondta: ‚Utasítottak, hogy menjünk el!' Ha nem lettem volna véletlenül odahaza, soha többé nem láttam volna a feleségemet!" (16)

Ettől a naptól kezdve Lehár nemigen hagyta egyedül otthon a feleségét, de olykor ez mégsem volt elkerülhető. Ilyenkor az aszszony átment egy ismerős családhoz, mely makulátlannak tetszett a Gestapo szemében, s ott leült a hátsó szobában vagy a konyhában. A Lehár-hajlékba befészkelte magát a félelem.

1940. április 30-án töltötte be Lehár a 70. életévét. A fasiszta sajtóban megjelenő cikkek, a színházak magatartása és a hivatalos ünneplések nem hagytak kétséget afelől, hogy a nácik nem akarnak lemondani a szórakoztató zene nemzetközi elismerést élvező fejedelméről. A bécsi opera ebből az alkalomból ismét műsorra tűzte *A mosoly országát*, az ischli kis nyári színházat átkeresztelték Lehár Ferenc Színházzá.

S mégis, Lehár idős korára rákényszerült – jobban, mint valaha –, hogy megvédelmezze a maga muzsikáját, annak lényegét a tárgyilagosság mezét öltő támadások ellen, s hogy elhatárolja ezt a muzsikát az újra felkapott fogalom, az ún. „könnyű zene" fogalmától, melyet az ún. „komoly zene" ellentéteként értelmeztek. „Ha a szerzői közösségek üzleti szempontból különbséget tesznek aszerint, hogy milyen helyiségekben adják elő a műveket: hangversenytermekben, színházakban és más olyan helyeken, ahol zeneművészetet kultiválnak, akkor ezt – racionális meggondolásból, melynek azonban semmi köze a művészethez – akár el is fogadhatnók, bár e tekintetben korántsem hangzott még el az utolsó szó, hiszen a *szórakoztató* és a *komoly zene* közt megvont határ akaratlagos s korántsem támadhatatlan. Ám magán a zenén belül korántsem létezik ez a fajta szakadék, amit érdekelt körök egyre csak tovább mélyítenek. Minden ‚magas' művészet a zenében – a három B-től (Beethoven, Brahms, Bruckner; – O. Sch.) Straussig és Lannerig, ami csak az Úristen legszebb adományából, az ötletből s annak művészi értékesítéséből fakad. Annak idején a bécsi zeneművészek egyesülete megtagadta Strauss és Lanner felvételét azzal az indokkal, hogy nem zeneművészek; maga ez a tény bizonyítja, hogy tévúton járnak, akik még mindig elhatárolják egymástól a *komoly* és a *szórakoztató* zenét. Ezek az urak a legszívesebben billoggal látnák el a komponistákat, mely meghatározza, hogyan kell életük végéig komponálniuk, s hogy műveiket csak bizonyos zenekaroknak és színházaknak, a rádiónak pedig csak megadott adásidőben szabadjon előadni! Még hogy a zeneművészetet – minden művészetek legszabadabbikát, mely úgy hajózik a fantázia tengerén, hogy nem kell törődnie azzal, hol is fog kikötni, mely olyan szférá-

236

kat tesz hozzáférhetővé, melyeket egyetlen más művészet el nem érhet – még hogy ezt a művészetet szigorú reguláknak vessék alá, s felszabdalják pedánsan egymástól különválasztott rovatokká?! A mi mozgatórugónk a kacagás és a sírás, a derű és a vidámság, a bosszúság, a harag és a kibékülés, a szerelem mint epizód vagy mint életsors, az egymásra találás és a búcsúzkodás, a kiharcolás és a lemondás, s nem utolsó sorban a haza és az otthon: igenis, ezek a mi mozgatórugóink, más szóval: maga az élet! Mindezek olyan érzések, amiket még akkor is ki lehet fejezni zenei formában, ha a szavak már csődöt mondtak. A zene nem más, mint maga a hangzás művészete, s nem igényel semmiféle felaprózást vagy rangsorolást, ha képes arra, hogy rezgésbe hozza az emberi lélek valamely húrját, ha képes az embert – ha csak rövid pillanatokra is – felemelni a mindennapok fölé." (146)

1942–43 telén Lehár Budapestre utazott, mert a budapesti Operaház tervbe vette a *Cigányszerelem* – némileg módosított – előadását. „Az Operaház igazgatósága megbízta Innocent-Vincze Ernőt, tegye operaképessé a művemet. Neki is látott, ám hirtelen félretolta a régi librettót, s teljesen újat írt. A cselekmény közvetlenül az 1848-as szabadságharc kitörése előtt indul. A garabonciás diák megszökik a kollégiumból, hogy megszervezze a legelső szabadcsapatot. E történelmi mag köré fonódik a nagyon lírai, nagyon romantikus, nagyon szép cselekmény. Amikor megkaptam a szövegkönyvet, annyira el voltam ragadtatva tőle, hogy azonnal nekiláttam a zenei feldolgozásnak. Áthangszereltem a *Cigányszerelmet*, új dalokat, új kettősöket szőttem bele... A kemény munka heteit éltük át mindannyian. Hetekig ott voltam a próbákon, sokszor hajnalhasadásig dolgoztam, ám megérte a fáradságot. Azok, akik nem jutottak be a Királyi Operaházba, a hangszóró mellett élvezhették az előadást, mert a budapesti rádió közvetítette a bemutatót... A budapesti Királyi Operaház valóban megtett mindent annak érdekében, hogy a parádés előadás létrejöhessen. Rubányi Vilmos teljesen az én intencióim szerint vezényelte a zenekart, egyetlen tizenhatodot sem sikkasztott el. Nádasdy Kálmán főrendező csak úgy ontotta az ötleteket, s olyan látványos színpadképet teremtett, mely optikailag is lenyűgözte a közönséget... Rendkívül jól sikerült a második felvonás, ahol Sárika megálmodja, milyen sors vár reá. Szereti a garabonciás diákot, s ezért elhagyja vőlegényét. Ezt az álmot Nádasdy realisztikusan állította színre. Jó ötlet volt, hogy virágkoszorúkkal keretezte és tarka fénytengerbe merítette az álomjátékot, amelyből a cselekmény kiindul. Ebben a felvonásban a Királyi Balettkar tagjai is bizonyságot adhattak óriási tudásukról a tündérek és a cigánylányok ősi tánctradíciókhoz visszanyúló táncában. Vagyis mindenki, akinek része volt a munkában – fel egészen a világosítóig – tudása legjavát adta, s csakis a legnagyobb lelkesedéssel és hálával szólhatok róluk." (277)

A címben szereplő *garabonciás* „olyan vándordiák, akinek a nép természetfölötti erőt tulajdonít... Egy ilyen garabonciás bűvöli el a hangjával, hegedűjátékával és biztos fellépésével Sárikát, egy földbirtokos lányát, aki éppen azon van, hogy eljegyezze magát egy rangjabeli úrral. Mielőtt szakítana a családjával, dajkája tanácsára olyan vizet iszik, amitől az ember megálmodja a jövőt. Az álom tölti ki a második felvonást. Sárika látja önmagát a diák feleségeként, aki előbb hős, aztán bujdosnia kell, cigányok közé keveredik s egyre mélyebbre süllyed, feleségét is magával rántva. Az utolsó felvonásban Sárika ráébred a valóságra, visszatalál a családjához és vőlegényéhez." (278) Ha eltekintünk a cselekmény néhány párhuzamosságától, azt mondhatjuk: az opera vadonatúj mű.

Eleinte nem volt arról szó, hogy Lehár vezényelje a bemutatót. „Csak azt az egyet kötötte ki, hogy úgy írhassa meg az operát, hogy ne kelljen közben a próbákkal vesződnie. Ám a karmester egy héttel a bemutató előtt megbetegedett, s a zeneszerzőnek be kellett ugrania. Lehár elvezényelte a ragyogó premiert, aztán a második előadást is – ezután bekövetkezett a fizikai összeomlás!" (279)

Súlyos epe- és vesebántalom idézte elő az összeomlást. Tetézte a bajt, hogy a vesebaj szövődményeként elhomályosult a látása is. Amint el lehetett szállítani, Bécsbe vitték Lehárt, majd Bad Ischlbe, ahol a felesége várt rá. Ischlben aztán rátört minden baj, ami csak idős embert érhet: az influenza, a tüdőgyulladás, egyfajta mirigygyulladás. Mindezt tetézte, hogy látási zavarai folytán időnként jószerivel sem írni, sem olvasni nem tudott. „Rosszul állt a szénám; annyira, hogy némely jóbarátom már kondoleált is a feleségemnek. Az orvosok tudásának és erős életakaratomnak hála azonban sikerült túljutnom a nehéz napokon." (16) Másfél esztendő után eljutott odáig, hogy naponta ismét a zongorához ülhetett, ha csak rövid időre is. Betegsége alatt nemigen tűrte meg maga körül az idegeneket; felesége, Sophie ezért kitanulta az ápolónői mesterséget, és maga látta el a férjét.

A háború utolsó szakasza akkor kezdődött, amikor Lehár elkezdte magát lassanként összeszedni.

1944 júniusában a szövetségesek partra szálltak Franciaországban, augusztusban és szeptemberben elérték Párizst és Brüsszelt, 1945 márciusában átkeltek a Rajnán, áprilisban Olaszországban összeomlott a német front; eközben a szovjet csapatok már februárban elérték az Oderát. Ischl volt bizonyos értelemben a kapuja egy – persze csak fiktív – „alpesi erődítménynek", az Altaussee nevű helységnek: ott barikádozta el magát a náci „Reichssicherheitshauptamt" – a „birodalmi biztonsági főhivatal" – vezérkara. Az egyik út, amelyen e sasfészekbe be lehetett jutni, a Traun folyócska ischli hídján át vezetett, ezért a hidat aláaknázták. Ha felrobbantották volna, Lehár villája is a levegőbe repül, ám erre szerencsére nem került sor. Ischlben, akárcsak Gmundenben, Goisernben és másutt is szervezett partizáncsoportok működtek, s ezeknek többször is sikerült megakadályozniuk a tervezett robbantásokat.

Május 6-ának délutánján, röviddel Lehár 75. születésnapja után amerikai páncélosok bukkantak fel Ischlben. A következő napokban házról házra jártak a kommandóegységek. Lehár fellélegezhetett: most már nyugodtan kidobhatta a felesége azt a méregfiolát, amelyet az utóbbi években állandóan magánál hordott. Sokkal tovább úgysem bírta volna ki az asszony az állandó rettegést. Súlyos szívbajban (angina pectoris) szenvedett, s ez nagy fájdalmakkal is jár; rosszabbodott Lehár szembaja is. Ausztriában pedig akkoriban semmiképp nem lehetett megszerezni a megfelelő gyógyszereket. A Neues Österreich című lap megírta október 26-án, mennyire katasztrofális az orvos- és a gyógyszerhiány az országban. Lehárék tehát elhatározták: amint lehet, Zürichbe utaznak. Svájc volt az egyetlen ország, a reménysugár, hogy megfelelő kezelést kaphassanak.

VI. fejezet

1946–1948

Vége lett a háborúnak. Már Ischlben sem voltak könnyűek az utolsó hetek, de Bécsben egyszerűen iszonyatosak voltak a háború végnapjai. Visszavonulása közben a fasiszta hadsereg még sok mindent lerombolt, hogy feltartóztassa a szovjet csapatokat – ám Tolbuhin marsall seregét ugyan mi tartóztathatta volna fel! Bécs tehát felszabadult – de milyen állapotban! Nem volt se víz, se gáz, se áram. Halottak hevertek az utcán, mindenfelé törmelékés szeméthegyek magasodtak. Rendőrség még nem volt; fosztogatók jártak egyesével vagy csoportokban a romok között, s behatoltak az üres otthonokba.

Ilyen fosztogatók rabolták ki a nussdorfi palotácskát is, ahol nem találtak mást, csak a kapusnőt és a szakácsnőt. Tönkrezúztak mindent, ami a kezük ügyébe esett; a pótolhatatlan dokumentumokat, kottákat, leveleket – röviden: a teljes Lehár-archívumot kiszórták az ablakon, semmi nem maradt meg belőle. Csak a legnagyobb bútordarabok maradtak meg, amelyek súlyuk miatt nem voltak könnyen elszállíthatók. A fosztogatás híre eljutott Ischlbe is: Lehárt súlyos csapásként érte. De titkolta érzéseit, s csak ennyit mondott: „Mit szóljanak mások, akik a fiaikat vesztették el..." (110)

Káosz és kétségbeesés szakadt a bécsiekre a nácik menekülése nyomán, ám új remény is támadt, hiszen végre ismét szabad országban élhetnek! Közvetlenül a háború befejezte után megalakult az ideiglenes kormány, s novemberben sor került a háború utáni első választásokra. Hamarosan felocsúdott az osztrák színházi élet is, minden műfajban. Igaz: márciusban bombák rombolták szét az Operaházat a Ringen, de más színházak épségben maradtak. S bármily reménytelennek tetszettek is eleinte a körülmények, a bécsi Állami Operaház május 1-jén megkezdte működését: a Volksoper épületében, a Währingerstrasséban. És Mozart *Figaró*ja volt az első mű, amit bemutatott. A Stadttheaterben május 19-étől kezdve játszották Lehár *Frideriká*ját, a Raimund-Theaterben pedig – május 26-i kezdettel – *A mosoly országát*. Csupán a Theater an der Wien maradt nyáron át zárva. Úgy tervezték, hogy egyelőre itt lesz az Operaház tartós otthona; október 6-án nyitotta meg kapuit, a *Fidelio* előadásával: a Bécsben új életre kelt színházak Mozart, Beethoven – és Lehár jegyében kezdték meg működésüket! S nem csak Bécsben volt ez így. Johannes Heesters például, akit a sors történetesen az Ischlhez közeli Gmundenbe sodort, röviddel a háború befejezte után az ischli Lehár Színházban énekelt dalokat *A cárevics*ből és a *Luxemburg grófjá*ból. Ugyanez volt a helyzet a Bécsnél nem kevésbé lerombolt Berlinben: a Metropol Színháznak volt egy kisegítő épülete a Schönhauser Allee-ban (ahol most a Colosseum-filmszínház működik), s ott szeptember elejétől kezdve a *Paganini*t játszották. A műsorfüzetek írói nem kevésbé áradoztak, mint Rotterék idején: „Lehár Ferenc egyike ama kevés ma is élő embereknek, akikről elmondható, hogy zseni. Mondhatni: a zseni iskolapéldája, aki teljes életvitelével igazolja azt a megállapítást, hogy a zsenialitáshoz a tehetségen túl szorgalom is szükségeltetik: határtalan szorgalom." (280)

Ha igaz, hogy a zsenialitás alapja a szorgalom, akkor Lehár bizonyára zseni volt; alig akad még egy zeneszerző, akinek mesterségbeli szorgalmát ennyire csodálták volna. Arthur Neisser zenei író már a húszas évek elején így írt róla: Lehár „a munka embere, alapjában az operett végtelenül kötelességtudó, katonásan pontos úttörője. Rendszeresen és precízen dolgozik a Bad Ischl-i Traunkain álló pompás villájában, munkáját csak vidám kerékpár- (és nem, mint mások, költséges automobil-)túrákkal szakítja meg, aztán – tovább dolgozik... Nem volt igazán könnyű a pályája, mégha eltekintünk is a librettistákkal való kényszerű bajlódástól; alig akad más, akinek annyira a sarkában járt volna főképp a sápatag irigység, mint A víg özvegy szerencsés alkotójának." (281)

1946 elején aztán a következő újsághír volt olvasható: „Lehár Ferenc, a világhírű osztrák operettszerző szerencsésen felépült a nemrég elszenvedett szélütésből, és ma Svájcba utazik azzal a céllal, hogy Zürichben megoperáltassa magát." (282)

1946. január végén, egy nappal a hír megjelenése után, Lehár és felesége Zürichbe érkezett. Egy lakosztályt béreltek a Hôtel Baur au Lac-ban a Talstrasse 1. alatt, a tó közelében. Zürich nagyon szép helyen fekszik, nem túl komplikált Bécsből odajutni, ám 1946-ban

241

alighanem igen drága hely volt egy osztrák család számára. Az osztrák schilling – az újonnan bevezetett, nemzetközileg érvényes fizetési eszköz – még nem sokat ért, ráadásul az 1946 novemberében foganatosított pénzreformmal még le is értékelték. Száz schillingért csupán négy svájci frankot adtak – ha ugyan akadt, aki beváltsa. A Baur au Lac-ban bérelt lakosztály naponta több mint száz frankba került. Ehhez járult még a sokféle egyéb költség, elsősorban az orvosi díjak. Márpedig az orvosok egymásnak adták a hotelszoba kilincsét, vagy pedig – állapota jobbultával – Lehár kereste fel őket. Sophie asszony fájdalmai enyhültek, Ferenc testsúlya gyarapodott, s látása ötven százalékkal javult.

Hamarosan felbukkantak a látogatók is: híres emberek, akik átutazóban voltak vagy a városban szálltak meg. Lehár egyik régi barátja is ugyanabban a szállodában lakott egy ideig: Willy Forst, a filmrendező. Joseph Artur Rank, filmproducer, aki éppen ekkor, 1946-ban megalapította a legnagyobb angol filmkonszernt, azt javasolta Forstnak, „készítsen filmet Lehár Ferenc életéről." (283) A tárgyalások Forst elutazása után még hónapokat vettek igénybe; 1947-ben aztán Lehár végleg elutasította a tervet.

Ahogy javult az állapota, Lehár egyre tisztábban látta környezetét és nemzetközi lehetőségeit. Immár jobban belekapcsolódott a világeseményekbe is, hiszen még mindig ő volt a Glocken-Verlag egyszemélyes vezetője, csak e kiadó révén tudta fedezni a zürichi tartózkodás költségeit.

Ne feledkezzünk meg egy másik látogatóról sem. Londonból érkezett, s nem volt más, mint Paul Knepler. Jó fizikai állapotban találta barátját. Többféle tervezetről is tárgyaltak, ám Lehárt egyik ötlet sem ragadta meg, nem érzett elég erőt magában, hogy visszatérjen a zeneszerzői munkássághoz: „Nem megy, megkeseredtem. Alkotóerőm lebénult, nem lelem már örömömet az írásban..." (16) Az emberek olykor megfeledkeztek arról, hogy Lehár 1946. április 30-án végtére is a 76. születésnapját ünnepelte!

S akkor megérkezett egy távirat Rio de Janeiróból: háromszáz szavas levéltávirat. Ebben felkérték Lehárt, hogy vállalja egy hetven tagú olasz operett-zenekar vezénylését, még hozzá 21 álló napon át, egyfolytában! Lehár nem tehetett mást, mint hogy nemet

Lehár és felesége Zürichben, 1947-ben

mondjon... holott szó szerint „a brazíliai kultúra nevében" kérték fel másodszor is. De erre már nem vállalkozhatott.

S jöttek újabb hírek, köztük kellemetlenek is – ezek rossz kritikákról szóltak. Richard Taubert 1946 őszén elvitték New Yorkba, ahol végre sor került volna *A mosoly országa* bemutatójára. Szó volt erről már korábban is, de akkor – mindenféle átdolgozási kísérletek okán – nem mutatták be a művet. Most végre komolyra fordult az ügy, s Lehár sokat remélt a bemutatótól. Nem kapott híreket a próbákról, s így elrémült, amikor megérkeztek a nagy New York-i lapok kritikái. Valamennyien arra a megállapításra jutottak, hogy ez valami hihetetlenül vulgáris, gyermekded operett. Barátainak elpanaszolta, mennyire eltorzították odaát a művet. „A valódi színpadi zene a cselekményben gyökerezik! Nagyon is meghatározott szövegre, egy nagyon is meghatározott légkör számára íródik. Ha kihúzzák alóla ezt az atmoszférát, már nem tartozik többé ahhoz a jelenethez, amelyért kitaláltam. Azon, hogy operettem, *A mosoly országa,* mely szerte a világon sok ezernyi előadást ért meg, New Yorkban megbukott, csak addig lepődtem meg, amíg nem tudtam, mennyire becsaptak. A bécsi hátteret párizsira cserélték ki, az osztrák tábornok lányából francia operasztár lett, s azt, hogy *Vágyom egy nő után,* az Eiffel-torony árnyékában éneklik! Senki nem vetemednék arra, hogy az *Aida* egyiptomijaiból franciákat csináljon, a hősnőt megtegye XIV. Lajos lányának, a nílusi jelenetet pedig áthelyezze egy budoárba. A világ teljes joggal tiltakoznék az ilyen istenkáromlás ellen." (16) Valójában persze a világ fikarcnyit sem törődnék ezzel; ráadásul a Nílus-parti jelenetet aligha lehet leválasztani az *Aida* cselekményének adott helyszínéről, ám annak, hogy *Vágyom egy nő után,* nem kell feltétlenül egy osztrák tábornok szalonjában s éppen 1912-ben elhangoznia. Az ilyenfajta értelmetlen változtatások a darabokon mégis okkal bosszantották a zeneszerzőt.

A darab nem sokáig maradt műsoron: Tauber néhány nap elteltével lemondta a szereplést, a New York-i közönség pedig nem ment el többé az előadásokra. Óriási lehetőség esett itt kútba, hiszen belátható időn belül nemigen lehetett az Egyesült Államokban *A mosoly országá*nak egy újabb, jobb betanulását kihozni. Lehárnak más alapokra kellett helyeznie kapcsolatait az angolszász színházakkal, mint ahogyan az Ausztriából lehetséges volt, hiszen az ország a háborút követő események okán még meglehetősen el volt szigetelve a nagyvilágtól.

Azon gondolkodott tehát, hogyan lehetne a Glocken-Verlagot máshová, esetleg Svájcba áthelyezni. Tárgyalt erről dr. Otto Blauval, Josef Weinberger zeneműkiadó unokaöccsével. Dr. Blau jogász volt, s mivel dolgozott nagybátyja világszerte ismert kiadójában, tájékozott volt a nemzetközi színházi világban adódó lehetőségek felől. A tárgyalások eredményeként Lehár őt bízta meg a Glocken-Verlag vezetésével; ehhez a lépéshez persze messzemenő tervek és intézkedések kapcsolódtak. Alighogy Ausztriában kiszivárgott ez a hír, a sajtó csak úgy ontotta a Lehárt gyalázó cikkeket, s főképp a bulvársajtó taglalta acsarkodva az eseményt, mely végtére is előrelátható volt. Azt hányták a zeneszerző szemére, hogy „hűtlen lett a városhoz – mármint Bécshez –, amely világhírét megalapozta", hiszen „a Lehár folytatta pénzügyi tranzakciók azt jelentik, hogy Ausztria elesik sok millió dollár és svájci frank bevételétől". (284) De hiszen csakis Lehárra tartozott, hogy úgy vezesse a saját kiadóját, ahogyan jónak és hasznosnak tartja! A felháborodásnak szimpla anyagi okai voltak. Sokfelől és sokféle utakon érkeztek a befizetések, ráadásul akkorra már ismét talpon volt az AKM, hogy behajtsa, szabályozza és elossza a befolyó devizákat, hiszen ezekből félre tehette a neki járó százalékokat. A szervezet tehát tiltakozott Lehár ama szándéka ellen, hogy szerzői jogait ezentúl a svájci szervezet révén érvényesítse. Lehár 1947 márciusának végén már meg is nyerte a pert az AKM ellen, ám nem helyezte át a kiadót Svájcba: a Weinberger-céggel kialakult kapcsolat révén időközben újabb és másfajta lehetőségek adódtak. A Glocken-Verlag ottmaradt Bécsben, abban a házban – a Theobaldgasse 16 alatt –, ahol annak idején létrehozta. Ám ugyanakkor fióküzletet nyitott Londonban, s így közvetlenül tárgyalhatott az angol–amerikai színházakkal, zenekarokkal, filmcégekkel és hanglemez-stúdiókkal.

1947 májusában Richard Tauber meglátogatta Lehárt Zürichben: kilenc esztendeje nem látták egymást. Ez volt az utolsó találkozásuk, s kettejük hangversenye is az utolsó, ahol együtt muzsikáltak: 1948. január 8-án Londonban elhunyt Richard Tauber. Hatvanöt éves volt.

Lehár röviddel Tauber látogatása előtt ünnepelte a 77. születésnapját. 1947. augusztus 28-án felesége, Sophie társaságában elment a zürichi Stadttheaterbe – nem összetévesztendő a híres zürichi Schauspielhaus-zal –, ahol meghallgatták a *Paganini* előadását. Néhány nappal később Lehárék vendégeket fogadtak szállodai lakosztályukban, s ott volt Sophie orvosa is. Vidáman beszélgettek, nevetgéltek – Sophie egyszer csak felállt, átment a másik szobába; a társaság tagjai halk sikolyt hallottak, ám amire odaértek hozzá, Sophie asszony már halott volt. „Azon az estén, mely életének utolsó estéje volt, vidám hangulatban töltötte az időt... Aztán hirtelen megállt a fáradt szíve... A sors megengedte, hogy szépen, könnyen búcsúzzék az élettől." (285)

Ha szabad ezt az elcsépelt fordulatot használni: ettől a perctől fogva Lehár megtört ember volt. Az a mód, ahogyan Sophie halála után összeroskadt – nem látványosan, hanem szenzációmentesen, csendesen, mondhatni: mindennapi módon – mutatja, mennyire fontos volt neki az asszony. Ismerjük egy újságíró beszámolóját, aki az asszony halála után meglátogatta őt: „Lehár Ferenc, mint mindig, most is elegánsan volt öltözve. Apró léptekkel jött elém. Bemutatott a húgának, aztán beszélt a bánatáról. Könnyes szemmel gyászolta felesége, Sophie elhunytát, aztán a saját betegségeiről beszélt... Bár volt még némi remény, s bár akkor éppen semmije sem fájt, láthatólag igen deprimált volt... Hosszan rám nézett, s így szólt: nem vagyok már, csak egy öreg, beteg ember, aki egész életében nem csinált mást, csak dolgozott, s aki tulajdonképpen elment az élet mellett. Mire jó már nekem minden hajdani sikerem, dicsőségem? Öreg vagyok... ennyi az egész." (286)

Nemcsak öreg volt, de nagyon beteg is. És nagyon keserű. Eleinte nem is akarta fogadni az újságírót, mert hogy az bécsi volt. „El is magyarázta, miért utasított vissza: azért, mert saját honfitársai fosztották ki a háború után a nussdorfi Schikaneder-palotácskát, melyet annyira szeretett" (286)... Vagyis szívében még mindig osztrák volt.

„Nem annyira az anyagi veszteség sújtotta le, mint inkább az, hogy a fosztogatás folytán elveszett számos értékes tárgy, amely szorosan összefonódott életútjával. Ezt soha nem bocsátja meg a bécsieknek, mondtta, s soha nem is tér vissza Bécsbe, de Ausztriába sem... Ha egészségi állapota megengedné, legföljebb Bad Ischlbe, a villájába költöznék." (286)

Szó esett az előbb Emmyről, Lehár húgáról, a család „kicsikéjéről". 1890-ben született, s most 57 éves volt. Férje az első világháború után Papházayra magyarosította a nevét. 1946-ban meghalt, s így Emmy eljöhetett Zürichbe, bátyját ápolni. Mindenféle akadály állta útját annak, hogy Lehár megvalósítsa szándékát: hogy Ischlbe költözzék. Február 6-án még vezényelt Zürichben, egy Richard Tauber-emlékhangversenyen, ahol az ő műveit adták elő. Utána azonban rosszabbodott az állapota. Május elején Lehár – akkor már 78 esztendősen – kénytelen volt alávetni magát egy általános kivizsgálásnak, s ez nagyon megviselte. Sokat feküdt, bágyadt volt és étvágytalan. Az egyetlen, ami mellett még kitartott: minden levélre válaszolt. Hajdani szerelme, Ferry is rendszeresen kapott leveleket tőle: az utolsót fél évvel a halála előtt írta.

A tavasz igen hűvös volt. Aztán enyhült az idő, s július végén Lehár és húga útra keltek. Az Arlberg-expresszel utaztak Salzburgig, onnan kocsival Ischlig, ahol nagy szeretettel fogadták őket.

Az első napokban Lehár még örvendezett, hogy visszatérhetett meghitt környezetébe; de már nem lehetett feltartóztatni a fizikai állapot romlását. Vérátömlesztést kapott, szinte semmit nem evett, most már állandóan csak feküdt, de csak keveset aludt. Még jöttek a levelek és a táviratok a világ minden sarkából. Lehár pedig kitartott amellett, hogy mindet meg kell válaszolni, s így Emmy húgának volt dolga elég. Újabb vérátömlesztésre került sor, némi javulást is hozott, ám az orvosok tudták: gyomorrákja már csak kurta ideig engedi élni. 1948. október 14-én, a szó szoros értelmében a halál küszöbén megválasztották Bad Ischl díszpolgárává. Hátra volt azonban még egy tennivaló, ami ellen az utolsó pillanatig berzenkedett: meg kellett fogalmaznia a végrendeletet. Megtette, aztán 23-án este elaludt, s fel sem ébredt többé. 1948. október 24-én, délután három órakor elhunyt.

Ravatala napokig állt az ischli templomban: vége-hossza nem volt az emberáradatnak, mindenki el akart búcsúzni tőle; s vége-hossza nem volt az érkező koszorúk és csokrok áradatának sem. Október 30-án ünnepélyes rekviemmel búcsúztatták. Ezernyi riporter nyüzsgött az utcákon, tereken s a temetőbe vezető út mentén, s fényképész állt minden kövön, ahol csak megvethette lábát. Az ischli színház előtt hangzottak el az osztrák oktatási miniszternek, Bécs polgármesterének, Felső-Ausztria tartományfőnökének, az AKM és a Bécsi Filharmonikusok és más testületek képviselőinek gyászbeszédei; Svájcból dr. Ernst Ruegg érkezett Zürich város képviseletében. A koporsót az ischli temetőbe vitték, s a családi kripta márványlapjára most már rávésték Lehár Ferenc nevét is. A bányászzenekar a *Volga-dalt*, a nagyoperett, *A cárevics* sikerszámát adta elő: Lehár kívánta így.

Halála nagy visszhangot keltett szerte a világon. Hírt adtak róla a nagy olasz, francia és svéd lapok, az angol és az amerikai sajtó, de még egy kairói lap is. November 17-én úgy döntött a bécsi városi közigazgatás, hogy a Dreihufeisengassét (magyarán: Három patkó utcát) a Theater an der Wien mögött – ahonnan a színészbejáró nyílik –, átkereszteli Lehár utcává. A lapokban hirtelen Lehár-anekdoták bukkantak föl – legtöbbje persze légből kapott, hisz a zeneszerző élete meglehetősen eseménytelen volt. Az Állami Operaház szép épülete a bécsi Ringstrassén romokban hevert ugyan, de a testület a Volksoperben emlékmatinét rendezett; megalakult a Lehár Ferenc Társaság, s az ischli villából Lehár-múzeum lett.

Hagyatékában nem maradt partitúra, kiadatlan mű, még vázlat sem. Hogyan is maradhatott volna? Amíg élt, a kezéből tépték ki a kottalapokat. S volt saját kiadója, ahol kinyomtatták az új műveit.

Bár mű nem maradt utána, de rengeteg, a zenével foglalkozó kijelentése hagyományozódott ránk. Többek között az a levélrészlet, amit Lehár Antal a gyászjelentésre nyomatott: „Ha olyan zenét írtam is, amelyik behatolt a nép közé, mégis valami más volt a célom, nem az, hogy elszórakoztassam az embereket. A szívüket akartam megnyerni, a lelkükbe igyekeztem behatolni, s a sok száz levél, amit a világ minden részéből kapok, mind azt igazolja, hogy ez sikerült, hogy nem hiába dolgoztam, nem hiába éltem." (287)

Nem lehet pontosan megmondani, mekkora is volt Lehár vagyona, mert a végrendelet nem említ összegeket, s a Glocken-Verlag bevételeit is csak nehezen lehetett volna kiszámítani. A pontos adatok iránt csak a hivatalok érdeklődtek, az örökösödési adó miatt. Túl nagy precizitásra nem is volt szükség, hiszen Lehár így végrendelkezett: „Általános örökösöm a húgom. Papházayné szül. Lehár Emília." (288)

Antalra hagyta a nussdorfi palotácskát a melléképületekkel és a hozzá tartozó birtokkal együtt, továbbá a Theobaldgassei bérházból befolyó jövedelmeket, az autóját, óráját, rádióját, s az ischli villában fellelhető ezüstholmit, étkészleteket, asztalneműeket és nem használt szőnyegeket; ezen felül ő és felesége életük végéig havi 11 000 schillinget kaptak készpénzben.

A tantiemekről, amelyek a jövőben is befolynak majd a világ minden részéből, Lehár leválasztotta az Ausztriából származó jövedelmeket – persze csak annyiban, amennyiben az ő zeneszerzői részesedését illették. Ezek az ausztriai jövedelmek az AKM-hez kerültek; ezekből kellett a társulásnak a Lehár Antalnak járó havi 11 000 schillinget kifizetnie, s ezen felül e bevételek 10 százalékát is el kellett juttatnia Ischlbe.

A fennmaradó jövedelmekből – rendelkezett Lehár – alapot kell létrehozni, mely *Lehár Ferenc Alapítvány* néven vezetendő az AKM-nál. „Ezen alap bevételei idős, önhibájukon kívül bajba jutott emberek megsegítésére szolgál. Nem azt kívánom, hogy a fiatal tehetségeket támogassák: az igazi tehetség utat tör magának, s nem óhajtom, hogy e pénzekből nagyra növesszék a művészeti dilettantizmust." (288)

1970-ben, abban az esztendőben, amikor Lehár születésének századik évfordulója volt, dr. Berkovitsnak, Lehár barátjának és hagyatéka gondozójának módjában állott „ötvenezer schillinggel hozzájárulni a karácsonyi segélyakcióhoz: ebben a jubileumi évben közel fél millió schillinget osztottunk szét a nélkülözők között". (289) Az alapítvány létrehozása óta – most már „Lehár Ferenc Emlékalapítvány" volt a hivatalos neve – több mint kilenc millió schilling jutott az idős nélkülözőknek. A Theobaldgasse-i ház is gazdagította az alapítvány pénzeszközeit: Lehár Antal halála után – 1962. november 12-én hunyt el, vagyis kereken 12 évvel élte túl a zeneszerzőt – az ottani lakbérek is gyarapították az alapot.

Említettük, hogy Lehár úgy rendelkezett: az AKM-hez befutó pénzek tíz százalékát Ischl városának kell juttatni. A végrendelet így fogalmaz: „Bad Ischl városára, ahol műveim java részét alkottam, hagyom – a város funkcionáriusai és lakosai iránti hálából, amiért az engemet és feleségemet ért teljesen indokolatlan támadások idején oly híven kitartottak mellettem – a Bad Ischl, Lehár-rakpart 8. alatti villámat s a Lehár-rakpart 18. alatti hátsó épületet, a következő kikötésekkel: a villa legyen a *Lehár Ferenc Múzeum.* Kizárólag ezt a célt kell szolgálnia, s tisztességesen kell karbantartani is. A villát és jelenlegi berendezését abban az állapotban kell megőrizni, amiben ... átvették. A villában lévő berendezési tárgyak, tehát a bútorok, szőnyegek, műtárgyak, röviden mindaz, amiről nem rendelkeztem külön másképpen ..., szolgáljanak az általam elgondolt célnak... Ezenkívül Bad Ischl városára hagyom színpadi műveim kéziratos zenekari partitúráit és kéziratos zongorakivonatait. Ezt a hagyatékot is fel kell venni a múzeum állományába." Ezután esik szó ama bizonyos tíz százalékról, melyet azért hagyományoz a városra, „hogy saját eszközökből lehessen a múzeumot fenntartani." (288)

Mindenre gondolt a végrendelet megfogalmazásakor! A legkisebb részlet sem kerülte el a figyelmét, legyen bár szó a hosszú évek óta rendelkezésére álló személyzetről, vagy arról, hogy kis rádiókészülékét húga Ferenc nevű fiára hagyja emlékül, de ugyanilyen precízen rendelkezett zeneműkiadója eljövendő sorsáról is: „Elrendelem, hogy dr. Otto Blau úr, aki pontosan ismeri művészi és üzleti intencióimat, ellenőrizze és az én szellememben vezesse, ellenőrizze és vigye tovább valamennyi kiadói vállalkozásomat; a korábbi szerződések kiegészítéseképp ezennel megbízom és felhatalmazom őt erre a tevékenységre, s azt kívánom, hogy a teljes kiadóvállalatot az én szándékaimnak megfelelően vezessék tovább. Különös súlyt helyezek arra, hogy a szerzői jogokat ugyanolyan nyomatékkal védjék, mint a saját zeneszerzői jogaimat." (288)

Lehár végrendeletéből kicsendül, mennyire törődött azokkal az emberekkel, akikhez kötődött, de az a határozottság is, mely teljes életében jellemző volt rá; többek között kijelentette: „Azt kívánom, hogy minden örökös tiszteletben tartsa végakaratomat. Ha bárki közülük megtámadná a testamentumot, kizárom az örökségből, ill. visszavonom a rátestált részt." (288) Lehet, hogy Lehár arra gyanakodott, attól tartott, hogy – tekintettel a hagyaték nagyságára – vitára kerülhet sor az örökösök között. A fenti mondat azonban elejét vette mindennemű rokoni torzsalkodásnak az örökség körül.

Ilyenfajta családi viszály leginkább a bécsi bulvársajtó tollnokainak fantáziájában kísértett, bár persze volt azért vita a testvérek között. Különösen Antal kevesellte a maga részét, de nem tehetett semmit. Egyes bécsi lapok már azt is tudni vélték, hogy kizárták az örökségből, holott csupán az örökösödési adó rá eső része százezer schillingre rúgott; ennek felét Emmy húga fizette ki helyette.

Mivel Emmy Zürichben lakott, Ausztriában kellett összeszednie az 50 000 schillinget, s ezért eladott egyet s mást a nussdorfi palotácskából. Amire persze felhördült a sajtó: „Elkótyavetyélik Lehár ágyait!" (290) Ám ez a „vihar egy pohár vízben" hamarosan elfelejtődött.

Antal – Anton von Lehár – 1962 novemberében halt meg, húga, Papházay Emmy 1976 decemberében, 86 éves korában, Zürichben. Fia, Francis Papházay-Lehár örökölte a Glocken kiadót.

Túl a ma is világszerte játszott műveken, két létesítmény is emlékeztet Lehár Ferenc életére: a nussdorfi palotácska, és a villa Bad Ischlben. Nussdorfban már nem sok maradt. Halálakor Lehár Antal arra a házaspárra hagyta az épületet – Hermine és Erich Kreuzerre –, akik 1951-ben jelentkeztek Lehár Antal apróhirdetésére, s azután haláláig gondozták. Antal halála után Lehár-múzeummá alakították át az emeleti termet, s ott ma szeretettel összeválogatott és gondozott Lehár-relikviák láthatók. Nincs sok belőlük, de a palotácska meg a kert mégis felidézi azokat az órákat, amikor Lehár itt járt-kelt és muzsikáról gondolkodott.

Ez a muzsika azoké lesz majd, akik meg tudják a maguk számára hódítani – még ha csak azért is, hogy pontosítsák a hozzáállásukat e művekhez. Nem mintha Lehárt el kellene ítélni vagy fel kellene menteni; de talán sikerül jobban megérteni őt, a kort, amiben élt, műveinek keletkezési körülményeit, s így talán utat találhatunk a Lehár-muzsika korszerű színpadi előadásaihoz. Eközben persze mindig szem előtt kell tartani Lehár óhaját is: „Azt kívánom, hogy műveimet úgy adják elő, úgy hozzák ki, ahogyan elgondoltam őket." (288) A kijelentés határozott, ám mégis többértelmű. Vajon csak a muzsikájára gondolt-e? Vagy a „művek" fogalmába beleértette volna a librettó és zene megbonthatatlan egységét?

Utóbbi feltételezésnek nincs nagy valószínűsége: Lehár mindenkor csak a muzsikájával törődött. Igaz, ebben rejlett az ereje, de ugyanez sokszor kárára volt a teljes műegésznek. Csak muzsikus lévén, gyakran meg sem látta szövegkönyvei gyengéit. Ugyanakkor szenvedett, ha nem volt sikere, s alighanem ez az oka, hogy egyetlen más zeneszerző sem írta át annyiszor, újra meg újra a műveit, mint ő.

Sokhelyütt próbálkoznak azzal, hogy modernisztikus színpadi eszközökkel leplezzék a szövegkönyvek gyengéit – ahelyett, hogy a mélyükre hatolnának. *A víg özvegy* tálcán kínálja a lehetőséget, hogy megvizsgáljuk a modern rendezések problémáit. Ha a rendezés igazán jó, valóban *ezt* a művet akarja színre vinni, akkor keletkezésének korát kell tükröznie, mert a darab tartalma csak akkor volt lehetséges; magát a tartalmat ugyanolyan intenzív dramaturgiai vizsgálatnak kellene alávetni, mint opera- vagy drámarendezések alkalmával szokás; csak így fedhető fel a cselekmény, a zene és a kor dialektikus egysége. Akkor majd kitűnnék, hogy a mű korántsem holmi „idealizált, osztályharmóniára törekvő társadalmi panorámát" (291) mutat be, hanem csak egy bizonyos osztály – a Hannák és Danilók osztályának – harmóniáját (és diszharmóniáját).

Elsőrendű erkölcsrajz *A víg özvegy* és a *Luxemburg grófja:* a polgári osztályon belül élősködő társadalmi rétegek ábrázolása. Jó volna, ha fokozatosan tért hódítana egy ilyen szempontokat figyelembe vevő rendezői elképzelés.

Lehár azonban nem tartott lépést műfaja változásaival. Művészi fejlődése nem volt folyamatos: többféle tendencia keresztezte benne egymást, s sodorták őt egyre távolabb az élet valóságától. Mennél gyakrabban, mennél egyértelműbben szorította ki a Lehároperettekben az idill a társadalomrajzot – bármily naiv, mondén, egzotikus vagy történelmi mezben jelenjék is meg –, minél egyértelműbben fordult Lehár az „általános emberi" témák felé, annál kevésbé voltak érdekesek műveinek szereplői, s nem érdekesek ma sem. Alkotóik sok muzsikával ajándékozták meg őket, de kevés életet leheltek beléjük. Mégsem lehetetlen, hogy egyik vagy másik műben felleljünk valami hamu alatt felcsillanó parázst, amit tán érdemes volna életre szítani, s talán újból – esetleg újszerűen, új módon – fel lehetne lobbantani a színpadias tüzet: Lehár több is lehetne, mint szórakoztatózene-gyártó.

Aligha holmi rendezői trükkökön múlhat, hogy egyik-másik operettjét feltárjuk a mai színházi gyakorlat számára. Arra kell törekedni, hogy új dimenziót fedezzünk fel Lehár műveiben. Ha sikerül, újfajta Lehárral találkozhatunk; azzal, aki olyasmit hagyott ránk, ami szinte már kiveszőfélben van: a *melódiával.*

Komáromi emléktábla ➡

V TOMTO DOME SA NARODIL
DNA 30 APRILA 1870
SVETOZNÁMY HUDOBNÝ SKLADATEĽ
LEHÁR
FRANTIŠEK LEHÁR FERENC
A VILÁGHÍRŰ ZENESZERZŐ
EBBEN A HÁZBAN SZÜLETETT
1870. ÁPRIL. 30. ÁN.

Lehár Ferenc műveinek
külföldi bemutatói

1896. 11. 27. *Kukuška* (opera)
Szövegíró: Felix Falzari
Bemutató: Lipcse, Vereinigte Stadttheater

1902. 11. 21. *Wiener Frauen* (Bécsi asszonyok, operett)
Szövegírók: Ottokar Tann-Bergler és Emil Norini
Bemutató: Bécs, Theater an der Wien

12. 20. *Der Rastelbinder* (A drótostót, operett)
Szövegíró: Victor Léon
Bemutató: Bécs, Carl-Theater

1904. 1. 20. *Der Göttergatte* (A bálványférj, operett)
Szövegírók: Victor Léon és Leo Stein
Bemutató: Bécs, Carl-Theater

12. 22. *Die Juxheirat* (A mókaházasság, operett)
Szövegíró: Julius Bauer
Bemutató: Bécs, Theater an der Wien

1905. 2. 10. *Tatjana* (a Kukuška átdolgozása)
Szövegírók: Felix Falzari és Max Kalbeck
Bemutató: Brünn, Stadttheater

12. 30. *Die lustige Witwe* (A víg özvegy, operett)
Szövegírók: Victor Léon és Leo Stein
Bemutató: Bécs, Theater an der Wien

1906. 10. 20. *Der Schlüssel zum Paradies* (a Bécsi asszonyok átdolgozása)
Szövegírók: Emil Norini és Julius Horst
Bemutató: Lipcse, Neues Operettentheater

12. 1. *Peter und Paul reisen ins Schlaraffenland* (Péter és Pál Bergengóciában, mesejáték)
Szövegírók: Robert Bodanzky és Fritz Grünbaum
Bemutató: Bécs, Theater an der Wien

1908. 1. 21. *Der Mann mit den drei Frauen* (A három feleség, operett)

Szövegíró: Julius Bauer
Bemutató: Bécs, Theater an der Wien

1909. 10. 7. Das Fürstenkind (Hercegkisasszony, operett)
Szövegíró: Victor Léon
Bemutató: Bécs, Johann Strauss-Theater

11. 12. Der Graf von Luxemburg (Luxemburg grófja, operett)
Szövegírók: Alfred Maria Willner és Robert Bodanzky
Bemutató: Bécs, Theater an der Wien

1910. 1. 8. Zigeunerliebe (Cigányszerelem, operett)
Szövegírók: Alfred Maria Willner és Robert Bodanzky
Bemutató: Bécs, Carl-Theater

1911. 10. 24. Eva (Éva, operett)
Szövegírók: Alfred Maria Willner és Robert Bodanzky
Bemutató: Bécs, Theater an der Wien

1912. 12. 1. Rosenstock und Edelweiss (daljáték)
Szövegíró: Julius Bauer
Bemutató: Bécs, „Hölle"-kabaré

1913. 10. 11. Die ideale Gattin (A tökéletes feleség, operett)
Szövegírók: Julius Brammer és Alfred Grünwald
Bemutató: Bécs, Theater an der Wien

1914. 1. 30. Endlich allein (Végre egyedül, operett)
Szövegírók: Alfred Maria Willner és Robert Bodanzky
Bemutató: Bécs, Theater an der Wien

1916. 1. 14. Der Sterngucker (A csillagok bolondja, operett)
Szövegíró: Fritz Löhner-Beda
Bemutató: Bécs, Theater in der Josefstadt

1918. 3. 27. Wo die Lerche singt (Pacsirta, operett)
Német nyelvű változat írói: Arthur Maria Willner és Heinz Reichert
Bemutató: Bécs, Theater an der Wien

1920. 5. 28. Die blaue Mazur (A kék mazur, operett)
Szövegíró: Jenbach Béla
Bemutató: Bécs, Theater an der Wien

1921. 9. 09.	*Die Tangokönigin* (A tangókirálynő, operett, a Tökéletes feleség átdolgozása) Szövegírók: Julius Brammer és Alfred Grünwald Bemutató: Bécs, Apollo-Theater
1922. 1. 20.	*Frühling* (Tavasz, egyfelvonásos operett) Szövegíró: Rudolf Eger Bemutató: Bécs „Hölle"-kabaré
5. 3.	*La danza delle Libellule* (A három grácia, operett) Szövegíró: Carlo Lombardo Bemutató: Milánó, Teatro lirico
5. 12.	*Frasquita* (operett) Szövegírók: Alfred Maria Willner és Heinz Reichert Bemutató: Bécs, Theater an der Wien
1923. 2. 9.	*Die gelbe Jacke* (A sárga kabát, operett) Szövegíró: Victor Léon Bemutató: Bécs, Theater an der Wien
3. 31.	*Libellentanz* (A három grácia német változata) Szövegírók: Carlo Lombardo és Alfred Maria Willner Bemutató: Bécs, Stadttheater
1924. 3. 8.	*Clo-Clo* (Apukám, operett) Szövegíró: Jenbach Béla Bemutató: Bécs, Bürgertheater
1925. 10. 30.	*Paganini* (operett) Szövegírók: Paul Knepler és Jenbach Béla Bemutató: Bécs, Johann Strauss-Theater
1926. 12. 30.	*Gigolette* (A Csillagok bolondja átdolgozása) Szövegírók: Carlo Lombardo és Gioacchino Forzano Bemutató: Milánó, Teatro lirico
1927. 2. 16.	*Der Zarewitsch* (A cárevics, operett) Szövegírók: Jenbach Béla és Heinz Reichert Bemutató: Berlin, Deutsches Künstlertheater
1928. 5. 29.	*Frühlingsmädel* (Tavaszi álom, a Tavasz átdolgozása) Szövegíró: Rudolf Eger Bemutató: Berlin, Neues Theater am Zoo
10. 4.	*Friederike* (Friderika, operett) Szövegírók: Ludwig Herzer és Fritz Löhner-Beda Bemutató: Berlin, Metropol-Theater

1929. 10. 10.　　*Das Land des Lächelns* (A mosoly országa, operett,
　　　　　　　　A sárga kabát átdolgozása)
　　　　　　　　Szövegírók: Ludwig Herzer és Fritz Löhner-Beda
　　　　　　　　Bemutató: Berlin, Metropol-Theater

1930. 12. 3.　　*Schön ist die Welt* (Szép a világ, operett)
　　　　　　　　Szövegírók: Ludwig Herzer és Fritz Löhner-Beda
　　　　　　　　Bemutató: Berlin, Metropol-Theater

1932. 9. 23.　　*Der Fürst der Berge* (A hegyek ura, a Hercegkisasz-
　　　　　　　　szony átdolgozása)
　　　　　　　　Szövegíró: Victor Léon
　　　　　　　　Bemutató: Berlin, Theater am Nollendorfplatz

● 1934. 1. 20.　　*Giuditta* (zenés komédia)
　　　　　　　　Szövegírók: Paul Knepler és Fritz Löhner-Beda
　　　　　　　　Bemutató: Bécs, Staatsoper

Lehár Ferenc műveinek
budapesti bemutatói

1903. 4. 21.	A drótostót / Magyar Színház
1905. 2. 10.	Mulató istenek / Magyar Színház
1906. 9. 7.	Mókaházasság / Népszínház
1906. 11. 27.	A víg özvegy / Magyar Színház
1908. 3. 31.	Három feleség / Népszínház-Vígopera
1910. 1. 14.	Luxemburg grófja / Király Színház
1910. 11. 12.	Cigányszerelem / Király Színház
1910. 11. 30.	Bécsi asszonyok / Városligeti Színház
1910. 12. 20.	Hercegkisasszony / Operaház
1912. 10. 12.	Éva / Király Színház
1913. 11. 26.	A tökéletes asszony / Király Színház
1915. 2. 20.	Végre egyedül / Király Színház
1915. 7. 8.	Tűzherceg / Király Színház
1916. 10. 10.	A csillagok bolondja / Népopera
1918. 2. 1.	Pacsirta / Király Színház
1921. 5. 13.	A kék mazur / Király Színház
1923. 5. 5.	A sárga kabát / Király Színház
1923. 6. 6.	A három grácia / Fővárosi Operettszínház
1923. 7. 28.	A tangókirálynő / Budai Színkör
1924. 4. 15.	Apukám / Fővárosi Operettszínház
1925. 3. 3.	Frasquita / Városi Színház
1926. 5. 7.	Paganini / Városi Színház
1928. 5. 25.	A cárevics / Városi Színház
1930. 10. 31.	Friderika / Király Színház
1930. 9. 20.	A mosoly országa / Operaház
1932. 9. 15.	Tavaszi álom / Pesti Színház
1934. 4. 8.	Giuditta / Operaház
1934. 12. 21.	Szép a világ / Király Színház
1943. 2. 20.	Garabonciás diák / Operaház

Az idézetek forrásai

(Az egyes források előtt lévő betűjelek a cikkek-tanulmányok-könyvek szerzőit jelölik; pl. F. L. = Franz Lehár, n. n. = név nélkül).

(1) n. n., RHEIN-NECKAR-ZEITUNG, Heidelberg, 1947. II. 18.
(2) n. n., *Franz Lehár bleibt in der Schweiz* (L. F. Svájcban marad), TELEGRAF, Berlin, 1947. I. 24.
(3) n. n., SÜDKURIER, Konstanz, 1947. I. 31.
(4) F. L., *Bis zur Lustigen Witwe* (A víg özvegyig), LEIPZIGER TAGEBLATT, Lipcse, 1908. IV. 19.
(5) Georg Kandler, in: MGG, 9. köt., Kassel, 1961.
(6) L. F. szavai, vö. H. G. Weinschenk: KÜNSTLER PLAUDERN (Művészek mesélgetnek), Berlin, 1941.
(7) Lehár, Anton: UNSERE MUTTER (Anyánk), Bécs, 1930.
(8) F. L., *„F. L. erzählt"* (L. F. mesél), DAS DEUTSCHE PODIUM, Berlin, 1940. IV. 26.
(9) F. L., *Der Anfang war schwer...* (Nehéz volt a kezdet). NEUE FREIE PRESSE, Bécs, 1930. IV. 30.
(10) F. L., *„Musik – mein Leben"* (A zene – az életem), NEUES WIENER TAGBLATT, Bécs, 1944. IX. 23.
(11) L. F., – a bécsi Raimund Theater 1972. évi programfüzetéből vett idézet.
(12) F. L., *„vom Schreibtisch und aus dem Atelier. Bis zur 'Lustigen Witwe'"* Műhelyforgácsok– az út A víg özvegyig, VELHAGEN & KLASINGS MONATSHEFTE, Bielefeld-Lipcse, 1912.
(13) F. L., *Der „Klassiker" Johann Strauss* (J. S., a klasszikus), NEUES WIENER JOURNAL, Bécs, 1925. X. 25.
(14) F. L., *Wir sassen an einem Pult* (Egyazon pultnál ültünk), DIE STUNDE, Bécs, 1925. IX. 17.
(15) F. L., *Erinnerung an Leo Fall* (Emlékezés Leo Fallra), NEUE FREIE PRESSE, Bécs, 1930. IX. 17.
(16) Vö. Bernard Grun: GOLD UND SILBER (Arany és ezüst), München és Bécs, 1970.
(17) F. L., *Gesangmeister sein ist schwer* (Nehéz énekmesternek lenni), BERLINER ILLUSTRIERTE ZEITUNG, Berlin, 1938 márciusi, Ausztriának szentelt különszám.
(18) F. L., *Lehár als Marinekapellmeister. Erinnerungen des Komponisten* (L. mint tengerészkarmester. A zeneszerző emlékeiből), NEUES WIENER TAGBLATT, Bécs, 1916. VI. 10.
(19) Amand von Schweiger-Lerchenfeld: *Die Adria* (Az Adria). Bécs–Pest–Lipcse, 1883.
(20) Vö. Ernst Decsey: FRANZ LEHÁR, Bécs, 1924.
(21) A. D.-G., *Wiener Porträts. Franz Lehár* (Bécsi portrék: Lehár Ferenc), NEUES WIENER JOURNAL, Bécs, 1903. IV. 26.

(22) Prof. Bernhard Vogel: *Kukuška.* LEIPZIGER NEUESTE NACHRICHTEN, Lipcse, 1896. XI. 28.

(23) F. R. Pfau: *Neues Theater* (Új színház). LEIPZIGER ZEITUNG, Lipcse, 1896. XI. 28.

(24) R. Krausse: *Neues Theater. Kukuška,* LEIPZIGER TAGEBLATT, Lipcse, 1896. XI. 28.

(25) F. L., *Mein Werdegang* (Fejlődésem útja). DIE ZEIT, Bécs, 1907. X. 25.

(26) Anton v. Lehár, in: NEUE ZÜRCHER ZEITUNG, Zürich, 1951. V. 20.

(27) F. L., *Mein interessantes Reiseabenteuer* (Érdekes úti élményem). Kézirat, 1930.

(28) Julius Stern, VOLKSZEITUNG, Bécs, 1924. III. 9.

(29) F. L., *Militärkapellmeister und Lustige Witwe* (A katonakarmester és A víg özvegy). NEUES WIENER TAGBLATT, Bécs, 1911. XII. 24.

(30) Stan Czech: *Franz Lehár.* Lindau-Bodensee, 1948.

(31) n. n., NEUES WIENER TAGBLATT, Bécs, 1901. II. 4.

(32) Paul Vasili: DIE WIENER GESELLSCHAFT. Lipcse, 1885.

(33) n. n., NEUES WIENER TAGBLATT, Bécs, 1901. II. 6.

(34) n. n., NEUES WIENER TAGBLATT, Bécs, 1902. I. 28.

(35) MEYERS KONVERSATIONSLEXIKON, 17. köt. Lipcse és Bécs, 1908.

(36) n. n., NEUE FREIE PRESSE, Bécs. 1901. XI. 17.

(37) Ann Tizia Leitich: LIPPEN SCHWEIGEN – FLÜSTERN GEIGEN (Hallgató ajkak, suttogó hegedűk). Bécs, 1960.

(38) Gabor Steiner, ILLUSTRIERTE WOCHENPOST, Bécs, 1931. I. 6.

(39) Rudolf Holzer: DIE WIENER VORSTADTBÜHNEN (A bécsi kültelki színházak). Bécs, 1951.

(40) F. L., *Aus der Geschichte meiner Karriere* (Karrierem történetéből). DIE STUNDE, Bécs, 1930. IV. 27.

(41) Anton Maria Girardi: DAS SCHICKSAL SETZT DEN HOBEL AN (A sors legyalulja az embert). Braunschweig, 1934.

(42) Wilhelm Sterk, WIENER ALLGEMEINE ZEITUNG, Bécs, 1902. XI. 23.

(45) Ludwig Basch, ILLUSTRIERTES WIENER EXTRABLATT, Bécs, 1902. XI. 22.

(44) Julius Bistron, *Wie kritisiert man Operetten?* (Hogyan kritizáljunk operetteket), NEUES WIENER JOURNAL, Bécs, 1931. X. 25.

(45) n. n., NEUE FREIE PRESSE, Bécs, 1902. XII. 21.

(46) – bs –, *Theater und Kunst. Carl-Theater* (Színház és művészet. A Carl-Theater), NEUES WIENER JOURNAL, Bécs, 1902. XII. 21.

(47) n. n., DEUTSCHES VOLKSBLATT, Bécs, 1902. XII. 21.

(48) n. n., DAS FREMDENBLATT, Bécs, 1902. XII. 21.

(49) n. n., LEIPZIGER ZEITUNG, Lipcse, 1903. I. 1.

(50) Friedrich Schlögl: *Wiener Blut.* GESAMMELTE WERKE I., Bécs, 1893.

(51) n. n., *Der Niedergang der Operette. Aus einer Unterredung mit Charles Lecocq* (Az operett alkonya. Beszélgetés Charles Lecocq-kal). NEUES WIENER JOURNAL, Bécs, 1904. VII. 13.

(52) dr. Max Graf, *Von den Wiener Operettenbühnen* (A bécsi operett-színpadokról), NEUES WIENER JOURNAL, Bécs, 1905. X. 24.

(53) – bs –, NEUES WIENER JOURNAL, Bécs, 1904. I. 21.

(54) Erich Müller, *Da geh ich ins Maxim* (A Maxim a tanyám), GROSSE ÖSTER-REICH-ILLUSTRIERTE, Bécs, 1955. I. 9.

(55) – rp –, NEUES WIENER TAGBLATT, Bécs, 1904. I. 21.

(56) n. n., DEUTSCHES VOLKSBLATT, Bécs, 1904. XII. 23.

(57) F. L., *Warum Operette?* (Miért éppen az operett?), SCHWEINFURTER ZEITUNG, Schweinfurt, 1944. IV. 26.

(58) Ludwig Karpath, NEUES WIENER TAGBLATT, Bécs, 1904. XII. 23.

(59) Richard Specht, DIE ZEIT, Bécs, 1904. XII. 23.

(60) st-g, *Die Juxheirat* (A mókaházasság), NEUE FREIE PRESSE, Bécs, 1904. XII. 23.

(61) K. Sch., *Theater, Kunst und Literatur* (Színház, művészet és irodalom), DEUTSCHES VOLKSBLATT, Bécs, 1904. XII. 23.

(62) F. L., *Wie entsteht eine Melodie?* (Hogyan keletkezik a dallam?), NEUES WIENER JOURNAL, Bécs, 1937. XII. 25.

(63) F. L.: *Wie eine Operette entsteht* (Hogy hogyan jön létre egy operett?), NEUES WIENER JOURNAL, Bécs, 1905. VI. 11.

(64) Peter Herz, *Wie aus der lästigen die Lustige Witwe wurde* (Hogyan lett a kibírhatatlan özvegyből víg özvegy), NEUE ILLUSTRIERTE WO-CHENSCHAU, Bécs, 1966. I. 12.

(65) F. L., CHEMNITZER VOLKSSTIMME, Chemnitz (Karl-Marx-Stadt), 1930.

(66) Victor Léon: *Das is ka Musik... Die Wahrheit über die Lustige Witwe* (Ez nem muzsika... Mi az igazság A víg özveggyel kapcsolatban), NEUES WIE-NER JOURNAL, Bécs, 1931. I. 6.

(67) Fritz Stein: *50 Jahre „Die lustige Witwe"* („A víg özvegy ötven esztendeje), Wien–Wiesbaden, 1955.

(68) W. P., *Vom Durchfall zum Welterfolg. Wie man vor 35 Jahren über Die lustige Witwe urteilte* (A bukástól a világsikerig. Hogyan ítélték meg 35 esztendeje A víg özvegyet), VOLKSZEITUNG, Bécs, 1939. II. 15.

(69) T. G., *Die lüsterne Witwe* (A buja özvegy), DIE KRITIK, Bécs, 1907. I. 15.

(70) Sch-r, DEUTSCHES VOLKSBLATT, Bécs, 1905. XII. 31.

(71) – bs –, NEUES DEUTSCHES JOURNAL, Bécs, 1905. XII. 31.

(72) n. n., NEUE FREIE PRESSE, Bécs, 1905. XII. 31.

(73) n. n., BÜHNE UND WELT, Berlin, 1903.

(74) n. n., *Demonstration gegen Die lustige Witwe in Triest* (Tüntetés A víg özvegy ellen Triesztben), NEUES WIENER JOURNAL, Bécs, 1907. II. 28.

(76) Bernard Grun, *Weltruhm im ¾ Takt. Die F. L. Story* (Világhír háromnegyedes ütemben. A Lehár Ferenc-sztori), BUNTE ÖSTERREICH-ILLUSTRIERTE, Bécs, 1970. IV. 21–VI. 2.

(77) n. n., FREMDENBLATT, Bécs, 1907. III. 8.

(78) n. n., *Die Lustige Witwe in Paris* (A víg özvegy Párizsban), NEUES WIENER ABENDBLATT, Bécs, 1909. V. 4. (átvétel a Párizsi *Le Temps*-ból)

(79) Felix Salten, *Die neue Operette* (Az új operett), DIE ZEIT, Bécs, 1906.

(80) F. L., *Erinnerungen an Johann Strauss* (Emlékeim J. S.-ról), NEUES WIE-NER TAGBLATT, Bécs, 1925. X. 25.

(81) Karl Kraus, DIE FACKEL, Bécs, 1909. I. 19.

(82) Ludwig Hirschfeld, *Wiedersehen mit einer Witwe* (Viszontlátás egy özvegygyel), NEUE FREIE PRESSE, Bécs, 1923. IX. 23.

(83) n. n., *Die Lustige Witwe am Zambezi* (A víg özvegy a Zambézi partján), BERLINER TAGEBLATT, Berlin, 1910. II. 22.

(84) F. L., *Ich wäre beinahe ein Opernkomponist geworden! Wie meine „Tatjana"* entstand (Kis híján operaszerző lettem! „Tatjána" című művem keletkezéstörténete), NEUES WIENER TAGBLATT, Bécs, 1937. XII. 14.

(85) Ludwig Karpath, *Theater, Kunst und Literatur. Tatjana* (Színház, művészet és irodalom. A „Tatjána"). NEUES WIENER TAGBLATT, Bécs, 1906. II. 11.

(86) n. n., *Theater an der Wien*, NEUES WIENER TAGBLATT, Bécs, 1906. XII. 2.

(87) F. L., *Die Zukunft der Operette* (Az operett jövője), DIE WAAGE, Bécs, 1903. I. 10.

(88) F. L., *Was ich gerne komponiere?* (Hogy mit komponálok szívesen?), NEUES WIENER TAGBLATT, Bécs 1918. III. 31.

(89) Sch-r, DEUTSCHES VOLKSBLATT, Bécs, 1906. XII. 4.

(90) n. n., NEUES WIENER JOURNAL, Bécs, 1906. XII. 2.

(91) – rp –*Theater, Kunst und Literatur. „Der Mann mit den drei Frauen"* (Színház, művészet, irodalom. „A három feleség"). NEUES WIENER TAGBLATT, Bécs, 1908. I. 22.

(92) Karl Schreder, *Der Mann mit den drei Frauen* (A három feleség, DEUTSCHES VOLKSBLATT, Bécs, 1908. I. 22.

(94) n. n., NEUER THEATERALMANACH, Berlin, 1909.

(95) Paul Wilhelm, *Bei Direktor Wilhelm Karczag* (Karczag direktor úrnál), NEUES WIENER JOURNAL, Bécs, 1911. IX. 21.

(97) Blasius, *Das Fürstenkind* (Hercegkisasszony), DAS THEATER, Berlin, 1909. XI. 1.

(98) Karl Kraus, *Ritter Sonett und Ritter Tonreich* (Szonett lovag és Hangjasok lovag), DIE FACKEL, Bécs, 1912. II. 20.

(99) n. n., *Franz Lehárs neue Operette „Das Fürstenkind"* (L. F. új operettje, a Hercegkisasszony), NEUE FREIE PRESSE, Bécs, 1909. X. 8.

(100) – bs –, *Theater und Kunst. Johann-Strauss-Theater* (Színház és művészet. A Johann Strauss Színház), NEUES WIENER JOURNAL, Bécs, 1909. X. 8.

(101) n. n., VELHAGEN & KLASINGS MONATSHEFTE, Bielefeld–Lipcse, 1924.

(102) – rep –, *Theater, Kunst und Literatur. Die ideale Gattin* (Színház, művészet, irodalom, A tökéletes asszony). Bécs, 1913. X. 12.

(103) Sch-r, *Das Fürstenkind* (Hercegkisasszony), DEUTSCHES VOLKSBLATT, Bécs, 1909. X. 8.

(104) n. n., DIE WOCHE, Berlin, 1902. III. 29.

(105) Eduard Hanslick: *Am Ende des jahrhunderts*, Berlin, 1899.

(106) Alfred Maria Willner, *Wie eine Operette entsteht?* (Hogyan keletkezik az operett? – Válasz egy körkérdésre), NEUES WIENER JOURNAL, Bécs, 1905. VI. 11.

(107) Emil Steininger, *Bevor der Vorhang aufgeht. Einiges über die Geburt der Operetten* (Mielőtt felmenne a függöny. Egy s más az operettek születéséről), NEUES WIENER JOURNAL, Bécs, 1919. I. 6.

(108) F. L., vö. (107).

(109) Bernard Grun: *Gold und Silber* (Arany és ezüst), München és Bécs, 1970.

(110) Maria v. Peteani: *Franz Lehár. Seine Musik – sein Leben* (L. F. élete és muzsikája). Bécs–London, 1950.

(111) – bs –, NEUES WIENER JOURNAL, Bécs, 1909. XI. 13.

(112) E., *Theater, Kunst und Literatur. Der Graf von Luxemburg,* (Színház, művészet, irodalom. A Luxemburg grófja) NEUES WIENER TAGBLATT, Bécs, 1909. XI. 13.

(113) n. n., *Franz Lehárs neue Operette „Der Graf von Luxemburg",* NEUE FREIE PRESSE, Bécs, 1909. XI. 15.

(114) n. n., *Theater, Kunst und Literatur. Der Graf von Luxemburg.* DEUTSCHES VOLKSBLATT, Bécs, 1909. XI. 13.

(115) dr. Erich Urban, *Franz Lehár,* MUSIK FÜR ALLE, Berlin 1910.

(116) – bs –, NEUES WIENER JOURNAL, Bécs, 1910. I. 9.

(117) L. F. szavai; idézi a bécsi Volksoper műsorfüzete, amely 1977. V. 15-én jelent meg, a bécsi FREMDENBLATT-ra hivatkozva.

(118) – rp –, *Theater, Kunst und Literatur. Zigeunerliebe,* NEUES WIENER TAGBLATT, Bécs, 1910. I. 9.

(119) Fritz Jacobson: *Hans Gregors Komische Oper,* Berlin, 1912.

(120) Heinrich Vollrat Schumacher, *Zigeunerliebe,* DAS THEATER, Berlin, 1910. III. 1.

(121) Artur Neisser: *Bühne und Welt,* Berlin, 1910.

(122) F. L., *Eine Erklärung Lehárs* (L. nyilatkozata), 1910-es lapkivágás

(123) L. F. szavai a *Hinter den Kulissen* (A színfalak mögött) című cikkben, NEUES WIENER JOURNAL, Bécs, 1910. X. 15.

(124) L. F. nyilatkozata Karl Kraus DIE FACKEL c. lapjában: *Ernst ist das Leben, heiter war die Kunst* (Az élet komoly, a művészet vidám volt), Bécs, 1910. XII. 31.

(125) n. n., LEIPZIGER NEUESTE NACHRICHTEN, Lipcse, 1910. X. 26.

(126) Emil Steininger, *Wie Ischl von der Operette annektiert wurde. Die Prominenten im Grünen* (Hogyan kebelezte be Ischlt az operett. Hírességek a zöldben), NEUES WIENER JOURNAL, Bécs, 1919. VI. 9.

(127) Interjú Lehár Ferenccel, 12-UHR-BLATT, Berlin, 1944. VIII. 17.

(128) L. F. interjúja, DIE FACKEL, Bécs, 1912. XII. 12.

(129) -r., *Franz Lehárs „Eva"* (L. F. „Évá"-ja), LEIPZIGER ILLUSTRIERTE, Lipcse, 1912. II. 8.

(130) F. L., *Meister F. L. und die Wiener Schrammelmusik* (L. F. és a bécsi sramlizene), DIE UNTERHALTUNGSMUSIK, Düsseldorf, 1940. IV. 25.

(131) st., *Lehár-Premiere im Theater an der Wien* (Lehár-bemutató a Theater an der Wienben), FREMDENBLATT, Bécs, 1911. XI. 25.

(132) n. n., *Franz Lehárs Operette „Eva"* (L. F. operettje, az Éva), NEUE FREIE PRESSE, Bécs, 1911. XI. 25.

(133) Richard Kralik: *Geschichte der Stadt Wien* (Bécs városának története), Bécs, 1933.

(135) Karl Schreder, *Eva* (Éva), DEUTSCHES VOLKSBLATT, Bécs, 1911. XI. 25.

(136) Ludwig Klinenberger, *BÜHNE UND WELT*, Berlin, 1912. I. 1.

(137) Karczag, Wilhelm, *Operetten und musikalische Komödie* (Az operettek és a zenés komédia), NEUES WIENER JOURNAL, Bécs, 1914. IV. 12.

(138) F. L., *Die Operette, wie ich sie mir vorstelle* (Az operett, amilyennek én képzelem), BERLINER TAGEBLATT, Berlin, 1926. II. 4.

(139) n. n., *Lehár in Tripolis* (L. Tripoliszban), NEUE FREIE PRESSE, Bécs, 1913. III. 11.

(140) J. H., *Franz Lehár über Tango und Walzer* (L. F. a tangóról és a keringőről). NEUES WIENER TAGBLATT, Bécs, 1913. X. 5.

(141) L. F. levele Lehár Antalhoz, 1913. II. 24.

142) L. Hfd., *Franz Lehárs Operette „Die ideale Gattin"* (L. F. operettje, „A tökéletes asszony"), NEUE FREIE PRESSE, Bécs, 1913. X. 12.

(143) L. Hfd., *Franz Lehárs Operette „Endlich allein"* (L. F. operettje: „Végre egyedül"), NEUE FREIE PRESSE, Bécs, 1914. I. 31.

(144) F. L., *Operette* (Az operett), DIE SCHALLKISTE, Bécs, 1926. március.

(145) Wr., *Frankfurter Theater* (Színház Frankfurtban), VOLKSSTIMME, Frankfurt/Main, 1914. IV. 23.

(146) L. F. levele Karl-Ernst Schoetzaunak, 1941. VII. 25.

(147) n. n., *Die künstlerische Ehre des Komponisten Lehár* (A zeneszerző Lehár művészi becsülete), NEUE FREIE PRESSE, Bécs, 1914. VII. 16/17.

(148) Dr. Alfred v. Seiller, *Die Plagiataffäre Franz Lehárs. Gerichtlich abgelehnt* (L. F. plágium-ügye. A bíróság elutasította), NEUES WIENER TAGBLATT, Bécs, 1914. I. 21.

(149) Karl Kraus, *Nachruf* (Nekrológ), DIE FACKEL, Bécs, 1919. I. 21.

(150) Karl Marilaun und Franz Lehár, *Franz Lehár über Oberst Lehár. Aus einem Gespräch mit dem Komponisten* (L. F. Lehár ezredesről. Beszélgetés a zeneszerzővel), NEUES WIENER JOURNAL, Bécs, 1919. XI. 12.

(151) n. n., *Persönliche Erinnerungen an Oberst Baron Lehár. Äusserungen seines ehemaligen Adjutanten a. D. Fritz Fischer* (Személyes emlékeim báró Lehár ezredesről – A hajdani adjutáns, Fritz Fischer, szolgálaton kívüli főhadnagy nyilatkozata), NEUES WIENER JOURNAL, Bécs, 1921. IV. 1.

(152) Karl Kraus, DIE FACKEL, Bécs, 1916 márciusában.

(153) J. St., *Theater und Kunst. Die neue Lehár-operette* (Színház és művészet. Az új Lehár-operett), FREMDENBLATT, Bécs, 1916. I. 15.

(154) *Rückkehr Franz Lehárs aus Lille. Ein Gespräch mit dem Komponisten* (Lehár Ferenc visszatért Lille-ből. Beszélgetés a zeneszerzővel), NEUES WIENER TAGBLATT, Bécs, 1916. VI. 27.

(155) Sch-r, DEUTSCHES VOLKSBLATT, Bécs, 1916. IX. 28.

(156) – rp –, *Theater, Kunst und Literatur. „Der Sterngucker"*, (A csillagok bolondja), NEUES WIENER TAGBLATT, Bécs, 1916. IX. 28.

(157) Karl Tschuppik, *Franz Joseph. Der Untergang seines Reiches* (Ferenc József. Birodalmának bukása), Hellerau, 1928.

(158) – rp –, *„Wo die Lerche singt"* (Pacsirta), NEUES WIENER TAGBLATT, Bécs, 1918. III. 28.

(159) -m, *Franz Lehár und Karl Rössler* (L. F. és Karl Rössler), SONN- UND MONTAGSZEITUNG, Bécs, 1918. I. 14.

(160) Karl Schreder, *Wo die Lerche singt* (Pacsirta), DEUTSCHES VOLKS-BLATT, Bécs, 1918. III. 28.

(161) Hfd., „*Wo die Lerche singt*" (Pacsirta), NEUE FREIE PRESSE, Bécs, 1918. III. 28.

(162) n. n., DIE ELEGANTE WELT, Berlin, 1919. III. 12.

(163) L. F., *Lehár bleibt Wien treu* (Lehár hű marad Bécshez), WIENER ALLGE-MEINE ZEITUNG, Bécs, 1920. I. 29.

(164) Karl Marilaun és L. F., *Bei Lehár* (Lehárnál), NEUES WIENER JOUR-NAL, Bécs, 1920. III. 7.

(165) *Puccini und Wien. Ein Brief Puccinis an Franz Lehár*, (P. és Bécs. P. levele L. F.-nek), NEUES WIENER JOURNAL, Bécs, 1919. XI. 18.

(166) DEUTSCHES VOLKSBLATT, Bécs, 1920. V. 29.

(167) E. B., NEUES WIENER JOURNAL, Bécs, 1920. V. 29.

(168) K., *Die blaue Mazur. Lehár. Premiere im Metropol-Theater* (A kék mazur. Lehár-bemutató a Metropol Színházban), B. Z. AM MITTAG, Berlin, 1921. III. 29.

(169) L. Hfd., *Festaufführungen Wiener Musik. Franz Lehárs Operette „Die Blaue Mazur"* (A bécsi zene ünnepi előadásai. L. F. operettje, A kék mazur), NEUE FREIE PRESSE, 1920. V. 29.

(170) Lehár Antal, NEUE ZÜRCHER ZEITUNG, Zürich, 1951. V. 20.

(171) Giacomo Puccini levele L. F.-hez, 1921. jan.

(172) F. L., *Operettendämmerung* (Az operett alkonya), NEUES WIENER JOUR-NAL, Bécs, 1920. XII. 25.

(173) Anton Bauer, *150 Jahre Theater an der Wien* (A színházak 150 éve a Wien folyó mentén), Zürich–Leipzig–Wien, 1952.

(174) n. n., NEUES WIENER JOURNAL, Bécs, 1921. IV. 5.

(175) n. n., *Theater und Kunst. Apollo-Theater* (Színház és művészet. Az Apolló-színház), NEUES WIENER JOURNAL, Bécs, 1921. IX. 11.

(176) n. n., *Das Wort, sie sollen es lassen stahn* (Akadjon el a szó), DIE FACKEL, Bécs, 1921. XI. 1.

(177) L. F. szavai, idézi Julius Stern, VOLKSZEITUNG, Bécs, 1924. III. 9.

(178) L. Hfd., *Die neue Lehár-Operette „Frasquita"* („Frasquita", az új Lehár-operett), NEUE FREIE PRESSE, Bécs, 1922. V. 13.

(179) a. e., *Theater und Kunst. Theater an der Wien* (Színház és művészet. A Thea-ter an der Wien), NEUES WIENER JOURNAL, Bécs, 1922. V. 13.

(180) – tr –, *Frasquita. Die neue Lehár-Operette im Theater an der Wien* (Frasquita. Lehár új operettje a Theater an der Wien-ben), NEUES WIENER TAGBLATT, Bécs, 1922. V. 13.

(181) n. n., *Der Kampf um den Index im Theater* (Küzdelem az indexért a színház-ban), NEUE FREIE PRESSE, Bécs, 1922. X. 5.

(182) n. n., NEUE FREIE PRESSE, Bécs, 1922. X. 4.

(183) n. n., DIE WOCHE, Berlin, 1904. XI. 10.

(184) L. Hfd., *Die neue Lehár-Operette „Die gelbe Jacke"* (Az új Lehár-operett: „A sárga kabát"), NEUE FREIE PRESSE, Bécs, 1923. II. 10.

266

(185) a. e., *Theater und Kunst. Theater an der Wien* (Színház és művészet. A Theater an der Wien), NEUES WIENER JOURNAL, Bécs, 1923. II. 10.

(186) Ernst Decsey, *Theater, Kunst und Literatur. „Die gelbe Jacke* (Színház, művészet és irodalom. „A sárga kabát"), NEUES WIENER TAGBLATT, Bécs, 1923. II. 10.

(187) Ernst Decsey, NEUES WIENER TAGBLATT, Bécs, 1923. IV. 1.

(188) a. e., *Theater und Kunst. Stadttheater* (Színház és művészet. A Stadttheater), NEUES WIENER JOURNAL, Bécs, 1923. IV. 1.

(189) D., *Clo-Clo, die neue Lehár-Operette* (Clo-Clo, az új Lehár-operett), NEUES WIENER TAGBLATT, Bécs, 1924. III. 9.

(190) Hfd., *Die neue Lehár-Operette Clo-Clo"* (Az új Lehár-operett: a Clo-Clo), NEUE FREIE PRESSE, Bécs, 1924. IV. 20.

(191) L. F., *Meine Biographie und ich* (Az életrajzom és én), NEUES WIENER JOURNAL, Bécs, 1924. IV. 20.

(192) Dr. Crusius, *Der Fall Lehár. Kritische Anmerkungen zur „Gelben Jacke"* (A Lehár-ügy. Kritikai megjegyzések „A sárga kabát"-hoz), WIENER SONN- UND MONTAGSZEITUNG, Bécs, 1923. XII. 13.

(193) Egon Friedell: *Kulturgeschichte der Neuzeit* (Az újkor kultúrtörténete), München, 1931.

(194) Richard Winger, *Zu den Gartenzwergen* (Megjegyzések a kerti törpékről), KRONEN-ZEITUNG Bécs, 1971. VII. 14.

(195) St., *Die neue Operette Lehárs. „Frasquita" im Theater an der Wien* (Az új Lehár-operett. A „Frasquita" a Theater an der Wien-ben). VOLKSZEITUNG, Bécs, 1922. V. 13.

(198) n. n.: *Wiener Führer* (Bécsi útikalauz), Bécs és Lipcse, 1925.

(199) F. L.: *Mein Freund Tauber* (Barátom, Tauber). *Gesicht und Maske – das Richard-Tauber-Buch* (Arc és maszk. Richard Tauber tiszteletére), I. köt., szerk. Heinz Ludwigg, Berlin, 1928.

(201) Georges Sadoul: *Geschichte der Filmkunst* (A film művészete), Bécs, 1957.

(202) -ron, NEUES WIENER JOURNAL, Bécs, 1925. IX. 6.

(203) Ludwig Renner interjúja Richard Tauberral, NACHTAUSGABE, Berlin, 1925. II. 4.

(204) E. D., *Theater, Kunst und Literatur. „Paganini"* (Színház, művészet és irodalom. A „Paganini"), NEUES WIENER TAGBLATT, Bécs, 1925. X. 31.

(205) Otto Stradal, *Der ewige Jüngling. Erinnerungen an Franz Lehár zu seinem 100. Geburtstag* (Az örökifjú. Emlékezés Lehár Ferencre 100. születésnapja alkalmából), KURIER, Bécs, 1970. IV. 25.

(206) -ron, *Johann-Strauss-Theater* (A Johann Strauss Színház), NEUES WIENER JOURNAL, Bécs, 1925. X. 31.

(207) n. n., DAS THEATER, Berlin, 1926, 2. (februári szám)

(208) L. S., *Lehárs „Paganini" im Deutschen Künstlertheater* (Lehár Paganinije a Deutsches Künstlertheaterben), BERLINER TAGEBLATT, Berlin, 1926. I. 31.

(209) dr. Erich Urban, *Paganini in Berlin* (A Paganini Berlinben), B. Z. AM MITTAG, Berlin, 1926.

(210) F. L., *Wie ein Operettenerfolg entsteht. Vom Libretto bis zum Star* (Hogyan

születik a siker. A szövegkönyvtől a sztárig), NEUES WIENER JOURNAL, Bécs, 1936. VII. 26.

(211) Richard Tauber, HAMBURGER NACHRICHTEN, Hamburg, 1927. XII. 5.

(212) dr. Erich Urban, *Der Zarewitsch, Lehár im Deutschen Künstlertheater* (A cárevics. L. a Deutsches Künstlertheaterben), B. Z. AM MITTAG, Berlin, 1927. II. 17.

(213) Moritz Lieb, *Der Zarewitsch. Die neue Lehár-Operette im Deutschen Künstlerhaus* (A cárevics. Az új Lehár-operett a Deutsches Künstlerhausban), BERLINER MORGENPOST, Berlin, 1927. II. 18.

(214) Schrenk, *Der Zarewitsch. Deutsches Künstlertheater* (A cárevics. Deutsches Künstlertheater), DEUTSCHE ALLGEMEINE ZEITUNG, Berlin, 1927. II. 17.

(215) F. L., *Das Geheimnis meines Erfolges* (Sikerem titka), NEUE FREIE PRESSE, Bécs, 1928. VII. 19.

(216) schr., *Der Graf von Luxemburg* (Luxemburg grófja), B. Z. AM MITTAG, Berlin, 1928. II. 25.

(217) dr. F. Hirsch, *Wiener und Pariser operetten* (Bécsi és párizsi operettek), NEUES WIENER JOURNAL, 1928. március.

(218) n. n., *Lehárs „Friederike". Die Wiedereröffnung des Metropol-Theaters* (Lehár „Frieriká"-ja. A Metropol Színház újra megnyílt), BERLINER MORGENPOST, Berlin, 1928. X. 6.

(219) n. n., DAS THEATER, Berlin, 1928. X. 16.

(220) F. L., *Der neue Weg der Operette* (Az operett új útja), NEUES WIENER JOURNAL, Bécs, 1929. X. 19.

(221) n. n., DAS THEATER, Berlin, 1919. I. 16.

(222) Kl., *Lehárs „Friederike" in Wien* (L. Friderikája Bécsben), 8-UHR-BLATT, Berlin, 1929. II. 17.

(223) r. és F. L., *Gespräch mit F. L.* (Beszélgetés Lehár Ferenccel), WIENER ALLGEMEINE ZEITUNG, Bécs, 1920. V. 29.

(224) n. n., DAS THEATER, Berlin, 1929. november.

(225) n. n., DIE FACKEL, Bécs, 1919. október.

(226) F. L., *Franz Lehár über sich selbst* (L. F. – önmagáról), NEUES WIENER ABENDBLATT, Bécs, 1930. II. 27.

(228) F. L., *Wie entsteht ein Schlager? Komponisten populärer Melodien über ihre Erfolgsnummern. Er kommt und er ist da...* (Hogyan születik a sláger? Népszerű dallamok komponistái a sikerszámaikról. Jön, és aztán itt van...), NEUE FREIE PRESSE, Bécs, 1932. IV. 24.

(229) n. n., *Lehár ist bös auf Wien? Die unterbliebene Lehár-Feier in der Staatsoper* (Lehár megharagudott Bécsre? Az elmaradt Lehár-ünnepség az Állami Operaházban), WIENER ALLGEMEINE ZEITUNG, Bécs, 1930. IV. 20.

(230) dr. A. H., *Lehár-Festspiele in Berlin* (Lehár-ünnepi játékok Berlinben), NEUES WIENER TAGBLATT, Bécs, 1930. IV. 25.

(231) Stan Czech, *Franz Lehár – sein Leben und sein Werk* (L. F. élete és munkássága), Berlin, 1940.

(232) A. W., *Lehár dirigiert die Philharmoniker* (L. vezényli a Filharmonikusokat), NEUES WIENER TAGBLATT, Bécs, 1930. IX. 25.

(233) F. L., *Der Konflikt Lehárs mit Rotters. Wie es zum „Krach" kam* (Lehár konfliktusa Rotterékkel. Hogyan került sor a „botrányra"), NEUES WIENER JOURNAL, Bécs, 1930. XII. 28.

(234) n. n., A Metropol Színház programfüzete a *Szép a világ* előadásához. Melléklet. Berlin, 1930.

(235) Willy Werner Götting, HAMBURGER ABENDPOST, Hamburg, 1930. XII. 7.

(236) Rudolf Lothar, *Lehár-Premiere in Berlin. Grosser Erfolg seiner Oper „Schön ist die Welt"*, NEUES WIENER JOURNAL Bécs, 1930. XII. 7.

(237) n. n., *Lehár-Premiere in Mailand. Uraufführung der Operette „Gigolette"*, NEUES WIENER JOURNAL, Bécs, 1927. I. 4.

(238) Keir., DAS THEATER, Berlin, 1930. márciusi füzet.

(240) Mimus, *Kommende Operettenkomponisten* (Eljövendő operett-komponisták), DAS THEATER, Berlin, 1931. májusi füzet.

(241) Ricardo E. Lapini, *Xenien zum Fasching* (Xéniák farsangra), DIE MUSIK, Berlin, 1931. februári szám

(242) F. L., *Auseinandersetzung mit meinen Kritikern. So ist es – ist es so?* (Vitám a kritikusaimmal. Így van ez – így van-e?) NEUES WIENER JOURNAL, Bécs, 1930. IV. 20.

(243) n. n., *Lehár als Satiriker* (Lehár mint szatíraíró), NEUIGKEITS-WELT-BLATT, Bécs, 1912. I. 9.

(244) L. F., *Wie soll man es all den lieben Mitmenschen recht machen?* (Hogyan tegyünk kedvére valamennyi kedves embertársunknak?), DIE THEATER- UND MUSIKWOCHE, 11. évf., Bécs, 1920.

(245) n. n., *113 Sender übertragen ein Lehár-Konzert* (113 rádióadó közvetíti a Lehár-hangversenyt), NEUES WIENER JOURNAL, Bécs, 1931. XI. 8.

(246) Richard Tauber, *Mein Seitensprung nach 6jähriger Ehe. Warum ich „Schön ist die Welt" in Wien nicht singe* (Félrelépésem hatesztendei házasság után. Miért nem énekelem Bécsben a „Szép a világ"-ot), NEUES WIENER JOURNAL, Bécs, 1932. I. 6.

(247) Sales, *Im Museum Franz Lehárs. Eine unbekannte Wiener Sehenswürdigkeit* (Lehár Ferenc múzeumában. Egy ismeretlen bécsi látványosság), NEUES WIENER JOURNAL, Bécs, 1929. III. 24.

(248) Videns, *Das Lehár-Schlösschen in Nussdorf* (A nussdorfi Lehár-palotácska), NEUES WIENER JOURNAL, Bécs, 1933. VI. 4.

(249) Egon Komorzynski, *Das Schikaneder-Lehár-Schlösschen in Nussdorf. Schikaneder und Lehár* (A Schikaneder-Lehár palotácska Nussdorfban. Schikaneder és Lehár), WIENER GESCHICHTSBLÄTTER, Bécs, 1955/3. sz.

(250) WELTGESCHICHTE IN DATEN (Világtörténet évszámokban), Berlin, 1965.

(251) – km –, *Franz Lehár über seine Jeritza-Operette* (Lehár Ferenc a Jeritzának szánt operettjéről), WIENER ALLGEMEINE ZEITUNG, Bécs, 1931. IX. 9.

(252) *Lehár über seine „Giuditta"* (Lehár a Giuditta c. művéről) NEUES WIENER TAGBLATT, Bécs, 1934. I. 17.

(253) *Franz Lehár über seine „Giulietta". Gespräch* (L. F. A Giuliettáról. Beszélgetés), NEUES WIENER JOURNAL, Bécs, 1932. IX. 14.

(254) Lehár über sein reifstes Werk: „Giuditta" (Lehár a Giudittáról, legérettebb művéről), NEUES WIENER EXTRABLATT, Bécs, 1934. I. 19.
(255) L. U., *Die grosse Lehár-Sensation* (A nagy Lehár-szenzáció), EIENER ALLGEMEINE ZEITUNG, Bécs, 1934. I. 15.
(256) n. n., *Giuditta bei Tag* (A Giuditta nappal), ILLUSTRIERTE KRONEN ZEITUNG, Bécs, 1934. I. 19.
(257) Ernst Decsey, *Der Esel Aristoteles* (Arisztotelész, a szamár), NEUES WIENER TAGBLATT, Bécs, 1934. I. 27.
(258) L. F., *Meine Frasquita-Premiere in Paris* (Frasquitám bemutatója Párizsban), NEUES WIENER JOURNAL, Bécs, 1933. V. 10.
(259) K. M., *Warum ich in Deutschland boykottiert werden soll* (Miért akarnak engem Németországban bojkottálni?), WIENER ALLGEMEINE ZEITUNG, Bécs, 1933. VII. 7.
(260) Richard Bars, GEMA-NACHRICHTEN, 105. sz. füzet, 1977. jan.
(261) F. L., *Eine Erklärung Franz Lehárs* (L. F. nyilatkozata), NEUE FREIE PRESSE, Bécs, 1933. VII. 7.
(262) F. L., *Eine Erklärung Franz Lehárs* (L. F. nyilatkozata), NEUES WIENER TAGBLATT, Bécs, 1933. VII. 7.
(263) Ludwig Hirschfeld: *Das Buch von Wien* (Bécsről szóló könyv), München, 1927.
(264) F. L., *Meine Weltreise* (Világ körüli utam), NEUES WIENER JOURNAL, Bécs, 1937. III. 3.
(265) F. L., *Mein Film* (Az én filmem), Bécs, 1933.
(266) Ferdinand Scherber, *Lehár über die Operette. Aus einem Gespräch mit dem Komponisten* (Lehár az operettről. Beszélgetés a zeneszerzővel). WIENER ZEITUNG, Bécs, 1938. XII. 25.
(267) Lehár 1936. IX. 28-i levele.
(268) F. L., *Die moderne Operette* (A modern operett). PESTER LLOYD, Budapest, 1938. I. 29.
(269) n. n., ECHO, Bécs, 1938. I. 31.
(270) WELTGESCHICHTE (Világtörténelem), VI. köt., Berlin 1967 (Moszkva 1962)
(271) dr. Claus Dümde, *Ein einschneidendes Ereignis für Österreich und Europa* (Egy Auszria és Európa számára döntő eseményről). NEUES DEUTSCHLAND, Berlin, 1978. III. 11–12.
(272) Lehár Antal levele Lehár Ferenchez, 1938. IX. 12.
(273) Peter Herz, *Die Ehrenarierin. Die Tragik im Leben der jüdischen Gattin Franz Lehárs* (A tiszteletbeli árja asszony. Lehár Ferenc zsidó felesége életének tragikuma), DIE GEMEINDE, Bécs, 1973. IV. 10.
(274) Lehár Ferenc Bécsből keltezett levele Richard Taubernak, 1938. VI. 17.
(275) L. F. bejegyzése Ischl város díszpolgárainak könyvébe, 1939. VII. 22.
(277) F. L., *Der Traum eines Künstlerlebens ist Wirklichkeit geworden. Franz Lehár erzählt von seiner Budapester Opernaufführung „Garabonciás diák"* (Egy művészetnek szentelt élet álma megvalósult. Lehár Ferenc a „Garabonciás diák" budapesti operaelőadásáról mesél), ÖSTERREICHISCHE VOLKSZEITUNG, Bécs, 1943. II. 21.

(278) Karl Reuss, *Franz Lehárs neues Meisterwerk. Uraufführung des „Garabonciás diák" im Budapester Opernhaus* (L. F. új mesterműve. A „Garabonciás diák" ősbemutatója a budapesti Operaházban), NEUES WIENER TAG-BLATT, Bécs, 1943. II. 21.

(279) Herbert Caspers, *Besuch bei Franz Lehár. Gespräch um seine neue Oper* (Látogatás Lehár Ferencnél. Beszélgetés új operájáról), SAARBRÜCKER ZEITUNG, Saarbrücken, 1944. III. 2.

(280) Günther Schwenn: *Bekenntnis zu Franz Lehár* (Hitvallás Lehár Ferenc mellett); a berlini Metropol Színház műsorfüzete a *Paganini*hez, Berlin, 1945. IX. 28.

(281) Arthur Neisser, *Vom Wesen und Wert der Operette* (Az operett lényegéről és értékéről), Lipcse, é. n. (kb. 1922).

(282) n. n., WELTPRESSE, Bécs, 1946. I. 22.

(283) n. n., THEATERDIENST, Berlin, 1947. VII. 14.

(284) n. n., BERLINER ZEITUNG, Berlin, 1947. II. 4.

(285) Häberlein zürichi városi tanácsos gyászbeszédéből Sophie Lehár hamvai fölött.

(286) Adolf Kretschy, *Erinnerungen an Franz Lehár* (Emlékek Lehár Ferencről), DAS PODIUM, Bécs, 1970 áprilisában

(287) Lehár Ferenc levele Lehár Antalnak, 1941. VII. 21.

(288) Lehár Ferenc végrendeletéből.

(289) für, *Von Lehár ist gut leben* (Lehárból jól lehet megélni), HÖR ZU, Bécs, 1970. V. 30.

(290) n. n., *Lehárs Betten werden verkauft* (Eladják Lehár ágyait), NEUES ÖSTERREICH, Bécs, 1949. XI. 6.

(291) Eckart Kröplin, *Lehár und kein Ende?* (Lehárnak sosem lesz vége?) THEATER DER ZEIT, Berlin, 1972/9. sz. füzet.

Tartalom